春宴

安妮宝贝

湖南文艺出版社
HUNAN LITERATURE & ART PUBLISHING HOUSE

黑暗也不能遮蔽我使你不见　黑夜却如白昼发亮　黑暗和光明　在你看都是一样

「诗篇」

目录

自序

所有想说的话，已写在小说里。故事中的人分别说出我想说的话。

写至小说临近尾声，北方空气已有凉爽之意。白杨树林持久蝉鸣无法停息，整个夏季写作这个故事。在郊外农舍几近与世隔绝，全日工作，写累时在旁边沙发上短暂入睡，醒来又写。有时深夜出门迎着月光跑步。如此，与人世两相遗忘。

若缺少人的参加、介入、发言或行动，万物照旧寡言兴盛。微小人类所持有的不过是自身存在。譬如，我记得午后时有雷阵雨，雨声在二楼屋顶发出暴烈声响，排山倒海，天地如同融合一体。站在窗边凝望白茫茫雨雾，世间此刻超离现实。在雨声中读书和入睡。瞬间，云团漂远，天色放晴，阳光重新逼人眼目。我珍惜每一刻这样的感受，持重心情如同它们将不复再来。

蝉鸣，午后雷阵雨，俯身采摘西红柿嗅闻到的芳香，风吹过时树叶掠动，清晨竹叶尖端的露水，孩子的笑容，一朵即将开至沉堕而不自知的花，一个以此遗忘世界的亲吻，以及黑夜中无人知晓的泪水和心碎……所有本真的存在令人内心振颤。没有其他人世的方式，能比这些更使人觉得美和哀愁，更能感受到生存的谦卑和尊严。

有人说，如果不知道回去哪里，心就如同无根的兰花。口号和概念组成的世界，使人忘却根本所在。情感变幻无常，却是突破规则界限得以让人接近自我的稀少机会。喜悦，抚慰，需索，依赖，分隔，决裂，性爱，自我发现，寻找，放弃，宽恕……种种组成试图让人明心见性。

时间有限，追索生命的诚意和真实，比什么都重要。

这是我想写一个形式专注且立意单纯的小说的原因。

这个小说，讨论经由情感和行动的试炼而得到的关于人与自我、外界关系的见证。这个命题我感兴趣。它其实是关于人的个体存在，关于叛逆心灵置身及对峙工业化社会和堕落时代的代价。最终我们一直在寻找的是精神的故乡，而非一个俗世的时代之中的位置。

这个小说，目前写过作品中篇幅最长。它并非一个流畅起伏引人入胜的故事。无关的话，说得太多，有关的话，又说得太简。全无章法，随心所欲，阅读需要更多耐心。这也许是一种任性，成年人的任性，其属性是一意孤行。我未曾想大幅修改这个小说，事实上，越到后来越觉得它无法修改。就让它以固有的个性和气质，坦然存在。

文中有多处城市和山村的虚构和重复，人名的重复，具体时代的隐没，不必一一对号入座。时空界定对这个故事来说不重要且可被忽略，它们不存在。我想以此表达人世的命运有诸多相通之处。

书中故事和青春或憧憬已无什么关系，也并非浪漫愉悦。呈现更多的是成年人的阴影、考验、损伤、辗转反侧、困顿冲突及难以言尽之处。人与时间并行，渐渐看清心灵的复杂褶皱和层次。也只有历经世事之后，理解力才能够穿透表象抵达本质，并试图给予一切宽谅。写到《春宴》，内心清朗。这并非指它是属性清朗的作品，相反，它代表的是一条于黑暗中穿行的道路，黑暗本身是它的内容，且这黑暗部分也是容易引起误解以至不悦或不适的。人在对苦痛和阴影有所承当有所体悟之后，才能真正理解其所映衬的那一道纯净自若的光。

我在小说中并不倾向给出结论。即使是有所违背逾越和挑战的感情，尽处也隐藏多面难辨的人性暗涌。深邃，错落，明暗对半。这同时也是一种美。

《以赛亚书》说，我必反手加在你身上，炼尽你的渣滓，除净你的杂质。一个故事的发生，在于印证心所需要经历的冒险：独自支撑，摸索前行，穿越迷途，在道路尽头瞭望光亮深长。以肉身和情感遭受试探的方式，而非其他肤浅虚假的方式。

写作10年，加诸身上的标签无数，我对外界言论无兴趣，也很少发言或说明。书的读者年龄，出生于上世纪60年代、70年代、80年代、90年代，跨越成分复杂。在不同年龄、身份、地域、国度的人与人之间，自有一种深沉、朴素而靠近的内心理解，是各自情感和记忆的联结。如同万物同归的沉静属性。这是我写作的动力所在，也是它应该抵达的本源之地。

这个故事，给予所有期待、行进、破碎或完成的恋人、情人、伴侣们。爱没有对错、真假、是非。它是人对自身的探索、实践和验证。它不持原则，无需评断。它最终是一种洞悉，一种原谅。

谨以纪念我们的生命里，出现过的每一个爱与被爱的人。他们带来的种种，一切均是为了帮助我们行进、生长、完善、纯净。这是相爱的使命。

阅读如同照镜，各人担当自己的担子。只希望你在故事中有所得。

谢谢。

安妮宝贝

2010．8．25

晨8点51分

北京

第一章　　歧照。书信和写作

1

清晨8点半，我在上海站坐上开往歧照的列车。

乘客不多。一些时间睡觉，一些时间喝水和观景，一些时间思考不着边际的问题。9个小时后，火车抵达秋天的歧照，正是北方黄昏时候。下车，出地道。出站口两扇敞开木门，一角灰白色天空。暮色四起。广场上出租汽车和三轮车颇显冷落，生意寥寥。低矮旧楼被雨水洗刷成暗色，路边耸立广告牌上，词汇带有时光倒退30年的落伍气息。我的精神一振，知道来到正确的地方。

在广场。我拖着背囊搭上一辆出租车。

司机是沉默中年男子。歧照本地人，很多有一张长形脸，眼角细长，颇有古风。圆脸和方脸很少。经历多次动荡变迁之后，歧照被强行赋予偏激的想象和论断。他们有狡诈的骗子、案犯，在其他省份名声不佳，备受排挤。当地人同时保持古都大气风范。踏实，淳朴，习俗中诸多风雅之意。这令人费解，除非亲身经历，否则歧照人始终是一个传说式误会。

出租车在街巷迂回穿梭。新区在城外田野开发，矗立起崭新高楼，大多是政府和机关单位。老城区落魄困顿，人口密集，市井气浓厚。居民楼阳台堆满生活杂物，晾晒各式衣服，摆放凋谢的植物。泥地街道，老人把婴儿放在竹制推车中，在汽车开过的飞扬尘土里走动。妇女穿着睡衣提着塑料袋购买食物回来，头发没有梳理，脸色晦暗。男子在路边修理铺污水旁边昏昏欲睡。

预定的旅店清风楼，一家老店。沦落为蜗居在老城区角落的廉价旅馆，早已徒有虚名。窄小巷子中的灰白色混凝土小楼，如同所有以临时心态搭建的建筑，苟且度日。接待处服务员，胖而迟钝的中年妇女，嗑瓜子看电视面无表情。走廊上铺陈一条化纤地毯，大红色触目惊心。也许从未得着过清洗。

据说歧照人的固执，在于不管这座城市被战争或洪流毁灭过多少次，他们都会凭借记忆在每一处确定过的位置上，重新建筑，把它复原。这意味清风楼旅馆虽然旧貌荡然无存，不再回复当日风情，但位置却可能没有丝毫偏差。我选择住到这里，也不过因着一种天真的憧憬。以为自己对这座城市的想象，将以一种准确无误的空间感重新构建。

用钥匙打开门。20平米房间，单人床，写字桌，一把椅子。墙面粉漆剥落，悬挂一幅黑白照片复印作品。往日歧照旧貌：底矮小楼，小街道骡马拥挤，各类挑担或步行的路人神情木然。卫生间抽水马桶污迹斑斑。搪瓷浴缸和浴帘余留暗色污斑，是血迹还是呕吐物无从分辨。盥洗池镜子边角碎裂，我伸出手掌，擦去镜面薄薄一层尘土。打开临河小窗，外面是流淌的桂河。一条黄昏暮光中平静的大河，闪烁隐隐波纹，呈现闷浊灰绿色。

清风楼往昔的雕栏画阁邀请昂贵的工匠精工细作。门前用时鲜花束搭起巨大花架。走廊上悬挂纱质灯笼，布满奇花异草。严格挑选过的茶和酒，令人流连忘返。歌伎年轻貌美，技艺精湛。客途中的旅人，所得慰藉不过如此。人生短暂，快乐难求。欢歌轻舞，且度今宵。一座酒楼曾集中汇聚人对现世所能持有的欲望和热情。

如今。往昔荣华和风情烟消云散，一去难回。

它成为藏污纳垢之地。

2

每一个夜晚。夜半时分，过道里有高跟鞋和杂乱足音移动，年轻女子如同鱼儿畅游在夜色里。长时间封闭无声的房间，此刻释放出喧杂声响：争执，殴斗，交媾，粗暴碰撞，吃吃笑声，歇斯底里的大声叫喊，酗酒之后男子的呓语，不明所以的哭泣，起哄，呼应……从不安宁。如同一处树木幽密野兽出没的森林，一片空旷无际风声呼啸的沙漠。夜色点燃簇簇燃烧火苗，以炽热骚动，突破白日庸碌乏味。

即使有人在走道里疾呼救命，或有女子大声惨叫，也从不会有人出来察看或试图阻止。我在枕头底下藏了一把水果刀。当然，半夜如果门外有持续轻声敲门，只能屏住呼吸不发出任何声音。

在这样的处境中，于某天深夜11点43分，我依旧在电脑上清晰打出第一段文字：

当她感觉自己逐渐老去，如果试图分辨与以往最为本质的区别，无非是看待事物的眼光发生变化。仿佛突然之间眼睛被擦亮。有人这样比喻年龄跨越过30岁的心得。以此看见幻象以及妄想的无处不在，看见事物在一种慢慢毁坏过程之中。毁坏到一定程度，虚空破碎，单纯完整的初始再次呈现。这是一次漫长的周而复始的循回，其长度和密度超越人所能计算。这是属于时间的奥秘。

3

写作具备一种与个体之间密不可分的危险关系。

写字楼白领，办公室里热火朝天，一旦打烊，即刻回归日常生活，与工作撇开瓜葛。写作者，在写不出任何一个字的时候，生活也只为写作而存在。即便没有在书桌前打开电脑，独自在街巷游荡无所事事，做着一切琐碎事务，一个写作者的躯体、心、头脑，仍与内心那团簇簇火焰互相纠缠、联结、搏击。

写作性质，使它的从事者注定被搁置在结构化社会机制之外。他们独自工作。这是一种孤独的处境。关于孤独，有个日本禅师比喻，它是习惯每天早上洗冷水澡的人，打开水龙头接受第一次冲击时仍会浑身颤抖的激灵。是这样的存在。与它迎头碰撞心有戒备，不会消亡，不会麻木，也无法回避。

在被长久的孤独冲击和与之默默依存的过程之中，我看到面容呈现变化。眼神，唇角，表情，举止，线条和轮廓，一种持续的缓慢的最终鲜明确凿的凸现：抑郁寡欢。格格不入。对峙。退却。

有3年时间我无法写作。无法在电脑里打出完整的一行字。远离人群，也几近被世间遗忘。

当我开始质疑写作，其本质是一种自我怀疑。也许，我觉得自己老了，喜欢旧的逝去中的事物，喜欢复古的端庄和单纯，不接受新兴改造、科技、俗世愉悦、衍变中的价值观、时髦、流行口语……所有被热衷被围观被跟随的一切。也不信服于权威、偶像、团体、组织。周遭种种，令人有错觉，貌似精力充沛更新换代，内里却是被形式重重包装的贫乏和空洞。

作为一个写作者，我承认自己兴趣狭隘。在出租车上如果听到电台播新闻，一定要求关闭。我不关心前赴后继与时俱进的一切。略带封闭的生活有其必要，从而过滤掉多余的资讯、概念、观点、见解，及一切以种种面目出现的俗世方式和规则。物质再昌盛，科技再发达，不能让人感觉到作为自我存在的真实质地。人类虽试图做出种种狂妄和幼稚的逃避，但地球上任一区域的人，不管他在摩登都市还是在天涯海角，在生命存活前提下，必须关注的问题，只能是如何发现并面对自我结构的真实性。

大而无当虚假繁荣虚空破碎的一切，只是表象和形式，不是根本和方向。也许可以用来填塞时间的缝隙，却对心灵没有引领。个体因为缺少安全感，趋向由集体和潮流中隐匿和消亡自我，究其实质是一种意志和独立性的虚弱。

虽然置身貌似喧杂沸腾的时代，我是职业作者，却在一段时间里完全失去方向。不知道该怎么写，写些什么，以及为什么而写。这三个问题足以让一个钻牛角尖的写作者颓唐营生，无所作为。这证明很初级的一个道理：人其实最终只能被自我打败。

4

我的自我迷失于对这个时代的惘然和不相宜。那段时间，无所事事，所能做的事情唯剩下阅读和走路。

埋头于一堆古书之中，都是死去的人留下的文字。风俗，人情，工艺，建筑，戏曲，诗词，历史，医药，传奇，食物，纺织品，街道结构……竖排繁体的旧书藏匿被扫荡的时间，如同一次殊遇，进入深邃严格具备想象力的文字之中。进入它所建设和构筑的世界。此中具备优雅而笃定的当下感，妙不可言。这乐趣持续如此长久，仿佛可以与人世隔离。如同一艘渡船，从此地到彼岸，获得一处空间。来自午夜床边一册发黄书籍，来自所有古老的旧的事物。

我怀疑自己曾在那些世代里生活过很久，轮回多次。它们的讯息余留在意识里，是深埋的没有知觉的矿藏。寄生的肉体则如大海中漂远的空瓶，不知归处，一无所用。在所置身的时代，我像一个来到异国他乡的人，没有根基，没有找到故乡，却渴望真实的美的存在。哪怕它是破损的，受伤的。

比如，一座被废弃的城。在故纸堆中打发时日。然后在行囊里塞进一份地图。

歧照。地图上描出它的位置，一座位于平原地区果核状地形的城市。一千年前，地球上最为繁华隆重的一座城。生活其中的人民，拥有清雅简洁的高标准审美，出神入化的手工艺技术，灵活而公正的商业体系，以及对所创造出来的富裕生活极度纵情奢靡的享受心得。即使来自西半球遥远他方的旅行家，抵达此地，也惊叹于它所带来的目不暇接和内心震撼。

这座东方城市，洋溢尘世烟火安稳富丽的气氛，是人的乐园，美的迷宫。同时，它如同一枚在腐烂之前熟透饱满的果实，散发出竭尽全力山穷水尽的芳香，知道自身在时间剥落中摇摇欲坠，朝不保夕。

古都，最终将以死亡的形式存在。断绝改造的通道，停滞不动，以不进则退的方式存在。歧照与其他小心翼翼呵护维持的古都不同，它是一个被摧毁的不复存在的城市，只留下一个地点。它被战争洗礼，被河流泛滥大水反复淹没。河水退却之后，淤泥把整个城市封存。新的建筑，在旧的尸体上重新营生。像一个容器，换了无数种的酒，液体漏失干涸，连气味也已嗅闻不到，坚不可摧的容器却依旧存在。

一座被放弃的城。一座空城。它承载过的生活被推向岁月深处，推入恒久虚空。一座城市，一个时代，一群人，因缘聚会，在一个时空点上注定被破坏。这是他们共同的前途。

他的美荣都像草上的花。草必枯干，花必凋谢。

5

抵达歧照。计划很久的事情。没有比在一个落魄古都中写作更为适宜。写作本身，和一座老城的湮没，具备相同的属性：拥有被时间反复埋葬真相不明的过去。现在行进中的挣扎、困惑和停滞。未来则呈现无所归宿的白浪茫茫。

在欧洲或其他地方，我不曾感受老城具备这样的惨烈美感。五六百年前的建筑坚固壮美，时间淘汰的是人，不是人所创造的文明。这是一种气定神闲。歧照与之相反，不断处于摧毁和重建中，置身在焦躁粗暴的节奏中。也许生活其中的人具备游牧民族的特质，只愿意把命运携带在游弋肉身上。从不安宁，也不对超越世间的秩序顺服。

曾经，我觉得威尼斯是一座颓废而美的城，对它心生向往。城市每一年都在倾斜、堕落、向海洋移动，最终会被海水覆盖。后来，我觉得，真正的颓废和美，不是被消灭之前苟延残喘的存在，而是被清除之后，无数次重建和改造之后，面目全非却轮廓完整的一具残骸。

这是一种被损伤的美。

无可置疑。那是歧照。

6

我置身于这个被损伤的容器之中，在一个累积陌生人分泌物和微小物质，储存他们的气味、欲望、回声和记忆的旅馆房间里，开始写作新书。

窗前摆放一张油漆斑驳的写字桌，堆积书籍、茶杯、烟灰缸、香烟、酒瓶、本子、各式手写笔、粘贴纸、水果和巧克力。我不吃其他零食，对食物没有多余欲望。作息规律，清晨6点起床，在隔壁小摊喝豆浆。早餐是一碗热粥。回到房间，开始写作。中午叫餐进房间。午后小睡20分钟。再次工作到下午6点。期间喝很多绿茶，抽很多烟。

出门吃晚饭。围绕旧城区长时间步行。有时去装修艳俗的酒吧，喝一小杯当地产烈酒，看本地人在光线昏暗的房间里唱卡拉OK大声嘶吼。

深夜回到旅馆，在锈迹斑斑的小浴室里洗热水澡。卫生间热水充沛滚烫，长时间用喷头冲洗头发、背脊、肩头、腹部、腿和脚。孤单的身体缺乏碰触和爱抚，如同长出森森浮萍的池塘，内里沉寂停滞。我想大概可称之是一种腐朽。在生活和工作中，我会混淆自己的性别。有时觉得自己是一个男性和女性的综合体。有时则觉得失去性别。

最终把清洁之后的躯体投入床垫生硬的单人床上，在以上种种重复行为的循环之后，又度过一日。

焦虑和失眠，有时会让我每天抽掉两包烟。咽炎，扁桃体炎，鼻炎，支气管炎频繁发作，但这无法使我说服自己戒烟。人若开始惜命，就是堕落，这是一个男人对我说过的话。当时我去采访他，他分给我一根香烟，说，你不戒烟吗。我说，不。他说，好，你将始终年轻。他是一个过气的电影明星，会写诗歌，组过乐队，有严重抑郁症。半年后，他选择坠楼身亡。身体由28层以自由落体姿态降落于一辆吉普车车顶。当场毙命。

我不知道自己在此地将停留多久。不知道什么时候会离开。不知道如何才能走到世界的尽头。

这座城给予我一种难以言喻的安全感，它的气息和节奏，带来的起伏和脉动，与我内心沦陷保持一致。也许我的人生，也需要必要的挖掘、清理、弃置。我知道自己失败之处。

7

有时阅读到深夜。读《太平御览》《搜神记》《聊斋志异》《古诗源》《礼记》……找寻偏僻名词，沉溺于诡异想象。这些文字被阅读之后，有何用处，又将去往哪里。我即便内心困惑但其实也并不关心。因为内心知晓，它们和我所置身的现实已毫无关联。

长时间关闭手机。睡觉前打开一次。除了专栏催稿、出版社编辑询问、公寓物业通知领取挂号信，没有人试图联系或问候我。我的私人生活领域是一片荒地。没有朋友，没有活动，没有互换，没有交际。在不是必需的时候，我不找人，也没有人找我。在内心，我习惯对人产生的，更多是一种观察本能而非实在的兴趣。

人若被世间遗忘，一定同时也在选择遗忘世间。成为一个无话可说的人，并使之显得合理。渐渐觉得语言无用，唯有行动值得关照。只管专注单纯去做，不问其他。写作时键盘在手指下弹动，心中句子源源不断流出。仿佛肉身是某种电源和能量的接受转换放射器。

我不觉得写作是一个纯粹的大脑活动，以理性、技巧和勤奋就得以生长。事实上它是并且只能是生命秩序给予的指令。我用3年时间设置疑问，最终明白写作是一种任务。它需要我。我则经由它的道路在世间找到一席之地。它成为生命的一个仪式和象征。

我想，如果没有写作，我在这个世间其实并没有栖身之地。

除去写作，我的生活空无一物。

8

在歧照第7日，收到一封电子邮件，来自陌生女子。她住在澳洲布里斯班附近朗霞小镇。丈夫是当地人，两个混血孩子的母亲。她自称是我的读者。

我在厨房餐桌上写这封电邮，灶上炖煮为晚餐准备的食物。孩子玩累休憩。暂时得以离开琐碎家务，留出小段时间写邮件给你。窗外望出去是朗霞特有的蓝天，远处山脉露出峰顶，河流贯穿田野。古老橡树如同绿伞撑开在原野边际。我住在此地已有5年。

16岁，去国外读书，在机场书店邂逅你的作品。当时你出版第一本书，6个单纯而荒诞的故事，书名是《六段》。这本小书，13年之后也许你再不愿提起。只是不遮掩，不虚饰，坦呈心扉，如同一场爱恋。我在12个小时的航程中，于阅读灯下读完。我爱上你，但明白你根本无须得知。即使有无关的人爱你，你也会寂寞至死。

13年后，我写信给你。你是我在这个世界上唯一可投递书信的人。手指落在键盘上，细微声音，不知为何，想起雨水滴落在海面上交汇的声响，在童年住过的岛上极为日常。那里雨水频繁，日日夜夜，从窗口望出去，是一面无限空旷的海水及其远处。成人之后，我只愿意住在人群混杂声响丰富的地方，脏以及公众使我觉得安全。

我是母亲领养的孤儿，5岁起与她生活。幼小时的我，只想知道，如她这般默默行进百无禁忌的人结局又将如何。她是花园院墙盛开的粗壮海棠，我是云团般花朵倒映在地面沙土上的阴凉。她比我大22岁，但这不代表我无法观测她与我自身的命运。

24岁时，我选择跟同年龄年轻女子不同的道路，早早结婚，跟一个男子去南半球，生下孩子。对我来说，一生所有重要的事情，在很年轻时就迫不及待做完，仿佛它要推进我的生命使之短促。时间有时看起来迅疾，稍纵即逝。有时它显得很长，令人心生厌倦。我依旧会偶尔困惑于该如何度过这一生。

你在记录，书写，一览无余。每个人不过活在属于自己的深渊边缘，寂寞至此，有时空气似也发出丝丝嘶鸣，真是致命。今日，我打算对你起头，无论你意向如何，我将继续之后的内容。关于我和我的母亲的故事。我的名字叫沈信得。

她在邮件中附寄一张照片予我。曝光过度，边缘有重色阴影。貌似在热带区域，灰蓝色木百叶窗殖民地风格建筑。女童双手放在玻璃窗上向外张望，直直黑发，刘海齐眉，穿白色蓬蓬纱裙子。发丝肩头闪烁光斑。低矮硬木衣柜卵形镜子映出正在拍照的女子，穿一条鸽灰蓝布拉吉，头发编成绞辫盘成发髻，光脚，手里执一台哈苏手动定焦相机。

镜子旁边是法式拿破仑时期造型的橡木椅子，缠枝花卉图案绸缎垫子显出旧损。椅背上垂搭软绸披肩。地毯上有一对粉白色丝质芭蕾式圆头鞋。窗台上落满火树烈焰般密密簇簇红色花瓣。

照片白框右下处，一行钢笔手写小字：老挝，琅勃拉邦，Naya。信得5岁。

日期显示这张照片拍摄于24年前的5月。

9

这照片中的大人和孩子看起来着实诡异，仿佛和时代脱节，也和人世无关。我对别人的故事已不感兴趣。当你随着阅历和知识积累，了解人性结构，就会逐渐明白，所有故事大同小异，不过时地和因缘的细节略有出入。日光之下，并无新事。人无需强烈的好奇心。在各人身上碾压过的规则和秩序，最终均来自同一种力量。

只觉得这张照片显示出的异国情调优美寥远。这对母女的形貌神情，也不是街头任意出现的普通人。她们仿佛不是中国人，也不是别国人。没有国界的区分。是两个自然人，只被内在的心灵的河流推动，并随之漂泊。

我为这封电子邮件另辟出一个文件夹，专门存放。在被人世遗忘的古都，在被人世遗忘的处境，没有人记挂、问候、抚触、相爱。有来自遥远他方的讯息，穿越海洋和国界，抵达电子信箱，这便是暂且可流连沉浸的小处花园。如果有喷泉，有树阴，有花丛，有鸟鸣，我乐意在此小憩。听一段大同小异的故事。来自大洋彼岸地球另一端的陌生女子的回忆。

也许她的回忆，只是一个与人世选择彼此遗忘的人，需求另一个相同的人的收留。

同时，继续在这座独自存在的城市里，整日写作小说。

10

我看到书中的女主人公，周庆长，在逐日增加字数的Word白色底板中凸现而出。

她是活在现世的女子。出场时27岁。暂且把背景地放在上海。上海是东南沿海所能见证的最为典型的中国城市。如同一座封闭而隔阂的岛屿，持有无国界般被西方冲击丰富动荡的过往，野心勃勃对金钱和物质狂热追赶而意兴阑珊的现在，以及虚空底色之上茫茫海洋般的未来。它是一座保守的稳固的华美的势利的城市，也是一座骄傲的受伤的无情的柔韧的城市。负载断裂历史，被斗志昂扬茫然失措的人群改造。

周庆长27岁时，生活在上海。她当下的使命是爱与被爱。这是一次重要的但并不代表唯一和终结的旅途。是她作为平常人的生命中，几个有限的注定的任务当中的一个。它已降临。

在3年停顿之后，重新动笔，我并未选择貌似壮阔或起伏的主题。也许我认定一个平常人的内心，其内里是一个波澜起伏无限大的世界。周庆长的感情和心灵，在某种想象和暗示中，已对我打开很久。如同宇宙的暗物质，无法辨证凸显，但它的确已用尽所能持有的全部的时空感的沉默和存在，等待我进入。

并与之核对，确认，拼凑，成形。

此刻。我看到她郁郁寡欢的眼神，肩头骨骼的单薄形状，锁骨凸起如同双翼，长发发丝有岩凤尾蕨的清淡气味。她摇摆不定，渐行渐远，身体和灵魂动荡水波、火焰、煤炭、金属和种子的声响。我看到她14岁时无意进入只能探索独行的一条隧道，在道路尽头眺望光源、花影、飞鸟的踪迹。她在情爱与意志中执拗穿行的寥落身形。

我看到手指间流泻而出的文字，携带着幽暗和不确定，在产生瞬间即刻堕入水中，发出扑扑碎裂微小声响。如同一种死亡。一种新生。

我看到自己在这个世间的无所作为。

我清楚意识到在这样的时刻，自己，一个异国他乡的陌生女子及她的记忆，一个想象虚拟之中的年轻女子，彼此之间命运的脉络和属性各自分裂却密不可分。如同晚春绽放的花楸伞房状花序密集白花中的一朵。我们在时空隔离层面各自存活，意义不过是为了呈现这个世间形式卑微而涵义独具的生命秩序的组合。

在此刻。我们已各自出发。

第二章　庆长。白鸟

1

当她感觉自己逐渐老去，如果试图分辨与以往最为本质的区别，无非是看待事物的眼光发生变化。仿佛突然之间眼睛被擦亮。有人这样比喻年龄跨越过30岁的心得。以此看见幻象以及妄想的无处不在，看见事物在一种慢慢毁坏过程之中。毁坏到一定程度，虚空破碎，单纯完整的初始再次呈现。这是一次漫长的周而复始的循回，其长度和密度超越人所能计算。这是属于时间的奥秘。

眼睛被擦亮，人认清自我局限。一种无力感枝节盘错扎下根基。此刻你是摩天大楼之间搭上钢索的穿行者，手里平衡杆是单纯意志。世界的组成原是孩童积木造型，岌岌可危，分崩离析。身下黑暗高耸，耳边风声呼啸。云端抑或传来一声鸟啼，全是神秘不可测数机关，你以为可以掌控局面，肢体和神经足够强壮。握紧唯一工具，遵循内心指示，做出判断，迈出脚步。钢索在足下振颤不已。如同命运沉默的警示。

你自认在完成不可能的任务，却有可能发现最终陷入一场戏谑。

周庆长很早时，就意识到这样一种个人处境与命运秩序互相接应的荒诞感。这使她选择和行进事物的意识归于严肃，并最终在人群中成为一个面目神情总有倔强之意的女子。她认定道路持有方向。或者，如同她的女性朋友Fiona所言，周庆长不合时宜。但也许偏狭却异常坚定，她的确拥有自己认定的根本。并且不交换，不放弃，不怀疑，不推翻。

媒体圈子同行，每周一次AA制饭局。固定在周五晚，广式茶餐厅。如果没有工作任务，大家按时相聚，联络感情互通有无。制作内容要随着外界风吹草动，做出迅速反应，这是通行法则。口头相传有时最直接有效。庆长和Fiona都是其中成员。庆长所在二线小城云和，离Fiona家乡，云和管辖下的县城花墙，不过80多公里，可算是同乡。

她们是生命力旺盛的人，在上海游荡数年，早已抹去痕迹，看不清来路。区别是Fiona是作为全省第一名的优等生，考上复旦中文系，毕业之后不想再回去。而庆长，本地一所破落学校毕业之后，转换过数种职业，凭藉特殊途径，婚姻，来到上海谋生。走的是不同道路。

Fiona在一份销量庞大的时尚周报工作。采访对象多为成功人士：电影明星，艺术家，商界精英，知识界权威，政府官员……出入名流圈子、各种私人会所俱乐部、奢侈品专卖店、高级酒店、画廊、派对和盛会。兜转一圈之后，脱胎换骨。截然不再是在县城度过人生最初17年的憨实少女，成为大都会摩登女郎。性格生辣活跃，学历和业绩可圈可点。唯一不足，只是身份证上奇突的县城地址。这个地址，与现实生活已不发生关联，却是她最为确定的历史核心。

越意识分明，越具有剧烈抗衡的勇气。Fiona的自我改造，方向坚定，不遗余力。最具战绩的证明，拿出攻克英语级别的坚韧精神，学会一口地道上海话。显然这比前者具备更大难度，方言有大量口语、俗语、特殊发音要求。但如同她的熟练英文一样，她的上海话也已基本上听不出破绽。背后下过多少苦功她不会发言，但圈子里相交不深的当地人，全当她同类。这对她很重要。

她认为重要的事情，庆长都觉得次要。

2

庆长觉得一个人背负其上的承当和经历是重要的。那正是生命光源滋生的来处。她注重这光源映射在身上的参照，这样才能对照呈现轮廓清晰的自我。

她对清池说起少年时一段回忆。14岁，她是叛逆少女，与寄养家庭不和不愿回家，经常逃课。对学校课业失去兴趣，百无聊赖。有时会用不吃午饭省出来的零钱，坐火车或客车去附近村镇短途旅行。这是她做过多次的事情。随意来到一个村庄一段山路，在湖边、田野、山谷闲坐半日，再坐车回去。

一个夏日午后，她在不知名小镇提前下火车，迷了路。一直在山道上行走，兜兜转转，走进一条山岭的火车隧道。这是必须穿越的道路，否则只能走回头路。一条记忆中无限漫长的隧道。空旷，幽深，冷清，黑暗。渐渐，渐渐，能够看见依稀洞口映出湛亮云天山影，一排盛开的粉白夹竹桃树丛，花团锦簇。

她独自长时间穿越，听到通道里的回声，钝重而颤动的足音和呼吸。眼睛眨都不眨，一直盯着那片光亮，如此才不让内心畏惧和彷徨把时间击垮。突然，背后一列火车呼啸穿进隧道。刺眼灯光逼射双眼如同盲目，空气摩擦发出嚣叫。海潮般大风扑卷而来。她把背部四肢紧贴在石壁上，身体发软，用尽全力支撑自己。侧过脸闭上眼睛屏住呼吸，等待火车经过。

大风仿佛从胸腔和躯体里穿透而过，要让身心碎裂。她对他说。我意识到身体中每一处结构都在使出力量与之回应。在火车穿行远去之后，她用力奔跑，跑向尽头崭新天地，感受心脏的跃动疼痛。如同一种寓意暗示，她将成为一个始终在寻找光源并为之行进的人。所有经历，不过是一次一次的认证。是内心明确而强大的意愿，召唤细节和过程的发生。因果前后无法定位，如同被热和光所吸引的飞蛾。

她因此得知，自己所面对的道路，注定支离颠沛并需要付出更多力气。

3

真，善，美，需要被克制，以及带有一定程度的损害、压抑和伤痛。自由的，放肆的，愉悦的，流泻的，到最后才会显示出某种失控的力量的变形。

因为趋利避害的本性，我们最终与一些美好的初衷背道而驰。或者，这美好的初衷，本该是远处连绵深邃的蓝紫色山岭之上，可望不可及的一抹虹彩，而不是被放置在白瓷碗盏中举手可食的一道午后甜点。在人做过的事情中，最终可产生意义的，是向远处山岭跋涉步行心怀热忱迈出的每一个步伐，而不是暴饮暴食后从食道里传出的几声沉闷饱嗝。

在经历过数种不同行业之后，25岁，庆长进入一家新创刊文化杂志工作。庆长被挖角，她在行业里已有好口碑。在广告公司工作之余，时常兼职为杂志做采访。当初认识Fiona，也是帮她写稿。即使只是与开餐饮店的老板聊天，其采访稿言之有物角度清新也夺人眼目。提问犀利，深入浅出。与其说那是天赋，不如说，她内心的价值观警示她选择到客观准确的角度和层面。

她试图成为一个有杠杆的人，做事情棱棱角角，有所依据，而不是被人群和集体的概念暴力所摧毁。她也不需要如Fiona那般热衷武装表象及形式，试图获得社会阶层和他人认同。她漠视认同，并同样漠视不认同。就像她从没有学习说一句上海话。她全听懂，但一句都不说。仅仅因为，她认定这一切是和她的生命不相关的东西。

进入杂志之后，她得到采访专栏，开始独立做主工作路线。与摄影师搭伴，走遍全国偏远省份。深山小村里失学少年，艾滋病村落，西藏手工做佛像的喇嘛，一边种植草药给人治病一边在山区传教的牧师，坚持穿古服研究整理古籍以古代方式生活的教授，终南山上隐居道士，母亲抑郁症发作杀掉三个孩子的家庭，因为举报被迫住在山洞里的男子，河流污染有畸形婴儿出生的县城……诸如此类，种种离奇或边缘存在的主题，是她追索的内容。

一次采访，通常有一星期或半个月左右时间，花费在旅途上。艰辛细致的工作方式。做完采访，回家做笔录，整理，撰稿，做出一个大专题。和摄影师沟通图片，编辑版面。发稿前在办公室里通宵无眠。如果人在上海，每周一上午固定去杂志社里开会。毫无疑问，她的工作方式与她内心的光源吻合，以此焕发身心所能蕴涵的全部深沉力量，自己却并不知晓。

这是她用来印证和确认自我存在的通道，而不仅仅是一份按时出工谋取薪水用以维生的职业。也有可能，她内心的信念，吸引这份工作来临。

在污泥沼泽般腐烂并且散发出恶臭的现实中，在与世隔绝的高山之巅山溪深谷中，寻找人性与天清地远的一丝交集。这交集在烈焰深渊里时而更显示出一种迫切急进的光芒。

1年12次采访做完，印证庆长持有的论点：真，善，美，需要被克制，以及带有一定程度的损害、压抑和伤痛。自由的，放肆的，愉悦的，流泻的，到最后才会显示出某种失控的力量的变形。

4

27岁这年10月。庆长在浦东机场等待飞机去往北京，受Fiona所托，做一个大篇幅采访。对方是一家加拿大商业软件公司高管。这本是Fiona差事，但她分身无术，庆长应急帮忙。对方秘书已与她通过电话。采访安排在下午3点。庆长抵达北京之后，直接赶去国贸CBD。

机场快轨乘客很满。经过一段地下隧道，开到地面高架轨道上，窗边出现一览无余城市景色。北京天空，在某个时段经常是灰白色的。凝滞的污染空气，使人鼻塞、喉痛、头晕脑胀。早晨刷牙会想呕吐。但清池说，在此地生活数年之后，这些症状会逐渐消失。不是痊愈，而是习惯。人最终都是在习惯中屈服。我们的意志并非想象中那般强韧，它也不能够选择理所当然的正确。正确的，只能是那些最终要强迫你接受的存在。不管它是空气，城市，婚姻，个性，还是其他。这是他的结论。

此刻，她坐在靠窗位置，漫无边际观望因工作短暂停留两天的城市。北京秋天，偶尔天空湛蓝高远，气候爽朗。后面一对来自美国的男子，一个年老，一个年少，热烈交谈，不断发出轻声赞叹。他们对这个城市有新鲜热情。对面邻座，两个结伴韩国少女，年轻，化妆艳美，用手机自拍照片，在单调娱乐中快活打发时间。

在这里，不存在没有目的的人。下车之后，谁都知道去往哪里。城市是巨大洞穴。要尽快进入能够通往它内部的秘密小径。个体在被吞没的时候，才是安全的。这样它隐藏了自身危险性。

庆长并非第一次来到北京，对这个城市素无好感。但她喜欢独自出行的自己。在一个隔阂严重的城市中，这种内心安定更为明确。因为知道无需与之产生关系，来去自如。人会与之纠缠不清的，是紧密联结的城市，在此中托付情感，形成历史。而那通常因为在其中有发生作用和影响的人。家人，爱人，友人……这些构成决定一座城市在生命中最终的位置。

对庆长来说，云和，临远，上海，是这样的城市。

23岁。她去黄山旅行。在搭乘的客运汽车里，邂逅24岁庄一同，上海男子。他们座位排在一起，都是独自出门旅行。是她的意愿所发出的强烈讯息吗，以此吸引一切能够完成这意愿的要素和形成。夏天烈日炎炎，即使开着窗，吹进来也是烈火般热风。车厢没有空调，一车昏昏欲睡旅人，汽车于蜿蜒山道长时间盘旋行驶。安徽刚发生过水灾，沿途都是泛滥湖水和漂浮的家畜尸体。

她在云和，是一个中心广场连锁咖啡店的女服务员，浑浑噩噩度日。有时白班，有时夜班，穿黑色衣服绿色围裙，站在收银机前卖咖啡蛋糕。忙碌时恨不能三头六臂，团团打转。空闲时，靠在咖啡机边观察每一个进来和离去的顾客，摸索他们的细节，猜测他们的人生。深夜打烊之后，她骑自行车，穿越黄梅雨季困顿不振的城市，回去租住小屋。她觉得身体里全都是故事。或者说，那是一种力道强盛的汁液，在血管里蹿涌着。需要做出表达和超越。

她还年轻，对人生没有什么畏惧。只要能持有心望，存活下去。

生命本身有局限所在，除非有一种行动带我们脱离狭窄视野，追赶无限。如果没有超越，存在将是一件寂寞并且快速的事情。

陌生男子困极入睡，脑袋渐渐歪斜，最终靠在她肩膀。出于一种天性的怜悯，她慢慢把他放倒，摊开手心，枕住他的脸使之安睡。他是无所事事年轻男子。这样的男子，一般会以貌似坚韧理性的女子为伴侣。在情感关系里，他需要被容纳和照顾，自身能量却不足够。他的脸部俊美，眼角眉梢流露出软弱。穿黑色衬衣，留长发，衣着讲究。正陷身于失控的生活。失业，失恋，吸毒。他的家庭经济殷实，忍受他为所欲为。

他们一起游览黄山，度过5日。看日出，找餐厅吃饭，黄昏时坐在山岭上喝啤酒，互相拍照，在旅馆共宿集体房间，互道晚安。大部分时间默默无言，交谈并不欢畅，不知为何，相处却安宁。他知道她读过很多书，她还可以写东西。如果有机会，她想去大城市的广告公司工作。临别时，他说，你来上海。上海有很多广告公司，你会找到工作。

她是天性灵敏的人，心里已有直觉和掌握，沉着问他，我们可以结婚吗。这样，我可以去上海找你。

他说，可以。

5

是这样的天时地利人和。命中注定要形成的事总是来得平坦分明。

潦倒的一同，需要带来强烈刺激的改变对抗生活压抑氛围。而她则希望离开云和，离开过往和阴影的隐藏之地。这种决心如此执拗，早已成为血液里刺耳的呼叫。她获得机会，打包起历史，与旧日生活隔绝，即使冒险也必须铤而走险。事实上，这是她能够抓住的唯一机会。她没有错过。

他对她的信任如同天性，又或许注定等待在此为她接送一程。即使他态度轻率，自知无力给予她安稳，但这依旧是一种勇气和担当，为她的激越付出代价。很多年后她为这句应允觉得感激。这句话，并非所有的男人都可以给。事实上很多女人为获得这应允过程极为漫长而困难。

他的父亲长年在国外做生意，一年回来两三趟。家里有母亲和姐姐。他的母亲强韧现实，无法理解一个只相处5天的异地女子，怎么能够诱使一同结婚。虽然一同总是在招惹麻烦，却是她甘愿娇宠的独子。有多少外地人，想来上海看一看花花世界。总之是乡下人，贪慕虚荣，心里先就看轻，认为她有心计，把他们家当成跳板。他们结婚，不过各领一本结婚证。没有戒指，没有婚宴，没有祝福，再无其他。这样将就漠然的婚姻，受到蔑视也很合理。

她没有父母出面，更无陪嫁。不过是个背景和学历没有任何光彩之处，只是试图努力在大都会求生存的孤身女子。住在他们家，有了栖身之所。得以找到工作，安身立命。从小广告公司3千块钱月薪做起。6个月之后，被一家外资广告公司挖走，薪水跳到每月8千。一同始终没有找到工作，窝在家里打电脑游戏不分昼夜，与外界失去联结。

她不怕工作辛劳，唯独无力周旋于看人脸色斗智斗勇。寄人篱下给予世态炎凉人情冷暖最为实际而直接的一课。

6个月后，她搬出去租房子单住，独立维持生活和开销。

分居3个月后，一同来找她。

他住在家里，无法离开家庭，这是他没有目标的生活所能持有的唯一支撑。她不过是他的一个遭遇。这是现实，确凿，真实，残酷，与爱或者感情全然没有关系。只是各自对所承担的生活做出的无力反抗。这个婚姻，其本质就是一次反抗。他们以此试图突破自身某个特殊阶段，却与对方无甚关系。

晚上他睡在她租住房间的单人床上，入睡很快，如同孩童。她心里没有依赖，他完全不可依赖，却被这皮肤和呼吸的温暖包裹感觉无尽孤凉。她需要感情，无法得到，只能伪装自己不需要感情。孤身一人也要在这个陌生城市里存活。她需要了解爱的真相，无法得知，只能让自己相信它并不存在。

早晨醒来，请短假，为他做好早餐。他们有一个事实婚姻，却不存在实质内容，甚至未曾尝试照料对方。他吃完食物，停顿片刻，说，爸爸妈妈想通了，希望你回去。他们会给我们买房子住。她心里闪过疑问，在看到他们如此折腾的分居之后，难道他的父母真的愿意为他们未来打算做出付出的行动吗。他说，房子都看好了，在浦东。首付他们会出，贷款我们自己交，名字要写他们的。

呵。真是精打细算的上海人家。付出首付，让她还贷款，帮他们买下这个房子。名字写父母，以后假设发生离婚，这个房子就跟她无丝毫关系。他们清楚一同现在没有收入，以后也未必会有。这般设防，又有什么可信任的未来可言。他们可以保留她，但要她做牛做马。她默默无言，站起来，转身去厨房洗碗。什么都没有说。

心已跟岩石一样再无热气。终于把婚离掉。1年的婚姻，在一起6个月。闪婚闪离。她在这个婚姻里，曾想得到感情，结果却如同他母亲所预言，得到一块此地到彼岸的跳板。这不是她对这个婚姻的企图。但毕竟在上海留了下来。

年轻活力充沛不知颠覆辛劳。新陈代谢旺盛，伤口在无知觉中自愈，不留创痛。她不诧异自己在环境困顿或变化中的麻木不仁。换工作。换房子。进入杂志社后薪水跳升，从偏远地段搬到繁华的静安寺附近，在闹市区中心高层居民楼租下房子。

40平米，房租昂贵。她长期在家工作，需要出行方便以及周边设施齐全，不觉勉强。如同每一个自处的单身女子，给窗户粘窗纱，修渗漏的抽水马桶，换灯泡，在厨房做饭，对着电脑边吃饭边看资料。没有养任何植物动物。有很多时间她需要出差，无法照料生活中其他生命存在。这个城市只她一个人，无亲无故，她要独力存活。

工作勤奋。以薪水获得租住房、交通、买书买碟片买唱片买咖啡买面包各项生活费用。从不抱怨。做一件事情，力求把它做完做到内心标准。如此个性，是跟才华一样的重要存在。同样靠笔头生活的庆长，在工作上的顺畅并不逊色于高学历的Fiona。

她清楚自己为生存所做过的事情不会留下痕迹，实质也并无意义。但人的生活，注定是在不留下痕迹也缺乏意义的事情中建立。她同时明白，相对于感情的稀少珍贵难以得到，凭靠肉身和意志与处境搏斗，以行动突破现实带来改变的胜算更大。

她成为相信并付诸实践的人。

6

下午2点50分。她准时出现在国贸写字楼一层咖啡店。对方公司在楼上。将近两个小时飞行和路途颠簸之后，在咖啡店里喝到一杯热烫香醇的咖啡，是设想周到之处。也许他也想借机放松一下，她想，所以并未让她直接去办公室。

庆长提前到达10分钟。走进卫生间，用冷水扑面。仔细清洗脸部和手指，卸去风尘，让头脑感觉清醒。镜子里浮现27岁周庆长的面容。从少女时一直保持的耶稣头，无修饰中分线直发，头发浓密漆黑充满生机。小圆领白色衬衣，藏蓝粗布裤，球鞋，风格中性。经历过风餐露宿路途颠簸，肤色微黑粗糙，仿佛一枚被遗失采摘的气味清淡的梨，却有余留的青梗之意。

在座位上她看到清池推门进来，站起来迎接他。不知为何，表情严肃没有客套。清池穿海蓝色细竖条白色衬衣，黑色长裤，黑色皮鞋，中规中矩外企高管装束。他是北方男子身形，高大挺拔，有运动习惯，肌肉匀称结实。平头。一双眼尾微微上挑的单眼皮眼睛，眼角轮廓清冷敏感。外表着实敦样的男子。后来她知道他曾祖母是日本京都人。他说纯正口音北方普通话。发音方式和腔调让人觉得安定。

她同时注意到他微笑时，细长眼尾绽出数条深长粘着的皱纹，显得极为性感。

她按照事先拟好的提纲，与他做完全部流程。Fiona要求她去他家里访问，顺带采访他家人。清池应允，说晚上家里刚好有社交活动。他的妻子带着孩子即将回去温哥华，举办一个告别派对，她可以同往。大概有几分钟出神。她心里出现一刻空白，智性停止流动。眼睛看着窗外深浓暮色，脸上出现不知归处的惘然。他说，你觉得疲倦吗。她转过脸，说，没有。

他们已相谈很久。却仿佛一句都没有交流。

所有此类采访，都给对方留出足够余地。清池对她所说的一切，是他给予任一媒体的重复内容，是被策划制订滴水不漏的周到演讲。他的公司有新产品发布，他配合公关部门做媒体宣传。冠冕堂皇面面俱到的言语，当然不够真实。但这是Fiona事先严格限制和设计的采访，她知道她的报纸需要什么。

这不是周庆长的采访。她不会用这样的模式去面对采访者，不愿徒然浪费彼此时间。这一次纯粹帮忙，她不再多想，只是觉得无由疲倦。他说，我已下班，现在开车载你去我家。希望你在派对上有所放松。

他开一辆线条简练黑色德国汽车。车厢宽敞，温度适宜。隐约清新古龙水气味。她强力支撑，告诉自己这是工作时间，还不能够放松。但不知为何，这个男子在身边的气场，使她无法试图遮掩隐瞒。他放的音乐，是肖斯塔科维奇的协奏曲。路途并不远，丽都涉外区域别墅区。她打了几次瞌睡，闭上眼睛又顿然警醒，非常辛苦。他在旁边轻轻发出叹息，没有刻意说话，只是默默开车。三环已是堵车高峰，汽车拥挤一起缓慢移动。

霓虹逐渐亮起，城市暮色四起。

她在他旁边座位上睡了过去。

7

在梦中，她看到与母亲去临远旅行。

8月，盆地型城市热浪滚滚，即使一面波光粼粼的大湖如影相随，那也是不足够的。她看到湖面上荷花已开到衰竭，如同性命交关，阔大叶片边缘发黄。未完全打开的花苞被烧灼过一般，倒映在死寂池塘里。花香腐烂剧烈，直冲脑门。母亲与她一起，搭上一辆出租车，去青墩茶社与一个男子相见。不清洁的车厢里，兼空调失灵。母亲抹过胭脂的脸上，汗水开始渗出。母亲平时从不化妆，一旦化妆总有漏洞，眼线漏色，胭脂不均匀，口红也会斑驳不齐。但越是如此狼狈，越衬托她艳丽。在某种不合理不平衡的处境之中，母亲的光亮更鲜衬。

茶社里，一间花园里的茶房，原来是由一座古老亭子改造。在旧结构上搭建落地玻璃窗。阳光刺眼，母亲与男子分坐香樟木桌子两端。服务生端来一壶绿茶，一碟葵花子，一碟话梅，搪瓷罐里有陈旧茶叶，桌子下面放了两只热水瓶，关门退去。母亲穿天青色细棉连衣裙，赤脚穿绣花鞋子，脖子上有用深褐色丝线串起的一颗老玛瑙。男子皮肤在炎夏中闪烁出微微白光。

庆长站在窗前，在无边际的窗框里，看到一面无边际的湖。黏湿空气，重重包裹。玻璃里映出母亲的脸，与男子长时无语，安静对坐，看看湖，又看看天。空气里满是丝线般光滑而细密的纠缠。母亲慢慢拆开一只香烟壳，是平日常抽的本地产薄荷烟草。把纸铺平，摩挲良久使它温顺，递给男子，说，我要看看你的字。他拿过去，俯下身，头顶发丝乌黑，当真手里拿着服务员记账的水笔，写了一行字：世事一场大梦，人生几度新凉。

那一年庆长5岁。

她看到玻璃里映出的母亲，拿起香烟壳纸，在日光下观望男子写下的字迹，仿佛他们在旧绢水墨的时空邂逅，惺惺相惜，天高水远。母亲26岁，还很年轻。湖的对岸，城市高楼密密排布，如同塑料积木，粗陋，草率，不知所云。在荷花刺鼻的破败香气中，她的母亲，与那个皮肤发出白光的男子爱恋。在一张纸上写下一句话。这样，属于一个人的一生，已经过去了。此刻，在玻璃窗边伫立的女童，无暇顾及，只见浓密树影里突然跃出一只白色苍鹭，长腿伸出，翅膀平展，长喙衔着一尾鲤鱼，向屋檐上空飞去。

朗朗夏日天空，湛蓝纹丝不动，开阔如镜面。大鸟舒展的影子掠过，飞行轨迹划出一道银白色弧线。庆长跳跃起来，用手指叩击发烫的大玻璃窗，轻声叫嚷，看，看，它飞到那里去了。阳光刺痛她的额头，如同眼睛里全是跳跃的玻璃屑。母亲在后面伸过手来，清凉手指蒙住她的眼睛。她说，嘘。嘘。庆长，你要安宁。

母亲与那男子，是否看到那只鸟。看或没看到，都已无所谓。母亲此刻在世间，已不仅是周庆长的母亲，她代表她的自我存在呈现于世，孤单的需索情感的女子。沉默寡言的父亲，也许从未看到过母亲隐藏于不合理不平衡之中的艳光，而这原本是一个女子生命的本质所在。即使没有这些观望欣赏，她也会在时间中衰老死去。只是母亲性格暴烈无法甘愿。

庆长6岁时，母亲提出离婚。他们日益无法共存，时常造孽，互相指责，砸碎厨房里所有碗盘，长时间分床。各自是善良个体，却因出现在对方身边面目料峭互相怨怼。这真是人与人之间无法猜测解释的因缘。被组合的秩序注定各自损耗美好，只能想方设法脱离。父亲不同意。母亲起诉到法庭，执意离开，不惜一切代价。没有人知道那个男子的存在。庆长告诉自己要保持安宁。对谁也未曾提起那一次旅行。

母亲也许希望带她离开，但祖母和父亲坚决不允。祖母为此特意从棠溪乡下赶来，住在家里等待法院审判结果。父母为何会结婚，生下她来，大人的历史并非让孩子用以理解，只让他们负担结果。她躺在小床上，断断续续醒来，窄小客厅里，祖母一直发出啜泣，叔叔在旁边小声安慰。祖母照看庆长，对她疼爱有加，担心幼小的庆长因父母离异失去安稳。她清晰听到祖母心痛的声音，反复说，庆长怎么办，庆长怎么办。

她只觉得忧虑结局与己似乎全不相关。懵懂无知中只想再次入睡。

童年时大部分时间她随祖母在棠溪度过。父母偶尔过来探望，节假日带她进城同住。一直这样颠来倒去。父亲忙于做生意，长时间奔波，对她并不亲近。母亲不属于日常女子范畴，工作之余，更多精力用在旅行、阅读、聚会及无关事情上。她喜爱庆长，蹲下身张开手臂迎接她飞奔投入怀抱，紧紧拥抱。无论如何，这是世间最宠溺她的人。给她买裙子玩具各种糖果，经济并不富裕，却竭力取悦她的快乐。

即便如此，她依旧是一个频繁调换工作、经常远行及需要独处的母亲。在偶尔同睡的夜晚，她在床上看着年轻女子，穿白色镶缀细蕾丝睡衣，长时间坐在椭圆形梳妆镜前，用一柄猪鬃发梳梳理长发。发丝漆黑浓密如同云团。母亲有一种力气，由蓬勃的生命力、热烈情感、不羁野性、意志和智性互相混合搅拌而成。她的力气，使她对生活持有刚硬的叛逆之心。母亲是象征，超越生活的庸俗灰暗。

深夜她醒来，女子蹲在床边，伸出手臂紧抱她。切切抚摸她的头发和面容，无限哀恸。她不知道是否天亮，房间里寂静，只有小台灯的光隐约照亮母亲面容。母亲没有化妆，脸色憔悴，眼角一直有眼泪流下来。一如往昔的笑容。呵，母亲的笑容总是这样令人流连。她叫她，妈妈，妈妈，依旧困熟眠貌，睁不开眼睛。母亲抚摸她的额头、发际，无限留恋，轻轻说，庆长，你要记得，妈妈爱你。妈妈非常爱你。

有颗颗眼泪滴落在脖子和脸颊上温热短促，孩童却不顾惜，只想追问，妈妈，明天你能不能带我去动物园，我想去看长颈鹿。母亲说，好，带你去，我们一起去看长颈鹿。再带你去吃馄饨。你是妈妈最爱的宝贝，你是妈妈心中最美丽的孩子。她得到承诺和赞美觉得愉快，闭上眼睛安心睡去。脸上残余母亲的眼泪带着温度还未干涸。

6岁的她，未曾懂得世间生离死别的痛楚，心里浑然天真木知木觉。母亲与她告别，这痛楚是在后来绵延岁月里逐渐释放和呈现的，逐月逐年出力沉重，最终令她碎裂。母亲就这样与父亲离了婚。无法带走庆长，一无所有，哄庆长入睡后，当天晚上便坐火车离开云和去了临远。

母亲远走高飞。

在梦中，庆长看到自己是伫立窗边的女童，与一个闷热奇幻的夏日午后从未分隔。如果人的生命能够持有奇迹，母亲出手迅急没有迟疑。而父亲很快得病，婚姻失败，事业受损，一蹶不振缠绵于病榻。祖母照顾他们生活，不允许母亲探望。母亲嫁人。后来去了深圳。路途遥远，不再回来。

8

她深爱玻璃中映照出来的成年女子，如此美而充沛，像艳阳下盛开及时的花朵。她宁可如此。她恨过母亲的时刻，是在16岁。成年之后，她再次原谅了她。每个人只能独自面对生命的黑暗深渊断崖绝壁，风声呼啸，自身不能保全。又有谁可以互相依仗，长久凭靠。

庆长对感情失去信仰。或者说，她的信仰消失于破碎虚空的现实。

究其实质，她是一个被打败的人。

27岁，曾被打败，从现实的破碎虚空中凸显而出的周庆长，出现在许清池身边。

她醒来。看到汽车停在地下车库，清池打开车顶小灯阅读文件。睡了多久她不知道。他一直在等她醒来。身上遮挡着一件西服，散发淡淡古龙水气味。也许是苔藓、松柏、小苍兰互相混合的气味。她困惑地在空气中分辨这股幽幽入侵的气息，有片刻怅惘。他们如此逼近，封闭在一个狭小车内空间，车厢里流动的情绪息息相关，静谧宁和，如同一起相守数十年的伴侣。

这个初识的男子，提供给她的气场是未曾感受过的亲近自然。不知为何，她觉得他这样亲，却只能不动声色。这感觉来得迅猛，直接，令人措手不及。她试图一边辨别一边慢慢把它确认。她直起身，轻声对他说，我居然又睡着了。对不起，耽搁你时间。在惯有的淡漠表情之上，她的笑容没有预兆和过渡，露出大颗洁白齐整牙齿，天真无邪，如同幼童。他看着她的脸，什么也没有说。他们下了车。

为何这次出差，总是感觉疲倦，并多次陷入出神和瞌睡，她无从得知。这肯定不是她平素风格。也许这一年她压力深重。工作内容剑走偏锋观点鲜明，吸引大批固定读者，引起圈里圈外争议性评价。即便如此，这份工作，大概只使用了天性一半左右的能力。如果试图多拿出一些，只会遭受更多外界质疑和攻击。

同时，她意识到这份工作不具备开拓前景。和社会主流导向保持距离持有叛逆之意，无有可能得到大品牌广告赞助或建立其他商业合作。谁都知道时尚娱乐最吸引眼球。同时，杂志一直战战兢兢承担某种意识形态的风险。

发行始终叫好不叫座，市场部有压力。杂志换了主编和编辑总监。这次掌舵的是理性的实用主义者。她的内容具有争议性，在编辑部门里差旅支出也多。即使她提出住廉价旅馆，压缩交通和伙食费用，依旧是纯粹性支出，后续无法带来商业盈利可能。暂时没有人试图替换掉周庆长，只是一时不知道该让她如何继续。她的工作方向不明。

她只决意做完最后一期内容。偏远山区的村落瞻里，在那里保留着古建筑以及数座古老的木拱和石拱廊桥。这些传统物质因为公路拓展、洪水泛滥以及村庄经济化等原因，在逐渐被摧毁和消失之中。她会在12月出发。

她见到他的家庭。

中产阶级典型住宅。建筑优美排列和谐的独栋大屋，分列在春日园林之中。平整开阔的草坡，修剪得当的樱桃树和冬青，游泳池水波碧蓝。透过落地玻璃窗，可以看见客厅里的丝织壁纸，水晶吊灯，织锦沙发，羊毛地毯，茶几上的雕塑和工艺品，英式下午茶白瓷杯碟。车库里有越野车，跑车，随意放置孩子们的自行车和滑板。

生活此刻呈现出富足，安稳，有余裕的自由和悠闲。这种环境，对庆长来说很陌生。这不是她所在的阶层。但她却觉得这是人应该拥有的基本生活形态。难道人不应该在清洁而又持有审美的环境中生存，不应该享受到休闲和憩息的乐趣，不应该在有生之年获得尊严、愉悦、物质和精神同等丰足平衡的满足吗。赤贫，揪斗，咒骂，挣扎，污脏，丑陋。这不是常态。

他的妻子，冯恩健。穿桑蚕丝曳地小礼服，相貌平平仪态优雅。腹部高高隆起，即将坐飞机回去温哥华等待分娩。孩子也一起带走。一个12岁男孩，一个5岁女孩。即将还会有一个男孩出生。Fiona安排的摄影师已抵达，在大厅壁炉前给他们全家合影。这照片一经刊出，无论如何，都会提供分量十足的一针符合主流社会价值观的强心剂：男人要成功。女人要嫁一个成功男人。成功的生活就该是这样。

派对上全是她不认识的陌生人，很多西人，各自凑对说着各式外语，香槟。自助小食，鲜花，烛台，衣香鬓影，欢声笑语……Fiona平素接触和浸淫的，就是这样的氛围吧。如此这般聪明漂亮的女子，名牌大学毕业，努力改造自己，试图得到认可，最终目的也不过是要嫁一个高于自身阶层的男子，得到另一个阶层的生活。

Fiona热衷恋爱，但不持有固定恋爱关系。她清楚自己所求。骨子里她是一个县城少女，希望嫁到一个可以托付终生的男人。这个男人不能是她日常生活触手可及的普通男子。他们无法带给她超越现有水准的生活：转换国籍，带去国外，让孩子上国际学校，住别墅，开名车，每年国外度假旅行，光鲜社交派对，可炫耀的身份和地位……如果仅仅只是在上海买套房子，买辆车，她自己就能做到，不需要帮助。剧烈改造所付出的艰辛代价，务必得到相应回报。她29岁，比庆长还年长两岁。却的确真心实意爱慕和相信这一切，热血刮心，从不屈服。

几年来，身边男人来来去去迅急热闹，最终没有一个可以结婚。她在庆长面前，从不掩饰对婚姻的野心。但是，庆长看着大厅和花园里或站或行的光彩男女，这些眼神流动目光冷酷的男子，她想，这些人如果想要一个婚姻，也绝对不会是为了迎合Fiona的需求而产生。但努力精彩如Fiona，又凭什么不能获得她想要的男子和人生。也许这正是她的不甘愿所在，因此Fiona总是需要竭尽全力地活着。

而庆长只觉得人生起早落夜，无限疲倦。

摄影师拍完照。她做完采访补充内容，工作任务完成。什么也没有吃，独自喝下好几杯香槟，脸颊发红，心有微醺。穿梭过身边一路愉悦轻快的红男绿女，只想找到一个角落安睡。

9

绕过泳池和花园，经过大厅自助餐台，沿楼梯走上二楼。

楼梯靠左走廊深处位置隐蔽的客房，暂时空无一人。小小房间蓝白基调，樱桃木地板被长久日光晒红，灰蓝色真丝帷幔和手绘壁纸风格清雅。走进附属卫生间，一处舒适洁净的空间。蓝白色瓷砖，镀金框椭圆形镜子，弯曲木腿支撑大理石台面盥洗台。中国老式拙朴瓷碗里，放着手工制作植物香皂。她再次拧出冷水，用双手捧住，泼到脸上，对着镜子凝望自己。

庆长很少化妆，不抹香水，不看女性杂志，不戴饰物。没有穿过高跟鞋，不热衷修饰，无谓对男人作出取悦依赖的姿态。她不是以女性美或女性特征作为重要的人。这是一扇在她生命中被关闭起来的门。劳作，远行，香烟和烈性酒，刺青，恋爱，思考，阅读，这些能带给她刺激。她需求自然的质地和属性，始终如此。

在媒体圈子里工作长久，看惯各种虚头把戏，虚浮膨胀。玩乐它是一回事，被它愚弄又是另一回事。如果不参与集体狂欢，就会被孤立。美与郑重被定义为矫情造作，恶劣丑陋却能引起群情亢奋。这是一个颠倒的时代。人们迫不及待消除清洁的缓慢的朴素的真实的存在，却在虚拟、幻象、谎言、盲从、攻击之中志得意满。

她看着镜中女子，轻声问，你疲倦吗。孤单生活时日长久，却并未让人完全失去戒备。她并不接受形单影只，只是灵魂伴侣一直没有出现。

推拉式木格窗铺设出宽大窗台。脱掉球鞋，坐在窗台上。窗外是屋后花园，夜幕低垂，次第亮起灯火。隐约有孩子的嬉戏、西人英文以及音乐、狗吠的声音传送。院子里栽种大片桂花树，她因此得知刚才穿过花园，空气中馥郁芳香来自何处。白色印度细麻窗帷把这一块区域包裹，形成狭小空间。幼时，当她难过或困惑，总想觅得一处隔绝空间隐匿。衣柜，大箱子，窗台，任何角落。这种把世界遗弃脱身而去的状态，有让人上瘾的意味。

此刻她脸贴着玻璃，在角落里感觉到安全。也许这是她应该存留的位置，之外的风光不是她的。房间里暖气充足令人倦怠。她睡去，并且不知道自己睡了多久。

在某种警觉中她惊醒。

天色漆黑，花园灯火闪耀。窗帘被拉开，窗台敞开无余。男子坐在一把安娜皇后风格扶手椅上，双肘搭着扶手，默默盯住她。楼下客厅和游泳池花园传来音乐喧笑，扑打起伏的阵阵潮水。他们两人，如同沉没于暗蓝大海底处。又仿佛搭乘一艘已离港驶向夜色的大船，幽暗两岸灯火渐行渐远。人世被搁置，今生被远远推开。她的内心突然格外镇定。

赤脚下地，摸到球鞋慢慢穿上。被他观望，心安理得，置身于此仿佛正是为了等待他一路循迹而来并最终把她捕获。

他说，睡得可好。

她说，还可以。如果你不在，也许还可以更久一些。

他说，据说动物有本能找到最适合睡眠的角落，完全凭靠一种直觉。

她说，你也找到了。可见这并不是什么独到本事。

他说，现在下楼去吃点东西。逃避只能一时，不可能是长久。

她一定听到过有人用这样的方式说话。在一个陌生房间里，与相识不到10个小时的男子，发生这般直截了当的对话。仿佛他们是失散很久的爱人。仿佛他是前世为她在棺木上洒落泥土的人。仿佛他是层层流光转化之中，给予她躯体的父亲和经由她的躯体分娩而出的男婴。

一声不吭，跟随在他身后下楼。他带她到餐台，拿过白色盘子，挑选三文鱼、意大利软质奶酪、橄榄、数颗新鲜树莓，又倒一杯白葡萄酒给她。这些食物，每一样正中她心意。她把食物端到角落边桌上，一言不发，开始进食。他倒了一杯相同的白葡萄酒，看着她，慢慢啜饮。

10

事后多年，想起与许清池的相见。她想这个相见最终的作用，是帮助对方在这个由规则、秩序和客观性结构组合的现实中，找到一个接近真相的位置。但并非接近彼此的真相，而是接近各自的真相。来到一个正确位置，以此看到退却中日趋微弱的光泽，出人意料熊熊燃烧起来。这样拼尽全力，这样俯身投入，等待花火熄灭之后，昭示出各自本质的凛冽和空洞。他们各自的出现，挟带特定意义。这是在很远很远之后的道路上，接近终点，回头看望，才能明白的起点。

究其本质，情爱是一条通往各自生命深渊边际的路径。最终目的是趋近真相。

11

如果有人说，我爱你。会爱你至死。心意单纯的女子，会从中得到满足，并祈祷它成真。撞到周庆长，她的想法是层层推进的：一，对方以此作为意淫工具，他在让自己high。这是和被表达者没有关系的事情。二，她愿意静心等待，让说出这句话的表达者，在时间推进中，最终看到手里搬了块石头，但不愿意砸向自己的脚。三，或许他一年之后早已忘记何时何地说过这句话。四，其实他对数量庞大的女人说过相同的话。在她的观念里，说得过分美好以及圆满的言语，都不会是真实。

这也意味着，如此这般的庆长，虽然16岁开始沉沦于数度迅急恋情，骨子里却是一个冰冷理性的人。

也许她一直寻找可以并肩站在一起的人。渴望能够爱上一个人。一种超越理性和现实的情感。或者说，是突破生命界限和范围的付出和得到。想起他的名字，心脏为此温柔而疼痛的振颤，激情迸发的拥抱，身心融合的炙热和亲密，在世界尽头携手相伴不离不弃的永恒……有时，她觉得自己依旧情怀天真，充满一触即发的能量和燃料，是一个追寻完美的理想主义者。也许她是一个真正归属于浪漫的人。这样的人，实质上对情感本身持有难以言说的一种强烈的消极和质疑。同时这又是他们最为刚强的期许。

除却以冰冷理性所隐藏的天真，在她内心深处，存在一块失陷的区域，也许与价值观或标准没有瓜葛，只与历史血肉关联。无法分辨，无声无息，不动声色，无法解决。成为身体深处一块隐匿而坚定的黑色组织，容许它稳定存在，如同容许旷日持久与生俱来的一块伤疤。从16岁开始，她寻找一个替代父亲角色的男子，需索一种可无限度信任和依赖的关系，一种百般试探和考验的关系，一种压力重重充满冲突暴戾的关系，一种具备强烈存在感的关系。她的性格偏执激烈，着实危险。事实上，她从未获得过满足，倒是把自己和别人伤害得体无完肤。

她自知情感部分的生长缓慢而变异，也许在少女时期就已停滞。只不过在体内植种一株死去的叶芽，纤细青葱的嫩芽，不会衰老只会死去。她很清楚这一点。在得不到感情的时候，她保持睡眠状态。

生活本身千疮百孔，人，又岂能幻想借助他人微薄之力得到成全。感情的解脱与他人无关，只与个体的超越性有关。高级的感情，最终形成精神和意识。低级的感情，只能沦落为脾气和情绪。其实她从未如幻想过的那般去爱和被爱。她也不相信有这样的人存在。

所谓爱情，在3个月之后注定消逝的荷尔蒙游戏。它已不能够成为她的信仰。

12

没有人知道她快速结过婚，又离了婚。在杂志社里，庆长是个性孤介的单身女子。抽烟，衣着不羁，沉默寡言，工作有成效。远天白地，从不觉得辛劳。忙碌尽力，有时加班通宵。

相对于工作上的积极进取，在感情上，她成为一个随时保持克制及后退态度的人。不把目光投注虚妄未来，关注当下。如果命运的河流带来什么，那么就捞起什么。一路播种一路收获，不过如此而已。现实中的庆长，面对自己缺漏的人生，卑微的处境，所能做的，只是实践一切行动，推进，继续。并做好准备迎接时时呼啸而至的重创。

她觉得自己也许不爱任何男子。

觉得男人和女人是完全不同的系统，理解、思维以及情感方式都有隔膜。对她来说，找到一个伴侣，无非是找到生活的共同合作者。她恋爱过，结婚过，但并不觉得感受过情感真正的冲击。她尚未有机会得知，爱是什么。

25岁，认识定山。定山28岁，在张江从事IT行业，工作稳定，薪水丰厚，状态单纯。他是南京人，母亲早逝，父亲重建家庭。一直独自在上海工作，在浦东早早买了房子。独立生活的磨炼，使他性格内敛沉稳，如同惯常穿的格子棉衬衣、灯芯绒长裤，都是温厚朴实经久耐磨的质地。他接近庆长，非常小心。

他们在图书馆里认识。庆长有一些工作时间会在图书馆里完成。她没有受过正规完善的大学教育，却自我训练出一种阅读和思考的习惯。他多次看见她。有时在桌子上做笔记，有时快速翻阅和查找资料，有时发呆，有时坐在书架后的隐秘墙角手里拿着书睡了过去。一个人在图书馆从早到晚打发掉一天。他靠近她，与她聊天。他们坐在图书馆院子里，花园中紫藤花串串悬挂下来，空气中静谧的香气。她出来抽烟，眺望远处，吐出轻淡烟雾，姿态洒落，如同在无人之境。他享受她的存在。她这般中性有力，跟其他叽叽喳喳娇气喧杂的女子完全不同。

她后来问他，为什么选择她。他说，你好看，你安静。就这两条。她其实不是漂亮的女子。她也从来都不是内心平和的人。他的表达却到此为止。

他们相识，并不是一个好的时机。庆长成为一个貌似不需要爱的女子。人在虚弱和压抑时，更容易接受深层关系，试图与他人联结。如同她和一同的关系，发展快速不合常态，却有各自的深层动机所在。感情，从来都是和理性背道而驰。对两个面具健全的人来说，他们对感情的寡然，也是对各自生活处境的漠视。所以，这关系虽持续两年，却一直拖拉没有进展。

她问自己，她爱他吗。她不知道。对情感失望，反而心无障碍，轻省开始新的路程。每周见面一到两次，次数并不频繁。有时她去他浦东家里，三房一厅宽敞房子，视野开阔，布置简洁，似乎多年来处处俱备只欠缺一个伴侣。他除了阅读专业书，看体育频道，听古典音乐，别无爱好。对工作勤恳专注，还能做出一桌饭菜，手艺不俗。她很多时间在出差采访。彼此聚少离多，没有藤葛纠缠。他本性恬适，有一个沉寂的不爱言语的女子，偶尔出现身边相伴，已算完美。

这样一个平凡可靠的男子陪伴余生并无错漏。

即使与定山在一起，如Fiona这般靠近的女友，也不知他在庆长生活中存在。这只能说明：一，她和定山生活足够低调，从不成双成对出现在众人面前，各自世界完整独立。二，她的生活也许并没有一个真正意义上的朋友。她只跟自己的心分享一切。

她没有想过结婚。也并不觉得在恋爱。但她和这个男子交往共存。

13

在县城等待前往东溪乡的客车。

她找到路边靠近垃圾站一个废弃水龙头，拧开后有刺骨水流，洗手洗脸以洁净自己。天气阴冷至极，一场大雪在远方酝酿逼近。她的背囊是60公升登山包，早已使用得破旧不堪，只待淘汰。一直迟迟舍不得调换，系带断裂又找到其他绳子重新接上。在小吃摊里买了两只馅饼，坐在简陋的候车站，吃已被延迟到下午两点的午饭。一边小心守住装有电脑照相机的背包。

常年旅行，肠胃被锻炼得极为强壮，从不胃疼腹泻便秘。不晕车，不过敏，不失眠，不近视。是天生为上路做出准备的人。夏天穿裙子，赤裸小腿上凸起结实饱满的肌肉，长途步行的结果。这是她的不同之处。

下午两点半。挤上发往东溪乡的客车。满满一车当地人，沉默无言，皮肤黧黑，望着窗外面无表情。更多的人靠在座位或行李上昏昏欲睡。她坐在最后一排位置，一路颠簸，碎石子路面状况不佳。很快汽车开始曲折盘旋于山峦岭道之上。不断弯来折去，永无止境般的路途。前排有妇女推开玻璃窗开始呕吐，玻璃上飞溅星星点点呕吐物，是被胃液分解的食物残渣。空气中传来一股刺鼻酸腐味道，又迅速被猛刮进来的剧烈山风吹散。

在她出发去瞻里之前，定山说，庆长，这次春节父亲希望我们能够一起回去南京。他暗示家里希望婚期临近。庆长知道他父亲对她尚算认可。虽然他父亲在大学执教，定山南大毕业，家里是循规蹈矩知识分子家庭，但他们并不计较她如同兽般游荡不安的过去。她工作独立，在业内有一定口碑和资历，这使她受到尊重。定山的家庭也已看清，定山受良好家境保护素来个性内实，不适合作梗计较的女孩子。庆长来自小城云和，但骨子里大气从直，令人放心。

有一次，定山父亲小心翼翼询问她对房子的看法。定山现在居住的130平米房子是为结婚预备。他希望确认庆长对这个房子归属定山的完整性的认识。中国人的一生，几乎就在为房子搭上全部性命。这是一种不自知的生命质地上的茫然吗。除了占有范围之内的一席之地，再无别的去处，内心不具有安稳和信任。这些被高价售卖的混凝土建筑，这些被分割出来的一平米一平米，在某些时刻，已强盛于生命质量。

庆长知道定山父亲介意这个事情。她在云和现今只有叔叔婶婶，从小关系疏淡，娘家没有任何人会为她的事情费心。而她知道自己大部分时间，不过是睡在不停转换的旅途床铺上。她也有可能死在去向不明的路途上。一所自己没有投入的房子，本就是他人的，她怎会有占有之心。对方不知道庆长经历过什么。庆长不说往事。她早已看得清楚。庆长说，伯父，你不必担心。我都明白。

如此，再怎样经济和精神独立，为了情感和肉身有人相伴，就必须面对现实的琐碎庸俗。面对烦扰。面对分歧。所以她从不提结婚一事。在云和，女孩子如果25岁还没有嫁出去，就是父母心头隐疾。幸好她生活在上海，亲人四散离去，身边则大多是如Fiona这般独当一面的事业女性。她们活得自在，舆论和环境的压力不存在。如果按照Fiona的野心，35岁都未必嫁掉。在都会每日潮水般涌出的男子，在办公楼，商业中心，地铁站，店铺，餐厅，健身俱乐部……任何一个地点，任何一个时刻，何止千千万万。汹涌人潮里，要寻找到一双手，一起牵扯到老，又能够是几人。

结婚对庆长来说，其涵义已轻省。生命状态是一件事情。结婚，是另一件事情。它不过是生活实际内容的组成部分，功能性的存在。时间最终会把它定义为一种习惯一种秩序一种规则一种结构。它只能成为大地的属性，而不会超越其上。一旦与精神无关，它就成为属性简单的事物。如同超级市场，是这样看起来复杂混乱但实质严谨有序的存在。使人生活稳定操作轻省，如此而已。

她不再看重它。事实上，她有足够心理准备，可以迅速决定做它或者不做它。既然她觉得婚姻可有可无，当然也可以选择春节后与他结婚。虽然他不是她心中等待的那个人。至少，她想，晚上睡觉，身边有一具温度恒定的肉体散发呼吸。茫茫人世，身心如此孤独，且这孤独旷日持久，渐渐成为一片望不到尽头的平原。定山是对她的内心世界一无所知也不感兴趣的男子。不限制她自由，无需她常伴左右。他也不懂得她的美，她的饥饿。与之相伴，她觉得安全。

她可以在他身边，自甘堕落心灰意冷地活着。

14

车子从山顶盘到山底。仓促一个拐弯，开上一条豁亮路途。

呵。左侧展现一个巨大空旷的水库，水量充足，湖面碧蓝清澈，风平浪静，映衬周围绵延起伏的翠绿山峦。飘带般延伸到远方的白色公路。幽深隐藏，而又坦然自处。被无心遗失在此地，又仿佛存在于时间的边界从未变迁。这乍然邂逅，令人惊动，如同无法瞬间醒来的梦魇，内心分明却无知无觉。只愿跟随它趋向即将抵达的终止。湖泊、山峦、树林、天空、道路、空气、阳光，一切组合呈现和谐平衡。

迅速的，它就被客车甩掷在背后。留于它自身固有的无常和圆满之中。

这一切出现在庆长视线里，大概两分钟。庆长掉过头，沉浸在因为振动而屏息般的呼吸里。被这随风而逝的美，激动得热泪盈眶。

第三章　信得。月山梅枝

1

她说，有时从睡梦中醒来，恍然之间，以为依旧住在Naya家庭旅馆。一栋100年历史殖民地建筑，两层白色木结构房子，灰蓝的百叶木窗和木门。走下楼梯，大客厅有接待台，水磨石地板，水晶吊灯，旧照片，玻璃柜里陈列古董和手工艺品。后庭花园有一种火树，每年春天开出红花，铺满泥地上如同火焰余烬。

她们长租的房间在二楼左侧，天顶很高。百叶装饰褐色低矮柚木家具，旧损硬木地板用清水擦拭干净，赤脚走路。一只灰白色吊扇，转动时发出咯吱咯吱声响，夏日午后愈显悠长。旅馆位置临街，靠近道路、河流和寺庙，能听到各种声响波动起伏：摩托车自行车驶过，不同的语言，狗吠，吆喝，鸟鸣，树叶在风中摩擦，雨水……声源丝丝渗漏，以一种递进有序的节奏交替发生。

木百叶窗调节房间光线，使屋内空气清凉。间隙透出日光，在墙壁上浮动闪烁光影。某种幻象，使幽暗房间在昏睡中似会轻轻移动，发生旋转。置身于一间客房，如同睡在世界中心，睡在漂浮于波动海面上的客舱，睡在一个喧杂热闹的露天集市。这让幼小敏感的她着迷。

古老都城琅勃拉邦。一座幽静淳朴的小城，高山与河流围绕之中的村庄。记忆中的热，夏季炙烤的阳光。到了雨季，阴湿水气缠绵不清。热带气候的感受使时间边界混沌。她自5岁起，与贞谅在此地停留。作为一个据点，不时出发游历不丹、尼泊尔，及泰国、越南等整个东南亚地区，最后又回到原地休憩。

香通寺是一座狭小寺院，童年时却是她的华丽乐园。挑入云端的檐角，彩虹般遥远的弧度。墙面壁画，题材多是宗教故事。阳光下色彩斑斓闪烁出光芒的碎琉璃，组合成连绵乐章：农夫，老虎，豹，猴子，皇帝，伺女，稻田，玉米，农舍，芭蕉树，河流，菩萨……这些镶嵌壁画，成为幼小的她梦中经常进入的胜境所在。

一尊被放置在通道边的石雕佛像，盘珈趺座，双手合掌，微低下颌，脸上浮出妙意不可言传的微笑。僧人为它置起遮挡风雨的木制棚架。佛前供满香枝、鲜花和清水。它并非在佛堂里高高在上的偶像，散发与世俗打成一片不分你我的气场，又自有超离意味。贞谅不是教徒，却示意她跪拜礼佛是一种内心顺服，是放下自我持有尊重的态度。

印象深刻的两件事。

每天清晨听到寺庙钟声从窗外传来，天色晴亮，钟声沁人心扉。僧人们托钵化缘，穿赭黄色曳地僧袍，袒露出一边肩头，列成一排。施善的人已等在路上，往钵里放糯米饭和食物。贞谅让她参与这行列，感受平等虔诚的施与受，以布施及感恩的仪式开始一日。

夜晚，由贞谅带领，去皇宫附近居所学习当地传统古典舞蹈。绵密有序的丝竹，夹杂抑扬顿挫的节奏。一种与世无争柔驯灵动的心绪。穿上筒裙，盘起洁净发髻，插上簪子和鲜花，训练于优雅有节制地使用手掌手指和肢体。贞谅喜欢看表演。事实上她着迷于抵达的每一个地方的当地舞蹈和音乐，着迷于当地日常生活。

每次去跳舞，经过琅勃拉邦的夜市。活生生流动的盛宴。小帐篷排满整整一条街，人们远离近处皇宫所象征的权力和争斗，只求一席之地的安稳。灯火在夜色中微微闪烁，人群施施然或行或停。当地妇女抱着婴孩摆摊，孩子吃奶，在母亲怀里入睡。布篷下摆出来的物品并无悬殊，不过大同小异。夜市明亮安静，持续到深夜。

2

老城区适合儿童玩耍游荡。滚滚烈日，街道上出没来自世界各地的成人和儿童，寻找相安无事的乐子。骑自行车，步行，奔跑，在溪流里游泳，捕鱼，唱歌，嬉戏……旅途中的童年，绝无匮乏。旅馆每天各种人出没。一起居住长久的，有一对巴黎小姐妹，一个6岁，一个3岁，以及来自芬兰的7岁金发男孩。父母携带他们，在当地逗留半年有余。

她晚上常与他们一起游戏，在狭长的灯光昏暗的街巷里奔跑嬉戏，大声尖叫，互相拥抱推搡，满头大汗。缅栀子的香气在夜色中愈显浓烈。

人们在当地小餐馆里吃饭，常吃的是河鱼，米粉，手抓糯米饭，春卷，新鲜蔬菜，搭配各种薄荷罗勒等香料。湄公河边的山峦田地，夜色中如同黑黝黝怪兽形状。餐厅热闹播放电视，猫和狗进进出出。她在巷子里玩闹，贞谅喝几杯老挝啤酒，穿少数民族手织的土布筒裙。她在附近村庄工作，去高山少数民族区域收集纺织刺绣的素材。

3岁小女孩艾米莉，跑累了，爬到她母亲身上去，拉下吊带裙子一边，让她裸露出一只乳房，趴在那里吸吮。艾米莉母亲是生物学者，在当地做研究。欧洲女子身体瘦削，脸部很美，不穿胸衣，在夜色中坦然裸露胸部，与身边的人如常聊天说话。这场景给她留下深刻印象。她与贞谅，从未有过如此亲密的时刻。她有过被哺乳的经历吗。她的身体有没有吸收过真正的乳汁。这是无从追究的事情。

她在13岁时，最终辨认清楚自己的结构：一个和成年女子共同生活的女童。一个父亲角色缺席的女儿。一个孤儿。她的血缘关系，她的故乡，在一次地震中，被摧毁清除。

高山上风景绝美与世隔绝的村落，一夜之间，山崩地裂。此后连续震荡两次，所有断壁残垣连同埋藏的尸体，覆没于土地之下。地形发生变化，整个地理区域失踪。修改后的新地图，抹消不堪回首的历史。它的名字，春梅，从此不见。地标自行消失于地球表面。

村庄唯一以奇迹般方式存活下来的生命，一个5岁女童，申请领养的人实在太多。孤儿院进行调查和面试。沈贞谅加入收养队伍。她被选中。她的经济稳定，从事艺术性职业，在行业内有声名。

每一个孩子身上，都有光亮和黑暗包裹。他们属于自我的果实，不是成人手中的泥土，也不是人世的祈祷。贞谅深知其中意味。出现在她面前，没有轻率的拥抱，鲁莽的热情，急进的温情。只是蹲下来，与她脸对脸，专注认真看她的眼睛。那年贞谅27岁，五官不艳美，眼神却令人难忘。

那眼眸，此刻明明蕴藏微笑时澄澈的温柔，瞬间便沉落为不可测量的寂寥。这使她的神情呈现复杂，如同一面湖水上的波光粼粼。在日光和云影中，变幻无法数算的层次和节奏。她穿一条深蓝夏布缝制的旗袍，并不讲究。一路驱车前来风尘仆仆，女童低头，看到她绣花鞋子鞋面上刺绣金鱼和花枝，红缎脱了丝。

贞谅轻声询问，你喜欢花吗。她点头。女子把背在身后的手伸出来，递给她一束在路边采摘的野石竹。粉白色花朵，锯齿边缘花瓣，像一簇栖息的蝴蝶，绿色细长叶片沾有露水。问她，这花儿美吗。她点头。此时，女子才伸手，轻轻拉住她的手，说，你叫我贞谅。这是我的名字。沈贞谅。我给你起的名字叫信得。这是你的名字。你是沈信得。

贞谅开车带她离开。车子走走停停，经过不同省份，经过大大小小的城市、县城、村庄。一路她捧着那簇石竹花，在车后座度过漫长三天两夜。看到太阳升起，然后降落。月亮升起，然后隐没。女子路上并不多话。有时放音乐，有时抽烟，有时在前面一边驾驶一边伸出一只手来，示意与她相握。贞谅的手，骨骼清瘦，掌心粗糙而热，皮肤没有保养，可看出做过大量手工活。手背上清晰蜿蜒青蓝色筋脉，在薄薄皮肤下面凸起。她抚摸这些沧桑的脉络，感受其中渗透出来的生命力为之安宁，握着石竹花重又陷入睡眠。

先到北京。贞谅带她见朋友，来到一所占据整面楼层的高级公寓。她从未见到过这般美仑美奂的房间：古董硬木家具，孔雀尾羽织绣的台布，景泰蓝烧制的蜡烛台，丝绒手绣沙发，嵌玉檀木屏风……所有器物在幼年的她看来都在熠熠闪光。许熙年是50岁男子，衣着讲究，双鬓已白，神情和语调沉着，看得出体面优越。他长期在瑞士工作，身份不明。那一天他特意赶回来，等在公寓里，只为与她们见上一面。

贞谅说，她是我的小朋友。她会和我一起。

他说，你有无计划送她去学校。

她现在不需要去学校。我们去老挝居住一段时间。

很好。

你帮我把北京的公寓卖了。我不需要这个。我也不会回来。

可以。我知道你最终需要的远超过这些。

他对她自有放任和宠爱的心意，之间气氛却没有亲密贴近。两人无话可说，冷淡客气。但都不以为意。

晚上他带她们去高级法餐厅吃饭，许熙年一身高贵衣饰，贞谅穿旧棉布衫，落拓朴素，长发松松挽成发髻插一根白玉簪。两人在衣着和气质上并不般配。男子一直有电话，接听处理事务。贞谅照顾她吃饭，并不教她如何使用餐巾和刀叉，由她任意。也许不觉得有什么规则需要被遵循和学习，贞谅不注重这些。此后她也一贯实行这原则。

当天晚上，许熙年飞去苏黎士。贞谅携带她踏上旅途。

3

不知为何。5岁没有遇见贞谅之前，所有事情，我的脑海全无印象残留。她说。

没有黑暗、碎裂、崩塌、陷落、恐惧、埋葬的记忆。没有父母和故乡的概念和形状，不明了他们的质地和意义。也没有伤痛存在。她在这个世界上，找不到关于自身生命的凭据，遗失属于身份的经纬坐标，同时失去对时间的某段印记。这使她感觉到隔绝和完整。这使她的人生轻省。

一个成年女子选择她互相结盟，给她取名信得。这个名字有何涵义，贞谅从未解释。

相信，因此得到，一种渴望确认的论证吗。贞谅试图与她成为游戏世间对抗规则的伴侣。她引导她的路途，是遁入森林趋近天空的小径，路边生长高大茂密羊齿蕨类，世俗所得不是人生的目标。她不能够做趴在母亲身上百无禁忌需索情感的女童。她是她的盟友。陪伴跟随她的足迹颠来倒去，跨越地球表面一格一格经纬线。观察，感受，寻找，经过。

在贞谅把一束石竹递给她时，她已决定接受这命运。

4

老挝之后，有两年时间，住在泗度岛上。

贞谅织夏布，刺绣。夏布采用植物纤维，用传统织机手工纺织。这座岛屿，种植大量夏布纺织所需的藤蔓。贞谅不局限于收购丝，亲自体验藤蔓生长过程，采藤，煮藤，发酵，洗涤，干燥，拉丝，系丝，打结。每一个工序。她说，了解手中的丝是怎么形成的，在织布时能感觉质地知会交融。这样织出来的布，又会不同。

岛上荒僻，只有满山遍野的藤蔓覆盖累累。8月时开花，一串串紫红色蝴蝶状花朵，使空气弥漫甜腻香气。粗壮藤茎，分出长茎，卵圆形叶片密密覆盖。盛夏是割藤好时节，开花之前的藤蔓都未变老。拉出来的丝轻盈，坚韧，具有自然光泽。贞谅与一帮当地老妇一起工作。年轻人不做这件事情，大部分离开岛屿去都市讨生活。

她们在深山采藤蔓，捆扎起来放在大锅里煮烫，用海水冷却，再放进窑坑里发酵。一天半后，拿到海里，把腐烂表皮洗掉。全都是在夏天做的事情。

她在这样的时段觉得快活。穿着碎花裙子在大海边奔跑，采集花花草草，捕捉螃蟹贝类，等待贞谅收工。有时贞谅一直忙碌到黄昏，在退却潮水的泥滩上来回奔走，满头大汗。穿着粗布裤，T恤，头发盘成发髻包着头巾。在中途憩息时，对着大海点起一支烟，神色安闲。海边的晚霞绚烂至极。

记忆中的女子贞谅，生命的大部分时间，是在织一匹布。

把从草木中分离出来的植物纤维，缠绕成一团团丝线，装置在手织机上。把线浸湿，之后马上上机，一气呵成，否则丝线变干之后会发硬。线头穿过梭子开始织。一把梭子来回穿梭。速度极慢。一个线团能织40公分长、30公分宽的一段。这是重复的单纯的以静默时光包裹其中的劳作。贞谅一公分一公分往前推进。这样的姿势和节奏，使年幼的她，觉得诡异而迷人。

贞谅教她背古诗，读到陆游的“水风吹葛衣，草露湿芒履”。说里面的葛衣，是她在做的东西。白色夏布如同蝉翼轻薄，轻盈坚韧，闪烁出生绢一般微妙光泽。这个工作，以时节变化来做回应，而不是依靠机器的孤立行动。相对于工厂流水线出来的批量化商品生产，更苛刻脆弱，更易出错，更要付出耐心、劳累、专注。但同时它带有人的精神和意志，是活的，具有每分每秒不可预料的错误和美。这是织出一匹布的乐趣所在。

由于植物纤维提取的成本高，产量少，传统织机又几近被淘汰，也因为这般劳顿，慎重，在大规模需求商业利润的流水线工业的时代，这种方式只能是审美象征。贞谅去往高山、海边、岛屿、盆地，收集各种花纹、色彩、布料、绣法。手工织布，裁剪，缝制出素雅裙衫和童装，兼具天然植物的染色和手工刺绣，每一件作品售价极高，顾客寥寥。也有固定客户收购，主要在日本和欧洲。她只以此打发时间。她们没有为生计发过愁。生活也简单。

贞谅对这门古老手艺的狂热执着，显然带有其他目的。这是和喧杂快速的时代背道而驰的一件事情，她的生命企求一种倒退。或者说，她在试验一种逃逸方式，代价是她们漂泊不定从无归属的生活以及与社会和人群的隔离。

5

13岁那年。贞谅对她说，信得，我们住到临远去。

她问，我们会住多久。贞谅说，不知道。也许不再走。我开一个店铺，你上学交朋友。你已长大。

清远山如同天然屏障截然封闭，使古都临远成为一颗孤立心脏。山峦连绵起伏，幽绿蜿蜒，种满竹子、松柏、香樟、枫杨，四季常青。山顶有古老荒废的清远寺。清远湖水波潋滟，夏雨冬雪，为世人敞开胸怀。这座城池四季分明。春天碧柳红桃，夏天满湖荷花，秋天桂花飘香，冬天腊梅绽放。它使临远人心平气和生活在当下。赏花，喝茶，望月，观潮，听曲，荡舟，踏青，嬉戏。

与自然不可分隔互相融合的关系，使它回避人为摧毁。大部分城市在前行，临远某些部分已死，这使它保留古意，维持尊严。临远有依傍有凭靠。它不是在荒地上全新堆垒出来的城市，除了交易一无所有。也不是被摧毁太重的旧城，余生创伤深重失魂落魄，如同歧照。

青石板小巷，大宅院落，墙头探出蔷薇花，集市，湿润清透的空气，朴素日常的生活气息。其他城市的人，来临远旅行，熙攘一阵便也走了。新的人重又抵达。临远从无在寂寞中空落，也不在热闹中忘形。如同一个午夜的游乐园，即使灯火通明的盛会接续不断，依旧是与世间喧杂有隔离的所在。它是与世人相接无碍的遗世独立。

她说，生命短暂，时间有限，所以，尽量去别处看看。选择喜爱的地方停留。

贞谅选择在这座城市居住。

13岁。她是眼神明净神情老练的少女，热衷在眼皮描绘一根细细的黑色眼线。观察身边事物和人群，警惕灵敏。深夜起身，仰头观望星空窥探银河奥秘，也喜欢竹林中漫步的野猫、廊下午夜盛放的白色昙花、栖息在凤仙花丛中的萤火虫。大雨中奔跑。没有路径的森林中寻找蘑菇。空旷湖水中脱掉衣服游泳。还有蓬蓬裙，音乐，诗歌，阅读，绘画，电影，远行。渴望交到朋友，得到感情的途径。

习惯光脚爬树，在粗大槐树之间吊上麻绳荡秋千。用蒲公英做手环，柳枝编成小花冠。用凤仙花汁液染指甲和脚趾甲。吃杜鹃花的新鲜花瓣，折下香椿嫩枝嚼食。在眼皮和眉头之间抹上白粉，仿佛一种戏剧化面具。

她跟随贞谅四处辗转。如果在城市里，会被送到私立学校上课。如果在僻远地区，就什么都不再学，除了认字和阅读。所有时间，只用来实践生活历程：路途颠簸，饮食起居，观察体会不同区域的气候植物人群语言文化。打开身体所有感觉，吸收一切。她们对路过的每一处土地给予充沛好奇和平实心态。随时出发，随时停留。

她说，如果说人的生命，在童年时就定下一种基调，那么属于我的部分在起初就豁然开放。贞谅与我，虽然两个人，但生活并不封闭。事实上，我们总是在对人群和路途开放。

因此。13岁的她，不是一页没有被划上任何线条踪迹的白纸，而是被漫长旅途和居无定所的生活搅拌混合的发酵物。没有受过系统性教育，却在不同地区学过不同的语言和表达方式。对这个世界不持有固定的价值观。觉得事物呈现的矛盾对立和正反两面的辩证关系，都是合理。

她被送入临远私立学校。英文名字童年时就有，Fiona，发音干脆优美，是贞谅所选。贞谅相信异国文化的交汇，会让孩子感受经验更为丰富。让她学习英文课程，之外有足够时间，学习YOGA，芭蕾舞，轮滑，游泳，钢琴，国画，书法……只是作为种种体验和享受的乐趣，从训练过程中得到心意熏染。

在这个学校读书的孩子，均来自经济上等的家庭。她出现在新生派对上，头发上插一朵蜀葵，带着和周围格格不入的超现实感，仿佛从大海深处蹿动而出的一种鱼类。浑身带着腥野湿气，充满蓬勃活力。脖子上挂着一根贞谅从小给她带上的红绳，系有一块白玉一枚狗牙。晒得黝黑。一双眼尾清冷的单眼皮眼睛，清澈发蓝。眼神冷淡高远，鲜少显露笑容。

庄一同迅速成为她第一个朋友。他是本地人，比她大1岁，为她深深着迷。她知道自己征服了他。在内心她是寂寞少女。

他说，Fiona，你的母亲是艺术家吗。在学校周年纪念会上，他看到贞谅。贞谅不事装扮，在正式场合穿自己缝制的灰蓝夹丝棉布衫，一丝化妆也无，清瘦素净的脸，发髻边插一朵白色石竹。母女俩一看就是外来人，客居在此。她说，不，她只是织布。但她并不打算解释织布这件事情。

她看到同学父母聚集一起高谈阔论，只有贞谅站在一边旁观人群不慌不忙。最终走出门外，一手持一杯香槟，一手拔出香烟夹入齿间，点燃。贞谅不让自己为难。她从小习惯贞谅形单影只却怡然自得的身影。她的母亲是个艺术家吗。她不知道。言行寡淡的贞谅，从不介意外界或他人的评断，也不喧哗取众。她的工作有价值所在，但背离潮流，处境寥落。她们只拥有属于自己的真实生活。唯独这个是贞谅所注重。

她们之间时有这样对话发生。

信得，在学校里你只当找到一些游戏伙伴。考试分数如何，不是目标。

那我以后不需要考到好的大学，得到好的工作吗。

如果你能够，你自然可以进入好的大学。那得是你自己确定需要的。工作也是如此。

她从贞谅语气里，判断出她根本无所谓她是否能考入大学或找到一份工作。但她不愿意自己的人生如同贞谅手里织出来的一匹布，华丽清凉，却对世间没有用处。这注定是不合时宜并一意孤行的生命方式。她希望自己融入人群获得温度，即使尚未清楚方向所在。因此她读书努力，对一同的友情投入响应，付出能量让自己温暖。她说，我期待一次能够进入世间的机会。

6

贞谅在东郊，买下一块地，盖起房屋。这是旅途客居拥有的第一个稳定住所。房间天花，用杨树和夹竹桃小树枝以特定角度放置在修整过的椽子上部，树枝表面用薄薄石灰处理。房间摆设简单，收集的物品，大多来自不同地方的跳蚤市场和旧货市场：旧年代风格的落地灯，荷花状陶瓷镜子，樱桃木衣柜，诸如此类。其他的装饰，则倾向自然和环保的选择。

厨房设施简单，没有微波炉，榨汁机，洗碗机，搅拌机，洗衣机。倾向尽量用手工劳动，代替能源消耗。没有电视机，从不看任何电视节目。

杏熟季节，有邻居送来一纸箱树上新摘的熟杏，软黄芳香。她们一起连夜熬制成杏酱，装入玻璃瓶。黄瓜，西红柿，韭菜，扁豆，青葱，收获时一摘一大筐，分送各家厨房。贞谅用双手一点一点建设意愿中的家，不比男人逊色。烹饪，种植，收割，清扫，享受劳作。

在旅途中，她们时常去当地跳蚤市场、二手商店及农贸集市，走走逛逛，寻觅收集物品：旧版本图书，小幅素描和油画，古董衣裙，瓷器，织绣，布织品，佛像，老珠子，砚台，瓦罐，彩陶，玉器，画像石，泥塑，皮影，绘画，剪纸……这些东西，有些贞谅用相机拍下来，有些用素描绘画，有些买下打包寄回去。

因为见多识广，家里全无章法，把东方传统器物与欧洲气质的家具搭配，和谐自在的折中风格，令人眼目一新。从小她知道要有心头所爱。睡房里，放置衣服的是一个有贝壳形装饰的橱柜。浅浅的天蓝色，如同清晨初醒的天空，这蓝色使她静谧。厨房有一个门板镶嵌玻璃的桃花心木橱柜，打开之后，里面随意摆放收集的餐具、茶杯、碗盏。这个橱柜是她的宝藏。

她说，她教会我什么是对物品的审美和尊敬之心，而不是一种虚荣的彰显。不是简单的金钱衡量，也不是粗暴的占有。那更应是一种温柔而敏感的彼此探测。

她说，我小时候，记得百褶麻质裙的蓝底十字形花纹，只有老挝高山少数民族才会如此刺绣。用各色绢丝制成花朵串起来的项链，一起动手制作，布料来自日本奈良集市上售卖的古旧和服。颜色花纹已难以寻觅。戴着项链参加学校舞蹈演出。

这些个性强烈的物质存在，使她意识到与众不同。与人群保持距离，是一种品格所在。

7

36岁的贞谅，与27岁时，变化不大。封闭单纯的艺术工作，使她内里清空，外形停滞不再生长。有时她的面容甚至有一种倒退之意，渐渐回复少女时青涩和轻盈。保持内心专注，强盛劳作。另辟蹊径的生命内容，塑造出一张与之相称的面容。

不读杂志报纸，不看演出展览，抽烟，刺青，喝烈性酒，把香槟威士忌混搭来喝，开快车，服用各种药物，包括镇定剂安眠药抗抑郁药。每年会写一次遗书。这些特性并不自相矛盾。常年离群索居，放弃资讯，但她对生活的感受并不乏味单调。相反，那是层出不穷充满无尽可能性和想象力的热情和敏感。

贞谅在花园里种植果树，春天开出热闹花朵。她在树下摆设大块青石，引进一泓清泉，开花时欣赏落花铺满石块，覆盖水面，做有心的看花人。她偏爱一切有香气的白色花朵，栀子，玉簪，茉莉，玉兰，佛手，百里香……种植于庭院瓦罐陶盆。也喜欢幽兰，腊梅，翠竹，松柏，蟹爪菊，牡丹。植物与人的心性有响应之处。她爱花不分彼此。

来自哪里，做过什么，始终是谜团。她绝少提起往事，过往如同沉入海底的巨船不见天日。少女只能自动把它弃绝，不再抱有希望接近成年女子的内核。

有时，她独自出门旅行数日，不会超过一周。信得被寄托在邻居或熟人家里。出发前她把行囊放在路边，蹲下身，拉住她的手，看着她眼睛，说，我出去有事情要做，结束就回来。你等我。贞谅语气不动声色，希望她以平常心接受离别及人与人之间不落牵挂，学会自处和等待。并最终理解人与人之间不需纠缠粘连，而应保持随缘自在。

她的个性里，没有亲密粘着，却有一种隐蔽变幻。这使她成为一个无法捉摸的有神秘感的母亲。

我们从来都不是关系亲密的母女。她说。与他人干燥而清洁的关系，对聚合别离淡然，是旅程中需培养的与人相关的任务。或者说，习惯走在路途上的人，必须习惯无情。

8

那一年。男子琴药来到她们的身边。

他来她们家里帮忙种树。健壮沉默的男子，穿着蓝色汗衫，粗布裤子，夹趾拖鞋，开一辆破旧载货车，敞露车厢上放着四株樱桃树。他在花园里干活，动作沉稳有序，常识丰富。挖土掘坑，植树埋肥，剪枝浇水，很快把果树全部种完。他不算高大，但却俊美，身形匀称。肌肉因运动和劳作呈现饱满结实，黝黑皮肤渗透细密汗水。干完活，脱下汗衫，用花园里水龙头的凉水往脸上和身上泼撒，洗脸擦身。

男子收拾干净，把汗衫套回去。旧衣服散发出一股汗液气味，如同收割后的草地辛辣强烈。她每次闻到清新的泥土腥味总会浑身一凛，抽动鼻子深深呼吸。这是同样的质地。他的脖子，手臂，背部，胸腹，腿上，散布红色小痣星星点点，微微凸起，让人渴望把指尖摁在其上，如同在一幅广阔的地图上探索标示。一个可以沉迷其中的规则单纯的游戏。在内心的模拟中，她做到了。

她走过去递给他矿泉水。站在蔷薇花架下，感觉很热，长发湿漉漉，纠结浓黑。13岁时，她着迷于派对或演出时才适合的白纱蓬蓬裙，也许是它密密层层的蕾丝掠动，发出细簌声响，使人感觉从大海深处蹿动而出。以此隔离周遭与人群。她在日常场合里穿着，跟贞谅上街，花园里游玩，去书店图书馆，餐厅吃饭，旁若无人，引来纷纷侧目。

他低头看她，眼睛露出机敏微笑。他说，这裙子好看，你是不是睡觉都不想脱下来。内心明了她细小所在。她说，贞谅邀请你晚上在家吃饭。现在你跟我去玩。

他31岁。讲话慢腾腾，仿佛脑袋跟不上唇舌的反应，令人无从捉摸是故作木讷还是存心戏谑。眼睛有时看起来懒怠散漫，没有目标，有时又亮光闪闪，显示出锐利，直接，令人一不小心堕落于此。站在他的身边，如同行走于一道孤绝山崖边缘。跌足之后，可能是深渊或地狱，也可能是一面深蓝静谧的大海，一片花草绚烂飞禽走兽的山谷。

他跟在她身后，点一根烟，说话有一搭没一搭。路边野草野花的名称，开花结果的时间，他全知道。路过一个偏僻院落，拐角处一棵大桑树，累累枝椏伸出篱笆。一般人家不会在花园里种桑树，那家不知为何，桑树枝叶繁茂，年年结出丰硕果实。熟透时，紫黑色桑椹纷纷坠落，在泥地上摔成紫色污渍。院落鲜少有人来住，也无人采摘和看管。只有喜鹊来食用，吃饱之后站在树阴中发出喀喀叫声，声音响亮。

她爱吃桑椹。他知道她心中所想，说，我帮你。折了一片芭蕉叶，赤足爬上树，把高处枝头的桑椹采摘下来，用叶片包裹递给她。她让他一起吃，他用手指撮起几颗放在嘴巴里，两个人同时伸出舌头，展示紫色汁液留下的痕迹。有些人一出场就带来心心相印的默契，没有丝毫生分。她从没有这样自如地接近一个陌生人。他使她愉悦。

她说，平时我不敢爬上去摘。这毕竟是别人家的树。

他说，喜鹊可不跟你一样想。它不分这是谁家那家的，吃饱算数。所以它叫得那般高兴。

他们走到花园边缘的郊外，看到田野和暮色天际。灰蓝色天空漂浮大团灰白色云朵，一半光亮，一半阴暗。成群云块云轴密接，边缘互相连续，犹如大海波涛满布满天。停下来观望那些云。

她说，这叫层积云。也许明天会有断续的小雨。

他看了看她，慢腾腾地问，云为什么会变成这种样子。

因为空气的波动和湍流混合作用。有时是因为辐射冷却的原因。

你怎么知道。

她自得地说，阅读。母亲让我读很多绘本，画册，辞典。

那你还知道有其他的云吗。

当然。还有卷积云，积雨云……

嘘。嘘。他把竖起的食指堵在嘴上，示意她停止并且沉静，示意她抬头再仔细看云。他们仰头静默，看着漫天奇异云朵，时间长久。直至她听见心怦怦跳动，仿佛周遭一切发生新的移动，身心离开原地。这是一种全新体验。

他说，这些云并非是为定名或预兆而存在，这不是它本来意思。它变化各种形状，鳞片，羊群，高塔，山峦，水波，是它自己的事。背书不会得到内心感受，积累概念也不代表有知识。你打开眼睛，打开心，这样跟事物才会产生真实联系。

为了取得与他之间的真实联系，她尝试学习长时间观察他。如同观测一棵无人采摘的果树，观测漫天默默变幻中的云团。毫无疑问。琴药是一个同等属性自生自灭的男子。

9

晚上三人在厨房准备晚餐。贞谅于花园中摘下新鲜蔬菜，想拌一个沙拉。琴药用橄榄油橙汁西红柿汁调出调味汁，口感凸现清爽。最后这个男子主动提出要求，系上围裙，做出一顿简单而无以伦比的晚餐：海鲜汤，三文鱼奶酪意大利面，甜点是烤苹果配冰激凌。即使是惯常喝的柠檬汁，拌上新鲜薄荷绿叶，看起来也更醒目。

她们有一个宽敞而朴素的厨房，大部分操作需用手工慢慢完成。看着一个男子在烤箱灶台之间有条不紊地操作，慢条斯理自得其乐，是一种享受。空气都开始笃实。他信手拧开洗手池窗台上的小收音机，音乐频道正播放优美情歌。贞谅平时只听古典音乐，这别样歌声使空间氛围变化。他边听边哼，中途等待间歇，倒一杯酒，自斟自饮，十分惬意。

紫藤花开在旺期，一串串悬挂下来，密密簇簇覆盖窗前凉棚。吹拂而过的夜风包裹浓郁芳香。贞谅换上一条布拉吉，粉白底色上有燕子鸟翼穿梭，头发盘髻，插一朵白色月季。这一顿晚饭，持续三个多小时。饮酒，聊天，不时欢笑。她们的生活颠沛流离，也与世隔绝。不知为何，这个种树的男子进入，丝毫不费力曲折，也没有猜测疑虑。

吃完甜点，开始喝热茶。长餐桌上碗盏杯盘谁也顾不上收拾。琴药与贞谅酒量好，开到第三瓶酒。贞谅微醺，一直笑意盈盈，头上花朵已颓，摇摇欲坠。餐桌上蜡烛点到尾部，青花瓷托盘上满是干涸重叠的烛泪。他们放了音乐，推开椅子起来跳舞。她一开始和他们一起跳舞，慢慢觉得难过，独自离开这一对心无旁骛的伴侣。

呵，我们不过是初次相逢。为何这快乐如此纯粹，让人难以承受破碎。

她走到夜色中的花园，脚踩到泥地上的干涸紫藤花瓣，发出脆裂声响，一直走到大门处。回头张望，烛火晃动的厨房窗口，音乐还在如水一般渗透出来，丝丝缕缕。融化在月光和空气里。贞谅的青春在劳作和寂寞中消耗完尽，当琴药赤足穿着人字拖鞋，拿着铁锹在花园里挖坑种树的时候，她就知道，这个男人的出现是时间累积的一个结果。

上天一定会派一个男子下来与她们做伴。

这是她与贞谅在漫漫旅程中饱尝和经历的支离孤寂所应该得到的补偿。

10

他从未离开过临远。

本地人以保守优雅的古都为骄傲，不屑远走高飞，这是传统习俗。琴药不外出旅行，精通日常生活。他能做很多事：种树，送货，烹煮，搭篱笆，架凉棚，木工，园艺，刷墙，修车，修电器，酿酒，理发，种菜，割稻，做灯笼，做漆器……没有什么能为难他。只是从来不做稳定工作，没有稳定居所。赌博为生，大赢大输。赢了，日子阔绰，出手大方，在餐厅里呼朋唤友摆流水席，谁来谁吃。输了，帮别人在园艺或建筑等项目里干活，赚点闲钱。然后再赌。

她询问琴药，你懂得常识，持有观点，都是行动中获得的经验吗。

他说，那你认为我可以仅仅通过阅读画册辞典或写论文听讲座，得到这些吗。如同你母亲织布，她去泗度岛，劳作，学习，把自己交付给织布，与它交换能量。这样她才能把布织得更好。我们更需要实践和理解。

你喜欢贞谅织的布吗。

现在人很少有兴趣花昂贵价格穿一件手工织布衣服。你母亲的布，接近无用的奢侈，但这是她选择的方式。我们每个人都在消磨生命，用这样的方式或那样的方式。你母亲采用一种忠于自我的方式浪费。这是一种美。她为此付出代价。

他对她的欣赏之意，不是对一个富有美感的女子的简单热情。事实上，他极为迅速和直接抵达她的质地。这是他渴望接近的稀少事物。

他自身的组成，是一种难以分辨的结构，呈现多棱镜般的锐利和混乱。他是赌徒，不务正业，又身体力行，用双手做一切实际的事情。不阅读不思辨，但有单纯的睿智，直接进入事物核心。身体里有火焰般澄澈的能量，有时又呈现一种麻木不仁的冷漠和无情。亲近和交往许多女人，近乎贪婪抓住一切当下愉悦，又早已坦然顺从不了了之的结局。他的情爱生涯，从不停滞消减，搭起舞台逢场作戏。也许，他认为欢愉和美都是即时的，会腐坏的，会破损。需要当机立断。

一直单身，从未想过结婚。他觉得这会是为软弱、屈服和情欲付出的最大代价。他并不是心意坚定持有缜密态度的人，弹性很大，时时临时起意，时时改变原则。对世间没有目标，又有一种出自天性的直面当下的担当和实践。不错过任何自动出现的美好事物，在它们呈现出相应糟糕的一面的时候，也不慌张，自有另一套措施应对。

他的生活是这种性格的产物。

贞谅偶尔在家里招待客人。那一次宴客，吃大闸蟹，赏菊花，饮酒。琴药帮她做饭，菜谱无可挑剔。客人来头不小，一见面谈论起知名学者政见不和诋毁争斗的事件，又涉及学运、政治、知识分子的弊端等等之类问题，一时慷慨陈词，各说东西，气氛极为热烈。

琴药把最后一道菜拿出烤箱，对她说，你跟不跟我一起去喂猫。

他们走出客厅。郊外花园有大群流浪野猫，琴药经常投食。他拿一盆用鱼汁鱼肉混杂过的剩米饭，在竹林边况况当当敲起饭盆，野猫三三两两，迅速聚集过来。月光清凉如水，夜色静谧。她跟他一起蹲在菊花田畦边上，看着猫吞吃晚餐。琴药点起一根烟，慢腾腾说，猫有很多面，骄傲，安静，警惕，顺受，有时慵懒，有时活跃，有时刚强和神秘。本质上它们的内在，是一颗老虎的心。

她说，你喜欢动物，植物，唯独对人的兴趣最少。

扭曲的人很多，他们离自然的存在已无限远。

所以你不待在客厅里。

为什么要浪费时间，听人谈论无聊杂碎。时间本无多，只能用来做喜欢的事。你看，月光，菊花，竹林，风声，猫在吃食。这些事物，联为一体密不可分，进入内心，可与之融汇。而那些人谈论热衷的一切，没有一件是和自身真实发生关联的，全是不着边际的轻浮。言语有时可憎。你母亲需要这些朋友做什么，是在听戏吗。也许她觉得寂寞。

他又说，她觉得寂寞，不如跟我睡觉。我会让她愉快。

他从裤兜里摸出一个竹管，说，我给你吹个曲子听。

之前她以为那是箫。但这竹管比箫要粗短，吹出来的声音更为低沉拙朴。他动手做出这管尺八，使用桂竹靠近根部有七节竹筒的竹管，内部则涂上朱红生漆。他的巧手无所不能。他说这也许是世界上最为奇妙的乐器。人的姿势稍一变动，气息稍一转换，抬头低头之间，气流角度发生变化，曲调呈现婉转起伏。这形式简单的乐器，在隋唐时盛行，在宋代后式微。他说，这是和你母亲所织的布一样属性的事物。

他坐在大青石上，月色清凉，秋霜夜露，泥地开满白色蟹爪菊。也许因为喝过酒，吹奏行云流水。暗哑音调在空气中微微振颤，随风飘到远处。那一首古曲，月山梅枝，离开他后，她再未在世界任何一个角落听到，完全忘记它全貌。仿佛它本身就是在虚无中发生，虚无中消逝。此刻，她与他，他与它，它与她，相会于世。因缘聚汇，共存于时间孤立而单纯的顶端。如同从“空”中捎来的一封信。她在注定要遗失的梦境中阅读了这封书信。

只记得，乐声静止的瞬间，男子在月光之下停留于时空之中的身形，仿佛一枚折损中的永久并且脆弱的剪纸。然后他轻轻起身，衣衫上堆积被风吹落的竹叶和菊花花瓣，全部簌簌掉落。

第四章　　庆长。一座消失的桥

1

如同西人传统习惯，清池左手无名指上戴有一枚婚戒。戒指式样朴素，佩戴长久深勒手指骨节。这枚戒指重要性，不是在于对婚姻持有循规蹈矩，显然，他内心一部分与此截然相反。而在于他以此与外界划清安全距离，提示相关女子：你可以与我接近，但我在一个范围里面。

在对待女性的态度上，他具备一种开放的探索性。对美持有充沛兴趣，征服欲与生命热量同等强盛。寻求持续而饱满的更新。一种具体的实践又具有超越性的理想主义的形式，同时保持谨慎和警觉。作为商业社会的主流人物，这个男子，清醒自知，有被职业训练出来的逻辑头脑和大局观。他很难被征服。

庆长采访回来，Fiona便告知她，不要被许清池一家高贵和美的表象蒙蔽。冯恩健这几年一直意识到与清池出现隔阂，不惜40岁尝试怀孕，试图再生下一个孩子来稳固家庭结构。他们之间的关系如同所有正常的婚姻，进入波澜不惊的死水期。一双儿女是唯一联结，很少沟通，联结疏淡。不仅仅因为他们聚少离多，只是，婚姻这个形式，无论如何都不能回避想象力和激情在日常生活中的消减磨损。

长期婚姻，最后成为一个由习惯、信任、秩序和责任构成的共同体。形式稳定，渐渐脱离自我。人性所具备的脆弱、深邃、变幻、矛盾，奔腾而流动的能量，注定与被框架和模式局限的现实有相悖之处。只有恋爱和来自心灵的驱动，才能靠近这无法言喻的甜美和黑暗。婚姻如此之理性，在剔除动荡起伏的同时，也剔除好奇和深入。一对男女，生下儿女，日夜相对，渐渐失去对彼此的兴趣和探索。

因此，清池在3年前，有了一个女友。

是一个半红不红的模特，17岁跟随他，现在20岁。她叫于姜。清池给她买下一处别墅，一直保持关系。冯恩健装聋作哑，不和他捅破这层薄纸。于姜虽不算盛名，也是公众人物，在所有受访里，称自己单身没有男友。这并不是什么秘密。Fiona给她于姜私人日志地址和阅读密码。Fiona有渠道得到任何她试图了解的八卦是非。这是她的圈子所热衷的乐趣：窥探，评断，议论，攻击。

Fiona显然还带有其他目的，对庆长也并不隐瞒。

她与清池，早前在派对中相识。她对他一见钟情，他对她暧昧不明。她去北京出差，他们上了床。清池坦呈有家庭有女友，这是他惯有模式，让对方自行决定与他关系的进退。Fiona说，庆长，男人都是贪婪的动物。强有力的男人更是如此。像许清池，女人以为能够抓住他，他也貌似从不拒绝推诿，但事实上，他控制局面不可能被制服。这才是劲敌。

她又说，不管如何，事情发展没有界限。也许某天他会离婚，也许某天他会和于姜分手。也许某天，我和他会在一起。

庆长觉得Fiona的灵活之处，在于从任何事情中获得正面积极能量，故意忽略负面不可修正的缺陷。所谓成功男人，商业社会中精于算计的商人，不会不明白女人心中世俗的盘算和需索，除非他们故作痴呆。青春美貌在都会中随处可见遍地可拾。也许值得为了床上片刻欢娱付出若干时间精力，但没有一个聪明男人会为此搭上稳定关系的沉重代价。

阅人无数的Fiona得出过结论，成功男人基本上早婚。婚姻对象多为门当户对的大学同学或青梅竹马。妻子相貌平平但有聪明才识。婚姻会维持稳定并且生儿育女。但对婚姻之外的女性，他们从不放弃征服的机会。

征服模式，基本上是批量式追求。所有女性一视同仁，带去吃饭的餐厅，住过的酒店，买的礼物，喝咖啡的露台，说起的音乐，书，电影……分享的内容没有两样。情感的表达、语言、行为也是有迹可循的复制，用相同形式派发给不同对象。这个无限制造的包装盒子里，排列各式形式精美操作简易的产品，位置和间距都自动成行：照顾。关心。赞美。沟通。精美礼物。热烈性爱。甜言蜜语。异域诱惑。兴趣风雅。见多识广。对方接过盒子，以为得到的是量身订造的珍贵限量版，实质却不过是批发生产的零售品。

终极目的是上床。目标得逞之后，会迅速撤离，保持高度警觉，以冷漠回避让女人自动失去期望。有些会让他们的兴趣保持持久一些，渐渐发展出感情和生活的形式，如同于姜。有些则只能昙花一现，如同Fiona。

Fiona当然知道自己没戏。但具备身份标签的出色男子，偶尔与之约会、上床又有何不可。女人习惯过高或过低估计男人的情商和智商，使自己受到伤害。如Fiona这般活在当下，照实劈直，反而眼目清明，无心无想。

2

庆长进入于姜的空间。

她是凭借美丽肉身在都会谋求名利的重庆少女，焕发勃勃生机。他比她大20岁，身负要职，压力沉重，需要来自年轻生命的热量和活力，且对美从无抵抗之心。这种联结有其合理结实的基础。他们之间的和谐度也许超乎外人想象，在一起长达3年，稳定持续。这和于姜的特质有关。

她做模特，却喜欢混迹艺术圈，经常与一帮作家画家音乐家建筑师设计师等艺术家们搞派对，吃晚餐，做节目，拍地下电影。也写小文章，出版写真集，出席各种公益活动。一度被媒体称为美少女与才女的混合体。

在私密的个人空间，庆长看到她漫不经心陈列的日常生活：全国各地表演，去海外度假，家里的布置和摆设，各类聚会，和家人一起……的确这个被选中的少女，内心有其聪慧活跃的一面，思维天马行空。她对他感兴趣的一切，也都热衷：美术馆，电影，书籍，旅行，音乐，体育……并且极度痴迷海外生活。对物质有向往和虚荣之心。所有种种，都有照片贴出。竭力呈现的，已是这个女孩优越生活的全部源泉。

为了保护清池，她在日志里把他简称为C，从不透露他的细节背景，也没有他的形象出现。

照片上，于姜像一朵线条鲜明的大丽花，形貌不见幽暗充沛的芳香，但有实在丰盛的肉欲。她很女性化，注重打扮，时时变幻时髦行头。大部分衣物由他从欧洲购买，更孜孜不倦在日志里罗列名单，为这些奢侈品雀跃喜悦。她的相貌流露出一种天性的良善单纯，缺乏庆长的坚硬叛逆，也不如Fiona明确坚定。她是对自我无知无识的女子，属性和趋向不明，心态顺受。如同花丛中休憩玩耍的蝴蝶，没有机心，妙曼起舞。

清池性格强势，喜欢支配和控制女人，享受引领和教育女人的乐趣。他有能力做她主宰。

Fiona说，这些内容我们不会放入采访。事实上，我除了给你看，也没有给过其他人。我们最终都是要保护他，不会让他难堪。只是想不到吧，外表清朗干净的男子，背后有这样隐秘复杂的情爱历史。

庆长关闭页面，说，许清池需要和这样单纯愉快的少女共处。他跟你这般事业女性在一起，上床片刻可以，生活一起会觉得疲累。他足够复杂聪明。他渴望从女人那里得到征服、认同、休憩、放松，不是你所期待的婚姻或其他。他不会再和女人搞这些。他没时间精力，也没心情。他早已解决和安置好现实生活。男人就是这样理性。

冷静说出这些话来，她对自己觉得诧异。不知为何，这隐藏的层面暴露在光天化日之下，她没有丝毫嫉妒、失落或受伤。仿佛这个被议论着的男子，是与她不相识也没有关系的一个人。有妻儿家庭同时情感隐秘复杂的成功男人，是她在写完采访稿后可以被搁置一边的工作任务。而她在心里留下的男子，是那个在弥漫夜色和桂花芳香的房间里凝望她的睡眠，眼神清凉如水的男子。她认得他，把他放在内心的褶皱里面。非常静谧，并且安全。

带着这样的静谧和安全，庆长踏上最后一次工作之旅。

她要去往瞻里。

3

出于倔强个性，她这次时日不短的采访，放弃与摄影师合作，单身出行。同时只坐火车和当地交通工具，紧缩一切费用。把采访尽可能深入全面做完，然后，离开摇摆不定态度不明的杂志社。这就是她内心的任务和决定。

她做完资料采集和整理工作，计划完路线，拟好采访人物名单和相关问题，制定摄影内容构架，同时清点完毕工作旅途需要用到的物品。她将抵达福建南部一个县城。辗转取道，进入崇山峻岭之中的乡镇，再抵达山谷深处古老村落。一条在地图上持续延展和深入的支线。即使当时看来如同入天般艰辛路途，现在也已铺设便利。

因为历史上数次战乱和迁徙，这些村落成为很多有识之人的隐居地。逸人雅士，饱学诗书品性清雅的高人，从不同来处进入瞻里，遁入散落在高山深谷的各个村落，以隐居方式度过余生。他们带来生活方式的改造，使村庄建筑和气质发生变化。如同一块实验田，山高水深之地被搭建起来的，是对一个时代繁盛太平时期残存下来的风格和物质的留恋重建。所以，在如此僻远的村庄，能够看到高超神奇的虹桥技术。这些存在令人惊叹。

这些年来，瞻里的古建筑正在被摧毁和消失中。它已失去艰难隔绝的交通屏障带给它的保护。

为了让村庄富裕起来，需要修建公路，拆除占据地理重要位置的桥梁和建筑。它们因地制宜建造，一切做过缜密设想，也正因如此，终究成为开拓崭新前途无可避免的阻挡。这里从来都不是富裕之地。不同的是，贫穷可以是端庄自如。农夫渔耕，士人隐居，搭桥建屋，一切井然有序，天清地远。在失去了价值观支撑之后，贫穷所剩余的，就只有饥饿和不安全。只有野心和欲望。

在现实触手可及的物质利益面前，以及在岁月更替风雨飘摇中苟延残喘的一堆老祖宗遗物面前，家园可以是一堆新造崛起的钢筋混凝土结构的楼房，也可以是时间深处以对世间万物的审美和理解建立起来的精神系统。这是选择。人们会选择哪一种结果。前提来自他们认为哪一种更具备价值。选择结果是：瞻里留下的数十座完美无缺的古老拱桥，目前只剩余三座。一些村落传统结构宅院已被彻底拆除。或者说，有些村落已被摧毁无踪。

庆长在硬席卧铺上度过一晚。车厢里弥漫熟睡中陌生人群居的气味。一种混浊而沉闷的热气，来自污脏衣物、密实行李、未经清洗的肌肤和躯体各自运转的代谢和循环。这是所有交通工具都会具备的气味。令人倦怠窒息，也令人放松自在。这是与她生命如影相形的气味。

她从少女时期开始，就在不断远行。为恋爱，为逃离，为谋生，为工作。一次次踏上路途，走向不可知的远处。她不计算到达过哪些地方，如同从不数算在生命中出现过的他人。不断把过去甩掷在身后，义无反顾，一意孤行，这样才能大步向前行走。才能不被一种血肉深处的心灰意冷所牵绊和折磨。

为了生活下去，她必须始终充满警惕。

4

远远的。循着冬季干涸暴露出鹅卵石和岩石的宽大溪沟，她看到横跨两端峡谷，如同彩虹般跃起的木拱廊桥。一个均衡而完美的弧形结构。难以轻易遇见的古老虹桥。庆长背着摄影包，在溪沟卵石上跌跌撞撞向它靠紧。她已徒步很久。在冬日旷野天色之下，独自趋向一座桥梁。

此刻，它远在天边，近在眼前。这是村庄现存的最古老的桥，观音阁桥。

曾经存在过的在唐朝建起的锦度桥，在50年前的山洪暴发中，冲垮消失。锦度桥是地方志中所记载的，瞻里历史上最古老优美的一座桥。

现在只能看到故纸堆里它被勾勒出来的结构形状。即使是相对年轻的观音阁桥，也在清朝经历重修。整座木拱廊桥采用虹桥结构。基本组合单元是8根杆件，纵向4根，横向4根，形成井字。受压磨擦的力量，使构件之间愈加紧密，因此不需要钉铆。这种简单而奇妙的原理，使整座桥坚固均衡。桥面上以粗木立柱顶起屋廊，青瓦铺顶。构件部分用红漆木质挡雨板封起，以免风雨损伤。整个桥体以稳重舒展的八字形式铺排开始。斜脊高高掠起，在空中划出清逸线条。这座老桥，与周围蔓延山峦、溪谷、村落、树林映衬，呈现出浑然一体的端正大气。

冬日乡村萧条冷落，黑白分明。长久无人清理的岸边田径，堆满垃圾，荒凉灌木隐藏动物腐烂中的尸体。白色塑胶袋四处悬挂，像白絮一样侵占树枝、水渠、草丛、水面。田野里全无生机。只有桥头一株古树，枝桠蓬勃舒展，浓绿树冠如一把巨伞撑开，也许可以覆盖百人。她查过资料，这棵古樟的年龄已过千年。溪谷岸边，有一株腊梅，枝节盘错，开出淡黄色芳香花朵。

曾经，夕阳西下中的牧童，骑在水牛背上吹响短笛。山边田地，绿色稻禾在风中如波浪起伏。收工的农夫陆续走向归家路途，孩童们在远处村口嬉戏，欢声笑语和袅袅炊烟一起，飘向空幽山谷。狗吠，鸟鸣，万物祥和，隐居的诗人此刻是否会磨墨铺纸，沏茶弹琴，感受昼夜交替的云光天影。人们建设起家园，一座座精美稳当的廊桥，用以乘凉，过河，避雨，祈祷，祭祀，嬉耍，休憩，远眺，约会，闲聊，对座……人世的情感和生存，所有深沉或者轻盈的时刻，在一片土地上得着凭靠。

现在这一切血肉交融荡然无存。劳动的人群，喂养的牲畜，旺盛的作物，被洗刷一空。没有声响，没有气息，没有热气，没有烟火。所有生活过的痕迹如云烟逝去，只余空芜。年轻人涌去热闹县城或更遥远的城市，村子里余留老人、妇女和孩子，多以麻将电视取乐。无人经营的田园，流露出沉沉死气。木头腐蚀。河流干涸。土地荒废。人世变迁。过往溃烂。一场巨大幻梦。村庄余留下一具残骸躯壳。古桥也许是它依旧苟延残喘的强壮心脏，但这颗心脏也即将被摘除。

暮色中，庆长走上饱经沧桑的古桥。脚下踩过的杉木板吱嘎作响。心里一步一步空落下来。廊顶上木柱密密排列，清楚分明，每一根木柱都似在寂静中发出呼吸。是经历百年的树木所持有的肃穆意志。光线昏暗桥廊内，回声荡漾。她看到自己的呼吸，在寒冷中迅速扩散成白气。左侧，一处破损佛龛，供奉观世音菩萨。地上蒲团，压迫出长久被众人跪拜的凹痕。香台上蜡烛香枝还有残余，香灰厚厚堆积。一些供品零落摆设，放在盘盏上的水果点心。炉内有烧到尽头的香枝，刚刚接受过祭祀。她在佛龛前站立半晌，继续往前走。

这是她在离别之前，第三次来看望这座桥。她对它充满留恋之心。暮色弥漫半封闭长而幽暗的桥体，古老手工的雕琢无与伦比。临近出口木栏板上，有一首没有署名的题词。字迹被风雨侵蚀，模糊不清，墨迹犹存，是有人抄下苏轼的一首旧词：

莫听穿林打叶声，何妨吟啸且徐行。竹杖芒鞋轻胜马，谁怕？一蓑烟雨任平生。

料峭春风吹酒醒，微冷，山头斜照却相迎。回首向来萧瑟处，归去，也无风雨也无晴。

她在采访的乡政府领导那里，已证实公路扩建计划。因特殊的地理位置，观音阁桥被决定将在明年4月整体拆除。

5

这一日，临近黄昏，她搭车从乡里回去村庄的寄宿地。

车站里各式货车客车一片混乱，污水横流，垃圾成堆。人流顶撞推搡，乞丐和小偷形迹可疑，不时擦身而过。她疲惫，饥饿，紧抱着摄影包，寒风中瑟瑟发抖。包里有相机、采访机、笔记本电脑、资料册、钱包、地图、手机等种种工作物品，此刻觉得全都是负担，并深深怀疑这些是否是生命的必需品。她一时不知身处何地。四处兵荒马乱，人群疲于奔忙，生活毫无方向。社会底处，除了贫乏盲目以及顽固的生存意志，再无让人觉得美及愉悦的部分。

若生活失去意识情感自主建设，没有芳香轻盈超脱光亮的质地，选择以这样的方式活着，目的何在。还是因为究其实质根本没有其他选择。

她的确在沼泽地里打滚太久。只要停顿下来，就能闻到密实细微而分量十足的烂泥腐烂气味，不知依附和沾染在内心何处。这里不会有任何梦想存在。这是为杂志执行的最后一次任务。所有疑问，根本找不到答案，不过在徒劳挣扎。她逐渐成为一个心灰意冷的人。这种心灰意冷，是在血肉中闪烁出微弱光泽的核心，而不是皮肤上一块湿布就可以轻轻擦掉的污渍。

有时她去医院，等候在配药的队伍中，看着走廊里来去匆匆的医生和护士。他们肢体生硬，眼神冷漠，面容焦躁。她想，他们是否还能够持有对生命苦痛的怜悯和关爱。如果没有，那绝对不是因为从事职业太久熟能生巧麻木不仁。而是，在痛苦中的人，数量实在太多。多得数不完，多得赶不尽。这种无助的重复的缺乏希望的堆砌，令人对生命失去信仰，对痛苦失去尊重。

她对人世的心灰意冷，是与此相同的属性。

一朵雪花在暮色里飘落，轻轻打在眼睛上。瞻里第一场大雪即将来临。

阴冷严寒天气已持续很久。她在此地孤立无援单枪独斗。原定一个星期工作时间已到期限，她极为渴望与人世产生一次联结。回想手机里的通讯录良久，没有找到一个合适对象。也许，她并不知道自己要说什么。可以对谁说。穿越过人群，走到街口邮局。离规定结束营业时间还有40分钟剩余，邮局内唯一办公人员神情冷漠，做出打烊姿态。她执拗进入，买了明信片和邮票。卡片上是清冷雪光中的观音阁桥，红木青瓦。完美的虹桥。她拿出钢笔，在背面写字：

我在瞻里，看望廊桥。下起一场大雪。我想它不会死去，只会消失。它正在消失中。庆长。

她不觉得这张明信片可以寄给定山，或者Fiona。虽然他们是上海这座她生活的城市里最为熟悉的两个人。她的再生纸笔记本里，一直夹有一张名片，插在页码中当作书签。她拿出那张浅蓝色名片，把上面黑色小字抄在明信片收信人栏线里。写上他的名字：许清池。用力挤出塑料瓶里所剩不多呈半干涸状态的胶水，在明信片背面贴上邮票。在把它塞入油漆斑驳的邮筒中的一刻，她发现手指已冻得僵直。

走出邮局。眼前一片大雪苍茫。

6

她一直喜欢照片。

比起具备流动感和连续性的摄像来，照片更具有一种独立形式。此刻当下，在影像定型的瞬间，人与过去、未来、所依存的环境种种，共处于一个时间凸出点上。那分明是一种隔绝的断裂的破碎的尖锐的处境。在照片里，每一个季节，每一个人的表情，每一个地点的样貌，都不可复制。仿佛在快速疾行的高空飞机里跳落，每一次跳跃的落点和速度，都在变动之中。格外需要慎重的勇气。

在只有传统手动相机的时代，能随意删改图片的家庭数码相机还未出现，人们的拍摄欲望因技术未能提供便利无法得以泛滥成灾。那时拍摄及印制出来的照片，每一张，都呈现着发出亮光般的纯度。

庆长喜欢老式照片，但她家里没有。在过去的年代，丰富有序的照片，是一个家庭稳定和富庶的象征。但这不是庆长的生活。父母离异各奔东西，她由年老祖母带到12岁，转到叔叔家里。由叔婶抚养到16岁，进入寄宿高中。从此独自开始成人式生活。根基虚空无着，枝叶随波逐流肆意疯长，显出生机勃勃的假相。她是叛逆少女。没有人给她拍照。她没有被爱过，所以不觉得自己重要。她也没有爱过，无法感觉到来自内心的力量。她对自己的存在没有信心。

长大后的庆长，不习惯被人拍照。身份证，港澳通行证，护照，记者证，工作证……所有必须拍摄的证件照片，看起来都表情生硬，目光迟疑，五官略微变形。她缺乏经验能够在陌生人操控下表情自然。她怀疑对方及对方手中所持的机器，从无信任。她后来学会使用相机，花费很长时间做这件事情。随身包里携带一只小型定焦相机，积累细节、时刻、素材。并学会自拍。与自身相处的从容和安然，和被别人生硬草率拍下的照片，是相反的两个形态。

这的确是需要被着意关注的部分。如果不曾故意停下来，观察人生痕迹，如同蹲下来仔细观察一把历经百年的古董老旧椅子的雕刻美感，那么，在时间中产生过的意义，就会被耗费忽略。如同一条大河，挟带着种种含混模糊的内容，兀自奔流而去。而反之，人生的强度和厚度将增加一倍。拍下照片，分离出这些存在感。沉淀，提纯，保存，以此检索和反省。

清池给她看过他的家族照片。他知道让她看那些照片，对她具备深层的情感含义，他愿意让她获得满足。大部分从温哥华他父母地方取来，有发黄的黑白照片，也有彩色照片，塞满整个行李箱子，也只是总量的一小部分。他5岁时跟随家庭从北京迁至香港，16岁去温哥华读书，在那里工作，结婚，又把父母一起挪过去。她试图追赶她没有抵达的与他13年的生命间隔。他的个人历史有一部分对她来说，存在于亡失之中。他是她终其一生无法完全了解清楚的男子。她早已心知。

她看到他穿着日本和服的曾祖母。盘着发髻，神情恻抑，细长凤眼微微挑起。她在25岁之后一直生活在中国，再未回去故乡。事实上，在她年老的时候，她的装束已是个中国女人。穿旗袍，烫头发，说流利的北方普通话。

她看到他少女时期的母亲。刘海优雅挽起耸立在前额发际，穿着偏襟盘纽扣丝质上衣，脸部有严肃表情。看到他父母结婚照。看到他们工作时期，穿着正式衣装出席各种公众场合，去国外访问以及与各国学者的合影。

她看到他5岁时和哥哥姐姐合影。短短平头，敦敦实实。他是幼子最受疼爱。穿蓝白条圆领汗衫，健壮清秀。

她看到他到了温哥华之后，渐渐成为一个注重仪态略显矜持的少年。20岁，他穿正式西装出席聚会，有一张水仙般临水自照的面容。

她看到他与同学冯恩健的约会照片。年轻女子温柔宜人，眉目端正，穿连身裙和高跟鞋。他们在海边拥抱在一起，脸贴着脸，十分亲昵。结婚照。教堂里的西式婚礼。新娘婚纱款式算是保守，头上戴一圈白色玉簪花，看起来比清池成熟。

头一个孩子是男孩。冯恩健抱着孩子在温哥华家里花园留影。男婴穿红色衣服，绿色袜子，头发浓黑，漂亮而健硕。次女是在清池因工作被派去纽约之后怀孕出生的。

她最终留下三张照片。一张是他少年时，躺在床上，双手枕在脑后，略有些颓唐，五官轮廓秀美。一张是他30岁，在某个工作会议之前，穿白色衬衣，眼角有了性感纹路。已是成为父亲的成熟男子。另一张，是他的母亲，他的妻子，他的幼小儿女，一起在家里花园合影。春天鸢尾开得茂盛，绿色草坪上一片深紫色花丛。白色走廊，白色秋千，白色楼梯。看起来是有良好教养和笃实经济的家庭。所有人脸上呈现相似的矜持自如的笑容。

庆长把这三张照片夹在一本书里。这是一个对她来说截然陌生并遥无边际的家庭历史。许清池的个人历史。他的世界浑然一体，自成格局，近在眼前，远在天边。一个男子生命中最重要的一半时间已过尽。在逝去的40年里，有他英俊而健壮的年轻时候，情欲炽热感情纯真的时候，理想澎湃斗志昂扬的时候，辗转漂泊努力生存的时候。那些时间与她没有时空联结或者血肉纠缠。他们各自在世界的某个角落生发，存在。两条生命脉络平行伸展，遥相呼应。

最终。她遇见的是40岁的许清池。

7

他们没有合影拍过照片。他是存在于内心记忆之中的人。不是一类证件的属性，需要与公众说明或者对外证明。不是证据。不是素材。不是记录。他不是需要分离出来的存在感的属性。他出现之前，就已与她的时间同行并进。与血液一起流动，与意愿一起成形。如果某天她失去他，她无需拿出照片来回顾这个人，或以此来记得或忘却他。这是不必要的。

他是情感本身。是回忆的本身。他不知道他在她心中的属性。她选择不再解释。宁愿这些内容超出他理解范围，也无法被接受。

相对于清池丰富庞大的照片，庆长所能提供的寥寥无几。缺乏正式的成长的照片，使庆长成人之后，没有得到确定而丰盛的生命证据，似乎她在黑暗中凭空生成。她的过去，缺失可以被尊重和承认的基底。家庭在困境中只求生存，无力留下可以传承的精神、气质、个性、风格。相反，被贫穷、颠沛、创痛、变迁，种种身不由己的逼迫，一再毁损和清空。她的照片极少。她接受人生被仓促推进的现实，那是她生活的本来面貌。

一种先天注定的缺陷所在。没有情感，没有物质，没有经营，没有关注。也没有照片。

一直保留的只有一张小尺幅的黑白照片。边缘分割成优雅锯齿状，置于樱桃木相框里，用暗红色底纸衬起，放在书架上。是童年时跟着祖母和叔叔去寺庙里旅行，三人在空旷的庙外平台处合影。楼台飞檐处可见当时阴冷天色。大概七岁的庆长，梳童花头，穿凉鞋，身上棉布连衣裙由祖母缝制刺绣。她的腿和胳膊纤细，脸蛋略有婴儿肥，面容里已有抑郁神色。照片里所有人都没有笑容，凝视前方，嘴巴闭得紧紧的，有一种内心忧戚和倔强之意。庆长说，那时母亲不知所踪，父亲得了病，亲人之间气氛阴沉。幸好祖母疼爱我，但她也在老去，疾病缠身。我知道她并没有多少时间可以保护我。

庆长说，我的记忆里存有这样一次春日旅行，好像刚下过一场暴雨，沿着台阶往上走。边上流水潺潺。海棠花在山谷里开成一片白色云海，落下的花瓣很多，在风中不断扑洒过来。我走一走，抖一抖裙子，看花瓣重新坠入谷底树丛之中。她说，这张照片，代表了我的童年，以及之后的少年或者现在的人生，都在按照一种既定的轨迹发展。在照片里，我看到命运的手印，重重打在我的脸上，打在这照片里每一个人的脸上。根本无法回避。默默忍受被重掴的痛楚。

他无语。长久之后说，你有过快乐吗，庆长。

她说，我知道自己即将或者已经孤身一人，但这不代表我不明了快乐。事实上，我也许比同龄的女孩更为珍惜快乐以及对快乐敏感。凋谢的海棠花瓣都能让我快乐。我只是很少欢笑。

她的这段话，也许在他心中留下深刻印象。在之后，他有一段时间费心想让她展露笑容，她能感受到这明显努力。闲暇时，他阅读数独或者逻辑方面的书籍，兴趣所在从不厌烦跟她分享。带她一起做各式智力题，耐心描述，讲解过程。他是言谈幽默机智的人，有开朗稳定的心理状态，这由他的平衡开放性格以及西方式教育和职业背景注定。他对她说一些笑话，有能力让她发出欢畅笑声。

她懵懂初恋爱上的少年，是高年级一个普通男生，仅仅因为那个男生总是逗她发笑。遇见善于说俏皮话，并能轻易把她逗笑的男子，她都觉得对方亲近。清池具备能力让她发笑。

庆长。在感情的状态里，你天真而直接，像个孩子，有时还有一种憨憨的傻气，与你表面上的警惕和刚硬完全不同。很多人这样说过她，包括Fiona和定山。也许他们因此而停留在她身边。她的确如此，容易心怀委屈，也容易对微小善意和施与感觉深刻的满足。

那也许是因为她贫乏的缘故。

8

南方一场突降暴雪，下足三天三夜。最终成为一次灾害。

公路交通瘫痪。庆长没有能够按照原定计划离开。滞留在东溪乡，无法搭上前往县城的车。只有抵达县城，她才能够快速离开。但路况恶劣，发出去的车极少。她住在当地村民开设的旅馆里，困顿中先着手写作稿子。带来的衣服不够用，在当地商店里买了替换的毛衣和长裤，还有一双棉鞋。天气变化之迅疾不可预料，习惯上路的人，并不觉得麻烦，只是随遇而安。即使在上海，她也持有旅行者的良好心态。餐厅里被忘记上菜，路上交通堵塞，或者无缘故被人碰撞，从不焦躁发火。对于无法控制预料的事情，她愿意保持平静。

第四天，感觉发烧。取出背囊中自备药物服下，祈祷不要病情恶化，否则会增加更多困难。她平时出差，与定山从无频繁短信和电话联系，一般只在回家之前，通知他来机场接她。这次她给定山打了电话，说被暴雪阻滞，何时能回到上海还无法确定。她没有说自己发烧，这样无非给对方增加压力，并且定山无计可施。他在电话里担心，忍不住说，回来之后就把工作辞了，反正也已无以为继。庆长，你需要休息一段时间。

庆长当然还是希望继续工作。定山薪水虽然不差，但未必有如此大的余裕。她知道她需要妥协。杂志社希望她做其他工作，他们置疑的不是她工作能力，是专栏发展前景。他们期待她自动提出转换方向。而她内心明白她没有可能妥协。事实上，她从不妥协。她会选择另谋生路。

她说，我会无事，你不要牵挂。挂掉电话，继续独自面对困境。

9

传统民宅二楼客房，长年失修。水管冻裂，电线压塌，缺水缺电，没有取暖设备。木结构房子御寒能力薄弱，一到夜晚气温如同冰冻。所有衣物全盖在棉被上，也考虑过能不能把椅子压在上面。渗透到骨头里的寒意无法阻挡。庆长躺在潮湿气味的硬木床上，倾听冰雪粒子敲打玻璃窗的声音，崩崩轻振。有时是冷雨滂沱。拧开手电筒，用纸和笔整理这些日子所有的采访文字资料，手指僵硬无法移动。

置身孤立无援中，内心却有一种入定般安宁。手机还剩下最后一格电，不知能支撑多久。

也许就这样被世界遗弃，也无不可。把此地当作一个尽头，跟随旧的世界被无声埋葬，唰的一声，拉上两片幕布，一场表演告终。台下观众已立身离开，有何眷恋，有何长久。发生过的一切，再绚丽热闹，刻骨铭心，也是注定要离岸的一艘大船。灯光闪耀的大船开往黑暗海洋，不知归途。如同注定会在推土机铲车逼迫中轰然倒下的观音阁桥，如同被大雪隔绝封闭的偏僻乡镇，如同她此刻看到的自我，隐藏心灰意冷竭力工作却不知道方向何在。

清池打来电话。他收到她的明信片，在电视里看到关于南方暴雪的新闻。他们分别很久。电话中他传过来的声音如此熟悉，仿佛昨日才初初相会。她对男子敏感的两部分细节，一个是声音，一个是手。在很早时她拥有特别的观察方式，水波中涌动云影，角落里闪跃光斑，大人肩膀上衣服的图案和花纹，掉落在土堆一枚小小发针，以及飘在裙子上又再次被风吹走的海棠花瓣……诸如此类，别人也许会忽略的种种细节，在她心中都有清晰回声。这种能力自童年开始具有，一直未消失。

第一次见面，她观察过他的手。他的手指修长有力，指甲修剪洁净，呈现有力而收敛的气质。他说他少年时热衷的事，是制造组装各种航空航海模型，参加比赛。他是被父母严格要求下教育出来的男孩，学习成绩上等，各种兴趣爱好有模有样，即使他觉得自己过得并不快乐。但，也许那就是事物的本来样子。他说。这双会做复杂模型的手，成年之后做过许多实验室里的实验和训练。一双有实践力的男子的手。这双手，也有过沉溺于各式女子身体和肌肤的岁月。他把这种接触视为乐趣所在。如同把玩一类艺术一个游戏，占有、收集种种性与爱的标本。这是男子天性里好胜和欲望延伸出来的另一个侧面。他以此填塞情感被秩序和理性长久压制的匮乏和不安全感。

他说，庆长，你可安好，你可疲倦。电话里可听到电流嘶嘶蔓延的声响，又或许只是她的幻觉。大雪停滞的荒野，夜色困顿。同时，她不断听到手机发出提示即将断电的鸣音，通话处于会随时中断的仓促状态。她如实说明情况。交通，疾病，缺水，断电。他言语简要直接，说，会马上去机场坐最近一班飞机到省会。借到一辆车，明天凌晨三四点出发上路。争取在晚上抵达东溪乡。

他说，也许9个小时左右路程，会延长为14或16个小时。但他尽力以最快时间抵达。他让她把旅馆名字和地址告诉他。他将接上她，直接开回省会，然后搭飞机离开。

她略有迟疑。他说，不必担忧，我可以应对路面状况。你只要相信我，庆长。我来安排一切。

10

他说，你只要相信我，庆长。他不知道。她从窗台上轻轻跃下，于黑暗中摸到球鞋把它穿上的那一刻开始，已为他驯服。

很久之后，他询问她，你爱过我吗。庆长。

在他很多次说我爱你的时候，她沉默无语。即使明显感觉到他语气末尾某种期待，期待她回应，给予同等表达和肯定。这种表达，对他来说，如空气一般充沛而自然的需求，但她从未满足过他。为此，他们有过一些激烈冲突，仅仅因为她不愿意说我爱你。

在西方，丈夫会因为妻子不说我爱你而提出离婚，可见他们对这句话的注重及日常表达的频繁。对她来说，她可以用行动付出，但难以做出轻率的表达和承认。也许自幼小时开始，没有受过这种情感方式的训练，没有习惯。他的其他女人也许可以做到，冯恩健，于姜，或者Fiona。但她们都不是周庆长。庆长的生命里，感情是一种殊遇。

之后，她对他有过一次专门的解释。在一次彼此挫折之后的电话里。

她说，我们对爱这个字理解不同，不能在同一个层面上互换。你所说的爱，是指那种身心的欢悦欣赏爱慕。而我理解中的爱，不属于这个人世，也不只属于现世当下，更不限于男女之间。即使失去生命和躯体，也依旧存在。它是高远的，超越的，突破概念和局限的。对我来说，无从说起和表达。你称之的爱和我称之的喜欢，应该是同等概念。它们具备对等属性和份额，没有谁多，没有谁少，没有轻重浓淡。也许你因此无法理解我对你的感情。也许你本来就无需理解。我对你有真实的情感，但那不是我爱你这三个字所适合表达的。这不是我们的沟通方式。

也许是一种故意退后。一种自我保留和保护。她自己也在怀疑，她怎么可能说出这样的长篇理论。这本应是一种不需要任何定义的感情。她向往和爱慕他，无可置疑。只是不愿去辨别它的长久，或者辨别的时间还未抵达。她难以交付出自己。承认，交付，意味着将由他来控制和处置她的一部分自我。她不愿失去这自由。宁可背负着它，也要做到自己掌握。

他经历过那么多女人。他从不对她隐瞒他过去以及现在时态里的女人，坦白情爱大袍里里外外的褶皱和暗藏，来回抖动翻转，让她察看翻阅。不隐藏，不虚饰。他身上带给她愉悦的部分，都可以与人共享。他不是一个深邃隐匿的矿藏。他是一个赏心悦目的公园。

她拒绝做他信手捻来的标本，被放置在管理妥善的花园之中。她的感情，是生长在海拔4500米高山之上的野生鸢尾，开在针叶林的溪边湿阴地上，大片蓝白花朵，茁壮静谧。不是盘旋热闹的蝴蝶丛中的一只，扑动翅膀流连于春日艳阳花丛当下。大部分时间，她灵魂里的那些花朵，只能独自消亡在高处的寂寞中，自生自灭。没有谁见到过它们的美。如果，你要得到我，请攀越高山来与我邂逅。她亦步亦趋，边走边退。

他尝试付出很多时间和精力来破解这个谜题，说，会否有一天，你放下全部义无反顾去爱我。庆长。如果你信任我，为我打开你全部，你就能够突破自我。她想了很久。她想她做不到。她做不到把自己交给他，就如同做不到当下此刻想象能够失去他。这是纠缠一起的意志，像一把双刃匕首，翻转任何一面朝向对方，就会有同样锋利的另一面朝向自己。

他显然对这样的解释不会觉得满意。她也从不说明。

11

第二次见面。冰天雪地穷乡僻壤的乡村旅馆。

雨雪已停止，天色放晴。他在夜晚8点多抵达东溪，说，我查过地图，此地到瞻里两个小时路程。我们晚上可否住到瞻里，明天从那里出发。想去看看那座桥。她说，恐怕不可以。瞻里的交通状况，会比县城过来的路况糟糕百倍，大部分是逼仄弯曲山道，现在又是冰雪封冻。这段时间根本没有从里面出来的车子。他面露遗憾，但不勉强，说，也好，不能耽搁你回上海，你还有工作。

他说，我把你寄给我的明信片框起来，放在办公室书架上。每天都能看到。这桥真美，我有预感，也许将不再有机会亲眼看到它。

已没有多余房间。来了少量的水，没有电，只有她买的蜡烛和自带的手电筒。她从房东那里打来烧开的热水，倒在洗脸盆里，让他洗脸。洗澡无可能。她已5天没有洗澡洗头发，困境不需要解说。他自然已看到一切：身上穿着当地商店买来的廉价混纺毛衣和黑色棉鞋。疲惫。忍耐。简陋冰冷的房间。棉被上覆盖重重衣物。床铺周围散乱着书籍、手抄笔记本、地图、药片。桌上放着吃剩的半碗面条。

他说，我们明天一早就会出发。你需要尽快离开这里。

他说，你发烧怎样。他靠近她，把额头贴在她的前额上。她没有退缩，允许他逼近。他说，还有低烧。我给你带了药。她穿一件黑色布面羽绒服，男装式样。穿了太久，一直没有更换，无数细碎白色小羽毛从布缝里渗漏出来，星星点点。他替她摘掉领子边几根绒毛，心里涌过一丝感伤，唇角流露出与之相反的微笑。她很敏感，说，你从未见过像我这般邋遢无谓的女子。他微笑不语，知道她内心并不介意。

她这种冷淡个性，从不在乎别人认同与否。她只为自己而活。

他们在一间狭窄房屋里共处一室，却极为自然。他是一个陌生男子，一个见到第二次的人。但他这样亲，一言一行全落在实处，没有浪费生疏。她在他注视下脱掉外套，毛衣，身上一件白色薄棉衬衣，旧年代的女童小圆领式样，仿佛成人版本的童装。如同她其他衣服看起来大多是男式小尺码，她的衣着和她的个性相符。她的内心是女童和男性的混合体。

她用他洗脸剩余下来的热水擦洗脸和手。撩起衬衣，擦洗身体。寂静中有水声和他轻轻的呼吸。

然后她走到床边，在他身边躺下。

他穿着长袖棉恤，卸掉外套之后，身上散发出一股她后来极为熟悉的气味。清洁肌肤与香水混合交织的味道。苔藓、松柏和小苍兰的组合，诡异对立，交错纠缠。她嗅闻到空气中这股有鲜明标志的气息，百转千折，渗人心脾。她之前恋爱过的男子，未曾有过这种卸下衣衫后渗出香水气味的瞬间。窗外月色雪光照耀进来，淡淡光影，使屋内摆设如同摇荡在夜色海面上的静谧。他们并肩躺在一起。她轻声问他，你喜欢这张床吗。

这是一张旅馆旧宅留下的古式硬木架子床。床架上挂着白纱布帷幔，夏日遮挡蚊蝇用，一直没有取下，污迹斑斑有灰尘气味。床柱床廊床架顶板，通体密密雕刻传统吉祥图案。麒麟，松柏，童子，狮子，牡丹，佛手，桃子，线条优美流畅，形状富贵华丽。虽然破损不堪，油漆剥落，但这是一张显示出隆重喜庆的床。在乡下人家，嫁娶是大事情。这张床，一定做过新婚夫妇婚床。年轻时在这张床上交合睡眠，年老时在这张床上先后死去。一代一代流传下来。它冷眼旁观在它上面交替出现的人。在时空中错会颠倒为情所困的人。轮回之中的男人和女人。

他说，我以前没有睡过这样的床。在温哥华，我父母卧室里，有挂帷幔的四柱床，结构相似，形状不同。我知道你喜欢。这是属于你的时代的物品。

某一刻，她确认无疑，过往和这个男子，一定在类似的一张床上同枕共眠。也许在很久之前。也许在很久很久之前。他们交换过海誓山盟。之后，经历流转重重，按照固定的程序，如两枚被如期摆布的棋子，带着不可言说不可探测的神秘而绵长的前世因缘，再次相逢在另一个时空点。再次来到一张相同的床上。他们轮回这相爱的程式，再次交换海誓山盟。

她说她也许回去之后将不能再工作。他说，如果以后不再为杂志社工作她可以尝试写作。写一本关于前世和记忆的书，写一个关于异乡人的故事。她问他有无发生过身份认同的疑惑。他说没有。他从不觉得自己受制于边界。如有可能，地球不应划分区域，每个人都是世界公民，从身体到精神都该如此。不隶属任何一个区域，不拘泥于任何一种文化。

他说，他喜欢空气和水纯净优质的地方，喜欢有合理的物价和房子的地方，喜欢人们内心有保障脸上有笑容的地方。他说，生活在语言不同人种不同的异国他乡，不是孤独。心无归属，才是孤独。

他说，现在你我不过是普通现世的男和女。我们可以住在非洲，也可以去北极旅行。人的生命里只有片刻当下。真实地生活着，比任何观念或者主义都更为重要。

他又说，你看起来总是这样郁郁寡欢，庆长。仿佛在这个世间没有找到所得。

她说，如果时代是一列不断向前方行驶的火车，停不下来，我只想成为一个中途逃车的人。所有火热洪流，突然在身边拐了一个弯。有时我有错觉，觉得被凭空降落在这里。而我内心深处的故乡，碎裂在虚空里，是遥远的乌托邦，人们的价值观、审美、情怀、志向，是另外一回事情。我不知该回去哪里，觉得自己如同弃儿。失去依傍，内心疏离。

她说，写书的人，连同他们写过的字，都在被不断推入沉默，并被覆盖。他们写下的历史，价值无法评判，因为它会被时光埋葬，被人心偏见损伤。唯一意义，不过是某刻有人尝试记录所思所想。个体的历史记录，代表他所置身的处境的微缩原形。

她说，人的命运与时代最终无法分割。个体发言需要付出极大勇气，他也许会被审判和牺牲。

她又说，人们需要被黑暗牺牲的行者，就如同读者需要被黑暗牺牲的作者。他们不愿意去做而渴望做到的事情，需要特定的人代替他们实践和完成。

一直在交谈，细细碎碎，无至无尽。呵。有多久，她无法尝试对一个陌生人敞开心扉畅所欲言，并信任对方能够倾听和理解所有。有多久，没有人这样与她说话，对应联结。这亲近的沟通，如同清澈流动的泉水，汩汩作响，贯穿过躯体与内心，洁净并且跃动。

他犹豫地伸出手，轻轻抚摸她头顶发丝。她听到他竭力屏住呼吸，胸口发出的气息如同潮水起伏搏动。潮水声息包裹着她使她安宁。深沉的安全感，来自只见过一次的男子的身边，来自他的存在所焕发出来的热能。又也许，是退烧药物发生作用使她镇静。她闭上眼睛，逐渐坠入睡眠洞穴。

在即将失去意识之前，她感觉到他的手臂小心翼翼伸入她脖子底下，把她拥抱在他的怀里。

12

睡眠深沉绵长。中途断续醒来。

每一次，都在微光和恍惚中意识到男子的手臂，结实有力，紧紧围绕她。即使在他发出熟睡中的呼吸，也不松懈。她稍一移动，他就追随她的距离，不离开一丝一毫。她醒来，又睡去。始终被他牵住手。也许他们曾这样入睡和醒来千万次，也许她只不过正走在回家的路上。这应是他们每一刻相会的常态：与对方联结，与虚无抗衡，与轮回融合。而不是孤身一人面对世界。

如果感觉孤身一人，那是因为没有来到对方的身边。

天色发亮，她再次醒来。无所作为，共眠度过艰难处境中的一晚。她的病症退却，意识洞明。看到自己以习惯的姿势，侧身背对他躺着。他说，你不习惯被人拥抱。你睡觉的姿势，像一只警惕的野兽，躲在一侧蜷缩一团，一动不动。哪怕抱住你，顺从一会儿，就要恢复原形。是从来没有被人抱着入睡吗。她说，没有，我对人缺乏信任。即使在双方的关系里，我也希望至少有对自身的控制。

他发出叹息，从背后环抱住她，双臂缠绕，下巴贴在她的头顶。房间里发蓝的雪光照耀，还未破晓。他们即将上路。一时不知道人在何时何地，只有置身的这张架子床，像与世隔绝的屏障，天大地大。世界此刻花好月圆，清净无碍，与世无争，空无一物。只余留下他们两个，温存相拥，片刻共存。

与之相爱，这是在一个被弃置的时代里，在茫然失措中，在孤独中，唯一能做的事情。

他在背后环抱着她，沉默良久。然后轻声说，庆长，你可知道，你是我一直在寻找的那个人。

第五章　　信得。清远山

1

她询问她，你可喜欢琴药。她说，喜欢。贞谅又问，我可否恋爱。她说，可以。

她接受这两个人趋向融合，隐隐期待能够与他们一起上路。难以分辨是她的遗世独立使他心生向往，还是他的桀骜不驯焕发脱俗意味。在厨房里做一顿饭，在花园里种植养育，清扫灌溉，默默相对，有时通宵饮酒倾谈。人生若有了伴侣，便可以与现实的洪流分道扬镳。情爱来临，被赐予的殊遇。琴药与她们均是游离于世外的旅人相逢于漫无目的轨道交叉处。

二楼东南边是贞谅卧室。墙面被粉刷成灰色和米色混合的生丝色，空荡荡房间里，只放有三样东西。一张旧架子床，海棠花满月门，铺着白色烛芯纱幔帐。一只搪瓷饰面铸铁浴缸，狮爪形腿，漆成黑色。墙面上有一面镜子。旁边连通工作间，陶瓷地砖，放置古老织机、密密麻麻丝线团、凌乱的布匹布料、大量图纸画册。贞谅有时会重复轻声播放音乐，传统的三味线弹唱，一个男子苍老的声音，唱腔婉转悠长，音调里有一种优美至极的枯涩之感。时断时续，在空气中渐渐走远。

她看见他们在卧室做爱。纠缠一起的肉身在床沿边蠕动，印染有褪色菊花童子花纹的蓝花被面踢落在地上。男子赤裸的肩背、腰肢、臀部，呈现出坚实而匀称的线条，在白麻窗帘过滤后的柔和光线里，形同完美。仿佛可以与时间分割，以汁液和力量充盈饱满的轮廓得以凝固。强烈的磁性和胶着摧毁爱与欲的边界，留下臣服。贞谅为这肉身的美感和生命力着迷。触觉他的身体，每一部分的组成和结构，以敏感、细微、深邃、天真重重包裹。

他以前接触过的身体，未曾持有这般丰富充沛的自我意识，难免匆促令人厌倦。她的肉体却隐藏种种本能的魔力，幻化出无穷尽质地，推动他前行，诱引更多需索。像花瓣繁复的花朵，一层一层打开。一棵摇摇欲坠的花树。

半晌停顿，他点上香烟，与她分享一支。地面摇晃阳光影照中的树影簇簇，光斑闪烁不定。窗外树梢顶处间歇传出流转清脆的布谷鸟叫声，若有若无。他再次把她按倒在床上，她伏在白色埃及棉床单上，满头黑发如流水蔓延。如此持续反复做爱，如一段没有尽头的路程，走走停停，渐行渐远。

她说，很久之后，我觉得这过程更接近两人以肉身作为祭奠的仪式，倾诉爱悦恋慕，从容不迫递进。所有物质世界与现世规则被置于边缘，他们循入生命幽暗的中心，以血肉试探作出赞美。

2

那年春天，他开车带她们上清远山赏花。

每逢季节转换，上山游玩。春天看山樱，夏天听蝉鸣，秋天看红叶，冬天泡温泉。住在临远的人，慢慢成为有情有意的闲人。桃花和樱花盛开时，大堆旅人来到临远，拥挤在湖边看桃红柳绿，这是每年春天临远必有的节日。琴药另辟蹊径，带她们去别处看花。

山路曲折迂回伸向远处。她在车后座困倦而眠。断续醒来，每一次睁开眼睛，看见前面一对男女，驾驶座上开车的男子，手持方向盘，另一只手牵住女子的手。他们不时俯身短暂亲吻，空气闪闪发亮。山谷背面。渐渐看不见游人如蚁的风景区和城市楼房，只余蜿蜒起伏的暗绿山峦。公路山坡上汇聚大片花树，人迹却寥寥。小山樱和海棠正在盛期。粉白花朵密密绽放，弥漫谷地。

他们走向花丛。他转身寻找少女，把她横抱起来，一路奔向山坡芳香绚烂云霞，她发出的惊喜尖叫，使树上栖息的红色鸟雀振翅而去。在花树下铺开大块布毯，是贞谅用织出的碎布拼接缝制的，颜色淡雅古旧。提前预备好的酒和食物，羊毛毯子。她躺倒在地，仰面看脸上簇簇花团，满眼晃动眩目阳光和花枝。风过时落英缤纷，丝丝光线，缕缕芳香，每一抹色彩，每一阵轻风，每一片花瓣，沉醉酣畅。空气中的暖意和芳香，如同包裹全身的薄棉被，让人懒洋洋昏昏欲睡。

那也许是当我们在一起，最好的时候。她说，他们相爱，我在成长。我渴望与他们相爱。一簇簇正当盛放的花树在此刻相会。世界在碎裂，我们在漂浮。时间貌似凝固静止，其实一刻也不停留。不为欢愉停留，也不为损伤停留。

她说，我不知道自己是否因为某种伤感和不安而觉得困倦，于是入睡。置身花海之中沉沉睡去。这睡眠像一次由黑洞进入的旅程。安宁，冗长，完整。只能回归倒退，而无法期待未来。

醒来时天边日落。暮色深浓，空气清冷。酒喝尽，食物吃完，人空虚无着。夜色凝重转冷，白霜般月色倾洒下来，天边星群逐一浮现。一场春日宴席接近尾声。布毯叠满层层花瓣。有无知觉的死，才有这般肆行尽兴的生。不对死持有对抗性的态度，生，才能具备洒脱而热烈的情意。贞谅坐在海棠花树下，面容青涩轻盈如同少女，眼神清亮闪烁。始终如男人般沉默和专注工作的成年女子，整个人披上一层湿润光泽。如同在浪潮中跃身而起，超越现实。

原来女人的生命，需要感情来做血肉支撑。否则那只是一副坚硬空洞的骨架。

她询问，贞谅，你可快乐。贞谅微笑不语。

她又问，你觉得琴药会否爱一个人长久并且有始终。

贞谅说，那你觉得我会吗。

她说，我不知道。你仿佛可以随时离开。也可以随时留下。

女子说，人与人在一起，有两相厮守的现在就已足够。时间有限，获取当下哪怕只有一刻欢愉，都是财富。此刻拥有伴侣，并肩面对良辰美景，人生即使是一段迢遥长途，通往无底深渊，也暂且放下。没有过去。没有未来。所有创痛和离别把它推远，推远，推到下一刻边缘。人生不满百，常怀千岁忧。昼长苦夜短，何不秉烛游。说得也不过就是这些。

那一刻，琴药卧倒在她身边，身上盖着毛毯。贞谅用手轻轻抚摸男子的耳鬓和额角，脸颊浮出红晕，喝得微醺。一头浓密黑发长长倾泻下来。她记得贞谅脸上这种熟悉的表情，脸上淡淡含笑，眼神里却有无尽深沉的哀恻。

她说，不知为何，我后来很少想起那一天。但属于它的记忆，有时会突然刺入梦魇，让人浑身一凛，不知道人生已经行至何处。我记得那些簇簇白色花树，融入夜色发出光芒。满山遍野的花朵，失去白日急躁剧烈，在月色中沉寂如同大海。晚出觅食的夜鹭，在远处湖边发出刮刮深沉叫声。一轮皓月，无限清辉。人与花，花与月，月与地，地与空，两两相望，意兴阑珊。只觉得所有语言俱化为乌有。天地浑然一体，万物昌盛寡言。恋爱中的女子，笑中带泪，容忍和观望生命无法自控而又甘心情愿的沦陷。

我知道天下所有的宴席都有终结。但依然希望这一刻，这注定破碎成空的丰美和悲哀，永无停顿。

3

琴药没有世俗所得。赌博，跟女人调情，吃喝玩乐，随意搬家，没有固定工作。有时落魄，有时豪迈。不定时，他看望她们，带着钓到的硕大鲈鱼或采掘的新鲜野菜，做晚饭，整理花园，聊天喝酒。随心所欲，对感情不粘缠，也无归宿。从不留下来过夜，哪怕凌晨两点，一定驱车离开。如同一种形式和象征，不愿意放弃野性的疆域，无意在他人天地留下凭据。

贞谅从不试图去控制左右男子的心意，来则来，去则去，不透露情绪化的需索，不下判断，不做束缚，听之任之。他在，这房子里有无尽活力。他走，她固守自己位置，专心织布，维系照料日常生活。看起来只是淡然无心。

她无法得知一个成年女子的内心。只看见她平静自控的形式，在花园里劳作，料理生活。有时独自在卧室里睡觉，长久不出来。一个在任何时地保持镇定自若的人，不免让人心生惶恐。她走进房间，又看见贞谅已起身织布，身姿专注坐在窗口边古老织机前，满窗绿树花枝映衬无止尽般劳作。似乎可以把所有未知未解，化解于梭子在空气中有力而间顿的穿行。根根白色丝线纤细强韧，千头万绪全部归于井井有条的经纬交织。

她的背影走向衰老之中，却又形同少女。这真是诡异。

4

她听见贞谅若有所思，在厨房里发问，说，琴药，我们可有道路。男子语调冷静，说，你希望要什么，贞谅。我不是合适固定伴侣。赌博为生，不务正业。没有什么钱，也不热衷赚钱。我不愿意生儿育女，两个人为一个家庭营营役役，无尽负担。你知道我爱你，也许你觉得我给得不够，但这已是我极限。我把所能给的掏了尽光。唯独不想给你损伤。这将使我后悔。

贞谅轻轻发笑，说，其实我要的也不是这个，为何你开始推搪。

那你要忠实，完整，还是海誓山盟。如果你选择一种凌空孤绝的生活，就要接受这种生活的属性。即使它的底处空洞无着让人惶然，你也要承当。你我无法从生活本身，从感情，从别人身上得到凭靠，人与人之间本没有凭靠。我只愿尽力让你快乐，我也已做到。

这番对话之后，他们隔绝一个月。揭示太过赤裸直接，势必伤人。即使他们是洒脱的性情中人，也为这坦诚觉得需要暂时回避。感性需索更多的交融和消火，理性却时时跳出来进行检视和过滤。成人恋情崎岖幽微，需要力气。生活中若缺少幻术、欺瞒、假相、隐藏，只能拿出更为黑暗和强大的勇气，赤足踩上剃刀边缘行走。这一对男女恰好秉性相同，他们都只要真实。

她问贞谅，你想要跟琴药斯守吗。

贞谅答非所问，说，我是一个逃遁者，别人向前，我在后退。背后不过是废墟。我带着你走来走去，已不知道还可以再去哪里。去过那么多地方，你可能数算清楚抵达过的旅馆，栖息过的睡床，邂逅过的路人，流连过的风景。其实我心里很清楚，无法在意任何长久或结果。只要此刻真实存在，心中有诚意，即使是注定无常的快乐也要信任。信得，你在生长，我却觉得劳累困顿。那也许因为我在变老。

她内心刺痛。说，你不会老去，贞谅。你一直在往前走。

女子陷入思绪里，惘然不顾，轻声说，你是孩子，因此觉得时间充满可能性与变化，前景总是有余裕。但终有一天，你发现它其实是黑暗牢笼，周围漂浮无数肥皂泡沫，五颜六色，光怪陆离，没有什么存在是坚固不变。我们没有自由，也没有依傍，不过是击打泡沫。如同我以劳作麻醉自己，孑然一身。但这一切终究何时才到尽头。

她说，以前琴药没有出现，我们也在存活。

是，每一个人都要做好独自生活的准备，因为我们获得爱的机会稀少和困难。有多少人，一辈子无法得到机会感受身心交融的喜悦。我得到了他，这是命定。他是注定要出现的人。

琴药只是有他自己的方式。

那就让他以愿意的方式对待我。他已说得明白，我也没有什么不能接受。我只是疲倦。信得，一条路怎么走都走不到头，也许那是因为我走得太快，太深，太专注。她的脸上露出一如往昔难以琢磨的微笑和眼神，说，如果生命里不曾持有过罪恶、欲望、盲目、破碎、苦痛、秘密，它多么乏味。所以遇见这个男子，即使明知因缘不过是水中月镜中花，我也要向它伸出双手，使它成形，让它破碎。

5

贞谅的手，清瘦嶙峋，手背上凸起浑圆青色筋脉。她的面容身形轻盈秀丽，一双手却沧桑，如同个性里深藏的从不说明却偏执鲜明的部分。隔离人世织布，颠沛流离行走。她觉得一阵害怕。眼前这个成年女子的容貌、心智、思维、意识都在倒退，她已不是往日强大专注忽略现实的贞谅，她成为对幻象无力自拔沉溺放任的女子。但或许，前者是她多年坚持不懈互相融合的幻象，后者，才是最终需要面对和剥脱的不曾自知的真相。

爱一个人，最终不过是爱上自己。因此会憎恶自己，成为一场自我争斗。贞谅现在倒退到比她更为弱小的位置。那么，她愿意要一个被释放出情爱却头破血流四分五裂的成年女子，还是要一个禁锢单纯以寂静姿势织布、漂泊然后老去的母亲。

爱使我们苏醒和复活吗。爱是一种幻觉，一种妄想吗。它是成全，还是毁坏。是终结，还是拯救。是目的，还是方式。她目睹的成人关系如同迷宫，隐藏曲折幽秘的路径和分叉。也许需要很久之后才能找到入口，才能持有探索和寻测的勇气。相爱，令人得到真实自我，同时焊接痛苦和快乐牢不可破。现在她知道，如果没有贪恋粘着，人与人之间果然更轻省。

她不过15岁。和一同上学放学混在一起，上书店，吃冰激凌，环湖骑自行车，看电影，时时游乐嬉戏。一同对她百般纵容，她对他则毫不在意，呼来喝去大力需索。他们不吵闹。他从无要求且满足她所有要求。她不爱一同，她也不需要爱。她只要一个玩伴，甘心情愿打发时日。

一同跟她聊天，说，你母亲所做的事情，至少可以得一个保护民间文化之类的奖吧。我觉得很了不起。

她织布不是为这个。

你以后会跟你母亲学织布吗。

不会。

为什么。

不知道。

她对他说话没有耐心。他除了提问无趣，还经常不明白她的答案，最终她不愿意动脑筋来应对他。跟弱势伴侣在一起，人的脑子会在懒怠惯性中愚笨。但世上如琴药这样具备原始和自然能量的人已属稀少，他被爱慕理所应当。她和贞谅都明白，这样的机会只有一次。若无法彼此结盟，他不可能再找到她们这样的人。她们也不能够。

她在湖边茶餐厅，偶然遇见琴药。他穿浅蓝色薄麻衬衣，细格子长裤，人字拖鞋，装束一贯随性自在。头发乱糟糟，脸色青白，仿佛整夜未眠神色疲倦。打扮艳丽的女子跟在其后，也许刚起床，下午出来吃第一顿饭。奇怪这个男子，和贞谅在一起没有庸俗之气样样适宜，和风尘气女子在一起，也有互相合衬的野性和沦落。他身上隐藏各个层面的质素和形态，随时能够拿出来与对方搭配。

她故意站在他面前，堵住他路口。他看见她，眼睛里露出一如往常的笑容。

她说，你又找了一个喜欢的女人了吗。

我没有找。她们一直在。

你可想念贞谅。

我想念她没有用处。她若不知道放下，执意钻牛角尖，我与她之间就无法往前走。

你的想法就如此重要吗。如果你爱她，为什么不能做出一些放弃和牺牲。

不是重要或牺牲的问题。信得，爱里面一定有自由，如果没有，这关系就不具备活性的前途。我们不能对谁服从。哪怕相爱，也不代表我们要接受对方意志。

她放弃与他争论。无人可以降服和占有他。她们最终都只能在余生里记忆他。

她说，晚上你能否带我出去吃饭。你和贞谅冷战，我很久没有上清远山。

他说，当然。我想念你们，信得。我是一个穷人，有时无法得到能力范围之外的事物。即使这东西再珍贵美好，够不着就是无计可施。我只能说服自己甘愿顺受。

6

她想穿上第一次见面时的蓬蓬裙，却发现两年过去身体已不同。裙衣拉到胸部紧绷窄实，怎么也拉不上去。卸掉胸罩，用力把裙子一拽，听到嘶啦一声脆响，裙子左侧腰线边缘脱了线。拿出别针把撕裂边缘别起，不顾忌这伤疤式的缝合，执意穿上。经过花园小径，摘一朵浓香扑鼻的白色栀子花插于发端。她意识到自己在无意中模仿贞谅的样子。琴药开一辆不知来处的破烂越野车，脸上胡须渣没有剃除干净，神情消沉。但着意穿了一件熨烫干净的白衬衣，虽然袖子还是潦草捋起。以前他带她们外出去西餐厅吃饭，会穿衬衣。她内心默默感动，无疑，他愿意把她当作成年女子看待。

他说，我带你抓紧时间吃简单的饭，然后开车载你去山上。也许你一直向往看到山中夜景。

他们在山下一家面馆吃面。公路侧分出来的小路深处，一丛茂密青翠的竹林边缘。掀开蓝花布帘，竹木装饰的店铺面积狭小风格朴质。两个约50多岁的老人，男子负责煮面，妇人负责上菜。锅炉，粗陶碗，烧水，煮面。喝一杯热腾腾荞麦茶，煮好的面条端了上来。是应季新鲜山野菜荞麦面条。他总是能够发现别有洞天的隐蔽存在，潜心挖掘。她想，他也是这样找到了她和贞谅。他知道什么是美，并甘愿为美消耗生命。

她吃一碗面条，额头脖子冒出汗珠，发迹湿漉漉，脸颊红润。他坐在她身边，点一根烟，暗淡灯光下，看着她脱了线的不合体的纱裙，头发上白色香花，眼睛微微笑着，什么都没有说。她的化妆一贯破绽百出。眼线洇开，口红涂得不均匀，在眉目间擦抹白粉。她趋向有错误有缺失的东西，认为这是一种美。

他说，这样会以后找不到一个可以相称的人。

她知道他在说什么，说，我不要相称，也不要别人爱我。两个人在一起很吃力。这是她认真的回答。

他说，要分对象而定。有时困难，有时容易，要看遇见的是谁。我们要找到一个对等而匹配的人是很难的。

以往我认为你和贞谅是匹配的，但你们在一起也很难。

我与她貌似形式相同，内心需要的东西最终不一样。彼此不能互换。不互换就无法成立和平衡。

你们是否相爱。

相爱。但这不代表可以共同生活。事实上我与她无法跟任何人在一起生活。她现在跟你在一起，但你以后会离开她。你将独走天涯。你最终要做的是这件事情。

我会去哪里。

去很远很远的地方。也许是地球的另一边，另一端。

那你会在哪里。

我不会离开临远。事实上，我也从来没有离开过它。他说，我对远行没有爱好。别处的生活我能想象，没有兴趣了解。如果你知道生命的基本结构和自然的表现形式，对时间了然于心，唯一想做的事情，不是走得更远，而是与自己相处和谐。你要让我选择千里迢迢去非洲看长颈鹿和大象，我宁可在家里喝酒吹尺八。

两个人在一起，快乐喜悦，为什么不能陪伴照顾，一起生育变老不离不弃直到死去。

不。不。他摇头。有些人可以做到。有些人不行。这和爱无关。这是两回事情。

我们每个人都幻想过爱。爱是你在梦中进入幽暗辽远的森林，在水晶般池塘里，看见一朵绝无仅有的洁白莲花。你不能伸手去采摘。你可明白。我们的人生庸俗破碎，如此殊遇难能可见，也不应为我们的现实所占有，更不能奢望它顽固坚定。

我们难道不需要一个伴侣，不需要得到情感吗。

需要。但不去占有。其实你也知道，你的母亲，她最想得到的是一个爱的论证。她选择制造、破碎、承担，本质上她是一个创作者。这类人的存在是为了维护和保全宇宙本身深邃的秩序，他们并非为了俗世而存活，你母亲是这样的人。我尝试让她快乐，我已做到，但她觉得不够。我不过是一个庸常男子，投机的游玩于世的人，深知自己软弱和不足的人。我只是及时行乐。

他又说，每一个时刻，我都试图说服自己，哪怕下一分钟就要死去，哪怕人生遍布遗憾、破碎、痛楚、失败，也不要放过当下产生悔意。我深爱她，宁可与她分离。你现在太小，无法明白。总有一天，你会知道。

7

夜色中，车子飞速行驶在迂回山路上。

车头灯光束照亮前路，不时有松鼠、小鹿或狐狸从两边树林蹿越出来横穿路面。夜行山雉迷失方向，飞行中猛力撞到前窗玻璃上，嘶叫一声，滚落下去。仓促一瞥中，看见七彩羽毛凛凛发光如彩虹稍纵即逝。她趴在窗前台面上，凝神观看深夜山林。整片幽寂山林，只有他们一辆车，车头发出灯光穿行于山路。打开窗，山风呼啸扑面而来。夜空大片暗色云团漂浮。她由脸上感受到细细雨丝。也许会有一场短暂降雨。

山林两旁在春日如同繁密花海的山樱和海棠，此刻成为树叶茂密的绿树。花期早已结束。

夜色中的水库。一面静止的圆镜。周围是连绵起伏山峦叠影。木芙蓉开出热烈红色大花，在风中簇簇摇动。灌木丛中夹杂着波斯菊，纤细茎枝密密延伸。她跟他第一次来到这个山背的水库边上。水库面积很大，储水很深。附近地名叫燕坡，但没有人给这个水库命名。它在某年被放空，底下裸露出无数巨大的鲤鱼和鲫鱼。住在附近的山民来捞鱼，分食，如同一次热闹盛会。此刻，水库无人打搅，水面风平浪静。

草坡上有一座石亭。飞檐翘角的亭子，造型优美，古老破损。走近看，石材清幽光滑，大块青石雕琢精巧。柱，梁，檩以卯榫结构连接。边上有座凳。楹柱上挂着一副木刻诗句，写着：浮云时事改 ，孤月此心明。上面有书法字迹苍劲浑圆的题字，味空亭。梁上的刻字记事显示，这个亭子建造于200年前。当时清远寺山僧出资建造，让过路人能够休憩饮茶。燕坡高耸陡峭，一段上坡下坡路下来，想来当时这样一座路亭，给行路人带来莫大的恩惠和慈心。

竹林发出无边无际摩擦声响，沙沙有声。黑暗中山泉传来清冽的叮咚跃动。她坐在石凳上，手摸到冰凉石面上铺满的木芙蓉坠落花瓣，质地还很硬实。不远处，一只灰白色苍鹭，纹丝不动站在水边，慢慢涉水张望，突然头部迅速伸出，捉住一条小银鱼。随即铺开宽大翅膀，飞跃至空中，两条细细的长腿直伸，头向后缩进肩膀。它的飞行，如此从容安静，如同一张纸片被风吹远。刺耳的几声尖叫，仍在云团密布的夜空中发出颤音。

他说，我知道你会喜欢这里。

这是你的秘密领地吗。

对。我经常独自来这里钓鱼或者游泳。有时空无一人，却有很多鸟类栖息觅食。雁，鹤，野鸭，朱鹮，鸦雀……还有一种白尾梢虹雉，平素躲在竹林和杜鹃花丛中，以野百合为食。蓝绿色羽毛闪烁出金属般光泽，有一簇铜绿色羽冠，颈侧却闪烁出一抹红光。你可能想象它的美。

此时天空浓云密布，雷电沉闷地在云层中涌动，大风已席卷而来。冰凉雨点大而沉重，开始击打在皮肤上。暴雨即刻倾泻。他们已无时间跑回车里，在亭子里躲避这场夜雨。大雨哗哗而下。暴烈雨水冲击湖面树林泥土，整个天地震荡回声。山谷骚动不宁，激情滂沱。

场面之壮美，难以言喻。他护手点燃一根香烟，递给她。他知道她会抽烟，经常无所顾忌地给她。他又给自己点了一根，神情闲适。

他说，你害怕吗。

她说。不。我内心为之振颤。

她说，有时他跟我说许多话。有时他什么都不说。不管任一时刻，我都觉得离这个男子无限接近。说出来的话，在空气中碰触之后就散了。没有说出来的话，在静默中消融于各自血液。只有在他面前，不需要解释，不需要说明，不需要伪装，也不需要掩饰。因为他洞察和抵达一切。

他敏感，慷慨，不相信时间，穿透无常，从不疏漏情感的欲求，却无贪恋。在这样的男子面前，任何一个女人都可以褪落成最自然本真的自我。他可以用来攀爬冲撞，也可以用来沉睡不醒。这样的男子，我后来再未遇见。

即使不对话，只是站在他身边，也觉得世间变幻不定其乐无穷。哪怕只是在旁边看着他，都觉得他是美。此刻我如此清晰而深切地感知到他。想与他融为一体，密不可分。后来我想，那也许我渴望与这个世间上一种真实、单纯、热烈、清净的美感融为一体。他不是我的亲人，他也不仅仅是一个成年男子。他代表我在因缘中得以相逢的一个难存于世的灵魂。

初见的春日黄昏，旷野边缘，他说，嘘，嘘，把竖起的食指堵在嘴上，示意她停止并且沉静，示意她抬头仔细看云。他们仰头观望许久，面对漫天奇异云朵。为了取得与他之间的真实联系，她学会长时间地观察他，如同观察一棵无人采摘的果树，观测漫天默默变幻中的云团。毫无疑问，他是一个同等属性的自生自灭的男子。

她知道一定会失去他。或者永久地让他的心灵和记忆存活于她之后漂泊不羁无所归依的道路之中。

雨水持续短暂。云团移走，所有的声音静止，天空放亮。顷刻之间，月亮破云而出，在山谷洒下如水月光，照亮黑影憧憧。雨后树木、花朵、草尖滴垂的露水流动微光。空气湿润清冷，婉转鸟鸣清脆响起。她的脸上有雨点痕迹，闪闪发光。头发也湿了，白色香花尚未枯萎。他伸出手，触碰她的脸颊，手指皮肤粗糙温热。

我想看你游泳。她提出要求，内心忐忑故作坚定。他俯首看她，眼神深沉难辨，以静默等待她确认。她再次重复，我想看你游泳，脱去你所有衣服。

她知道他会应允。如同早已编排就位的指令和秩序，此刻他们走到无法回转的时空汇合点。他面对她，开始脱去衬衣、裤子、鞋子、袜子、内衣。月色被树林过滤，照耀在裸露出的33岁成年男子的身体上。肩背，腰肢，臀部，腿，手臂，每一处，她都早已熟悉。仿佛是一种兽类和从云端潜逃出来的男神结合体，壮美强壮。他的肉身天生为爱欲和脱离而雕琢。他是在百合花中牧放群羊的男子。她在想象和爱慕中无数次靠近他。凝望皮肤上散落星星点点红色小血痣，伸出指尖，按压它们，一颗一颗抚摸而过。如同探索一幅广阔的地图，如同一个天真而沦陷的游戏。

她听见喉咙里发出的轻声呼吸急促微小。伸出手，抚摸他闪闪发亮的眼睛。他的眉毛，额角，脸颊，嘴唇，下巴，脖子。然后她跪下来。天真蓬勃，如同百合花瓣中心渗透出细微花蜜的茁壮雄蕊。脆弱。坚强。血管蠕动，血液发出声息。它的羞耻，纯洁，如火焰般炙烈的热情，以及永久的无需表达的孤独。抚触它，感觉它，爱慕它。需索探求来自另一个生命的美和能量，没有占有之心。与散发出光芒和热量的事物联结，趋于完整和饱满。

萤火虫再次从竹林中飞出来，暗中闪烁晕染般点点光泽，漂浮于夜色。花枝上清冷露水滴落在她炽热的眼皮上，发出啪的一声碎裂轻响。她身上皮肤的纤细汗毛激起。

她聆听到她与他的肉身和灵魂交错融汇成一片大海，波澜壮阔，万籁俱寂。大海在很远的地方。

她说，我爱着你，琴药。你要记得。
他不动声色，轻声应答，我知道。

即使没有看着他的眼睛，她也确认，他们各自做出允诺。这孤绝而单纯的秘密归于原位，将在时间中固定成形而不腐朽。

然后他离开她。转身走到不远处的湖边，停顿片刻，俯身跃入水中。在波光粼粼的湖面上，扑的一声，分裂水面，击撞出生命的跃动。她站在亭子里，凝望月光中的男子。他在空旷的水面开始游动。

第六章　庆长。秉烛夜游

1

生活一直在为庆长敞开新的门。关上一扇，打开一扇。27岁，她的心是14岁时穿越深山隧道的少女，目视前方，没有疑虑停滞。压抑克制，默默用力，迎向尽头山影花树。即使那只是一场幻觉。

她可以伪装很勇敢，以此真的变得很勇敢。伪装不需要爱，以此没有爱也一直存活。

回到上海。逗留在办公室，整理出稿子及图片，做完专题编辑。日夜不分，追赶在路上耽搁太久的进度。自相机里传出的观音阁桥照片，仿佛是另一个时空的存在。她选了一张打印出来订在写字桌边的墙面，在抬头间歇，凝望这座存在有期限但美感将与时间一起轮回的古老桥梁。她相信它不会死亡，虽然它很快将消失。它使她找到一种精神上的支撑和呼应。它使她觉得不那么孤立无援。

有时忘我工作，路途颠簸劳顿，以实践和推进，对抗心灰意冷。在空落下来的每一个瞬间，她渐渐看清后退的心。站在世间边缘，与它相望，分离出躯体和意愿。因此知道自己所在的位置，与人世的中心隔膜重重。

如同参加固定圈子聚会，她需要口头相传的直接材料，对这些人却没有任何兴趣。在饭局上被热烈讨论带动气氛的内容，不过是圈里圈外是非八卦。如果她不再工作，她就不会再需要任何资讯。她不再需要这一切。她会迅速遗忘在这个餐桌边曾经出现过的人，包括一直孜孜不倦靠近她的同乡Fiona。

如同在餐厅里，看到被围观的电视机轮换播报出各种内容，哪里有比赛，哪里有演唱会，新公映的电影，新出的唱片，哪国领导人来访，政府又制定了什么新策略，谁要上台谁要下台……世界每一天会发生多少事情。形式和物质演变，无法带来心灵所需求的平静优美。她是一个局外人。精神中的故乡该在何处，但肯定不在这里。对这个时代的疏离感，已不仅针对社会及人群，对于自身生命，都近同一种隔离而行。她旁观和省视生活，不愿在沉沦中失去警醒。

如同每一次，在人群拥挤的交通工具里惊醒。也许是一架高空中轰鸣灯光幽暗周围鼾声起落的飞机里。也许是一列奔驰在空旷平原的火车上，正穿越凌晨雾气茫茫。也许是一辆穿梭于迂回曲折高山深处的当地小巴，车厢里载有牲畜和家禽，窗外是崇山峻岭。在瞬间她忘记旅程的目的所在。是现实如梦，还是梦才是真相。此刻产生的世事颠倒的感觉，如此强烈，让她怀疑灵魂与这困顿于烟火尘劳中的卑微肉体其实并没有关联。

在人群中她是一个饥饿的人。一个不合时宜没有找到一席之地的人。她看到心里一头壮硕而华美的兽，双眼炯炯，昼伏夜出，四处漂泊，在旷野和森林中徘徊。她知道它没有饱足。她能够听见它振动皮毛抖擞精神的声响。它努力存活于她退却之心日益强烈的血肉之中。

与定山照例每周固定而稀少地见面。没有交错，也无干扰影响。他工作，看电视，打电脑游戏，安然自处，不曾感觉到庆长更为深沉的抑郁和封闭，也不觉得她情绪异常。他对她的故事没有探测之心，对她的过往忽略不计。近同一种刻意，对她的世界保持距离和生疏。他所需要的，是一个专注于工作和旅途的安静女子。他不需要内心藏有一头兽的周庆长。他宁可视而不见。

男女之间有无亲密和粘连的感应，出自天性，在一起初就能辨认清楚，也不会在日久天长中有所增进或改变。感情是截然清爽的结构，不余留可供改造的空间。它只能逐渐添加规则和习惯，逐渐加固沉重的属性。庆长知道，如果结婚，定山与她的生活，从此刻就可看到未来。遵循持续不变的顺序，重复单一脉动的节奏，延续波澜不兴的内容。直到老。直到死。她清楚自己如果持有意志，就应该离开定山，而不是试图与他结盟，共同抵抗生活。

缺乏内心联结的关系，即使安宁平稳，也不过是用来遮挡双目的一块丝绒布。因为一种始终持有的悲观的自知之明，她比任何一个时刻，更为对自我失望。并因这种失望，继续深深潜入如同洞穴般的消沉之中。

发稿后，辞掉工作，没有留下回转余地。同时离开早已厌倦的圈子聚会。开始与艺术类杂志联系，翻译国外关于艺术的访谈和理论。有时继续给Fiona提供一些帮助。除了工作，她不见任何人，哪都不去。长时间在家里，睡觉，看碟，清扫，骑自行车去集市买蔬菜，学习简单烹饪，保持大量阅读。在书店和图书馆里搬来古籍、哲学、生物学、宗教、天文方面的书籍。

痴迷上富山清琴的三味线弹唱。为了深入感受古典艺术的乐趣，她报名去学习日语。每周两节课，从最基本语音开始。

掸去花瓣，拂去雪粉，长袖一身轻。已是陈年往事，我等的人是否仍在久久守候。雄鸳鸯振起羽翼，令人忧思涟涟，寒衾中鸣叫安在。命运本该如斯。夜半心远钟疏，闻者孤身独寝。哀鸣寒彻枕畔，愈发令人气绝。泪涟涟，意潸潸。无常生命足可堪，相恋之人罪业深。且将无度悲哀，一腔忧焚齐抛光。舍去浮世，明月清风，山桂作伴。

她在家里反复播放这古老的异国音乐。凄清有力的三弦，沧桑哀切的唱腔，老年男子粗砺婉转的嗓音，一切组合优美至极。空气被乐器的声响轻轻振动，心里有一根丝线也在振颤不已。

她想也许是心老了。她的心是一种突兀的组合，一部分始终是孩童的顽固核心，从未生长。一部分则正在以隔世的速度迅急苍老。

2

分别一个月之后，清池来到上海。

通知她的是Fiona，电话里的声音快活雀跃。她说，嘿，庆长，许清池看到我们做的采访，赞叹完美。公司总部也表示满意。他来上海开会，要请我们吃饭酬谢。Fiona没心没肺，放松面对现实，一边目标明确无误，一边心无旁骛享受情爱。什么都不亏欠。自讨苦吃的，是庆长这般挈挈在心的人。对感情作茧自缚，捆绑和损伤自己。她与Fiona截然不同，但即便Fiona能够过得比她愉快，收获更多，这也是她们各自所趋的生活。不同价值观的人与人之间，根本不具备可比性。

周五。上海下起冬季末梢冻雨，淅淅沥沥，雨毛滞滞。晚饭约在泰康路上田子坊。这类场合是Fiona选择，她热衷在洋人混杂的地方出没。同行还有另外两位媒体记者，由Fiona介绍。清池公司产品有扩展，总部提出要求，希望他配合公关宣传。与四个年轻女子吃饭，清池十分放松，完全施展出其个性魅力，优雅洒落，无懈可击。他是这样的男子，温存自如，让女子觉得可以趋向他无限近，却总近不到他的骨肉里。他因此深得人心。

那天他照例穿衬衣，黑色西服，一件呢绒大衣，色调内敛，毛绒上面好像倾洒一层零星白霜。外表讲究醒目，引起邻座女子纷纷打量。经济收入、教育水平、生活环境、观念意识在人的形相之上贴加标签。清池这般形式优美，耐人寻味，是40岁男子能够具备的能力和魅力的顶峰，但背后早有齐全稳妥的家庭，身边有年轻漂亮女友，更有其他无可预计暧昧对象。没有人可以做到独自、完全、长久地占有他的身心。

除非是聪明而隐忍的女子，如冯恩健，为他生育持家，默默忍受其风流韵事。或者是天真薄浅的女子，如于姜，他不忍心去伤害她，她也从不试图去挑战他。她们做到捷足先登。那么其他人，即便能够优秀强悍如Fiona，有机会相识，又有什么可能性可以继续。除了两情相悦的一夜欢爱，事实总是残酷。

庆长一直很少说话。她很久没有出门，对交际也全无经验。在饭桌上，她和清池的目光完全不交接，也不交谈，只是无人察觉。另外三个活泼机敏的媒体女工作者足够撑起场面，牙口清亮，笑谈不见中断。吃完饭，Fiona要求去喝酒跳舞，说乍浦路上一个位置偏僻的酒吧，里面有表演节目值得一看。

清池在上海有车，他的公司在上海有分支机构。车子穿行交通堵塞行进缓慢的外滩。一路高楼霓虹，人群汹涌。庆长心望不定。呵，她为何要出来与他相见。他们之间有何前途。一段感情虽说不能忽略过程只注重结局，但注定没有结局的感情，只会让过程坎坷波折带来煎熬。优秀的男子，谁都喜欢。也许她也不过是跟Fiona一样没有免俗。她所爱着的，别人也在喜爱。即使她们各自所倾向的是清池身上不同的属性和形式。

但一个男子，人见人爱，对她来说又有什么意义。也许她只是对处境失望，她想。她在这个世间的位置已失陷，唯独对感情持有追索。相爱是突破生活重围的幻术，是虚拟的内心出发和抵达。她需求情感来临，试图以此为意志超越自身局限和破落现实。这种清醒认知，让她更加觉得自己虚弱。

酒吧隐藏在老建筑别墅，别有洞天，与室外荒落景象截然不同。

寻欢作乐的人群拥挤在封闭场所，热气蒸腾，蠢蠢欲动。年轻漂亮来自不同国家的女孩子，艳丽妆容，饱满肉体，暴露而轻薄的珠光裙子，黑色丝袜，高跟鞋，缀有羽毛和花饰的帽子，手套，小手袋。他们表演带色情意味的节目，让台下女孩上去一起互动。Fiona积极主动上台，脱掉大衣，穿一条大红色绸缎小礼服，裸露出修长双腿，在台上用流利英文和老外调笑。台下大声鼓掌，呼叫，起哄。所有人如有默契般，一起陷入末世般沉沦的莫名亢奋之中。

庆长无聊，喝了大半杯长岛冰茶。酒量不好，很快感觉到酒精浊重力量在身体之内蹿动。面红耳赤，手心发麻，手指颤抖不可自制。她起身从窒息混乱氛围中离开，独自向门外走去。

3

夜雨未停。雨丝从梧桐树枝桠间穿梭下来，在路灯下闪烁亮光，滴落在额头上点点清凉。她把外套穿上，站在阴影里，点燃一根烟。清池跟出来。她看着他，酒精在胸口中沸涌却说不出话来。他走近她，伸手擦去她脸上雨水。她依旧穿着破绽百出的黑色羽绒服，整个冬天没有换掉过这件衣服。她对世俗的一切，从未在意。如此邋遢落魄的一个女子，无爱，苟活，努力行进。

他轻声说，庆长，你可知我有多么思念你。以为自己几近发疯，这每一日每一夜的挣扎，感觉你的身体还在怀抱里，轻薄柔和像一片羽毛。我只想再次看见你，感觉到你的真实，相信你还与我共处于这个世界。他试图拥抱她。她的脑子里还有半分冷静，以及被酒精刺激出来的粗暴和不驯，一把推开他，说，你有妻子，还有其他女人。而我，有男友，即将要结婚。你还要做什么。他镇定地看着她，没有对应。她转身走进酒吧。

凌晨一点半。所有节目结束，曲终人散。庆长一直喝酒，已完全瘫软。Fiona也喝得多，却兴高采烈手舞足蹈。她想跟清池离开，但清池坚持先送她和其他人回家。庆长趴在后座上，一动不能动。她不知道车子开了多久，她陷入昏沉。当她醒过来，车厢里只剩下她和开车的男子。汽车行驶在空旷无比的高架桥上，速度飞快，风声凛冽。前方开阔夜空呈现静谧的灰蓝色，有稀薄星辰，汽车雨刷呼拉呼拉划动。她低声询问，我们要去哪里。男子没有回头应答，只是伸出一只手，沉默握住她的手。汽车向没有尽头的公路前端奔跑。

她模糊记得他在酒店车库停了车。抱起她。进电梯，走过漫长环形走道，开门，进入房间。

他把她放在一张松软舒适的大床上，温暖的羽绒被子簇拥住她。她睁开眼睛，昏暗中有亮光，他的脸低俯向她，这样俊美，这样亲近。她伸出一只手，轻轻抚摸他脸颊，眼眶里全是无知无觉的泪水，内心痛楚而又麻木，无法感知到理性。她轻声似自言自语，说，我们之间可会有道路，可会有未来。你会伤害我，不要靠近我。放过我。他疼惜地抚摸她的脸，声音发哑，艰涩地说，你睡觉，庆长。你先睡着。

他的身上散发出熟悉气息。洁净皮肤与香水互相融合之后暖和而清淡的味道。有一个瞬间她以为又回到6岁的童床，正与母亲告别。

母亲给予她诺言、赞美、拥抱、亲吻，然后不告而别。这个世界该如何去信任，感情又如何去奢望它的久长和安稳。她告诉自己，她已27岁，她遇见一个男子，她在爱与被爱着。这在此刻是让她安全的事情。整个人仿佛被一个巨大的硬壳包裹住，这就是作茧自缚的感觉吧。她问自己。那么，就让自己被捆绑吧，被损害吧。她不害怕。她什么都不怕。

她默默接受他吸吮她眼睛里的泪水，脑子迟钝，意识消失，心里丧失敏感和思虑。就这样沉没于黑暗之中。

4

醒来时早晨6点。

睡眠沉实漫长几近失去记忆。她坐起来，看到一个漂亮的酒店房间。开放式小厨房，大床，铜框镜子，写字桌，灰白色地毯吸收细微回音。一只清水玻璃瓶，插着铃兰和纤细树枝。茶几上有水果，巧克力点心，英文报纸。纯白的枕头，被子，床单。她在床尾镜子里看到自己，脸色苍白，长发披泻身上，穿着小圆领白色衬衣和粗布裤子。空气中只有中央空调轻微振动声音。

清池没有在她身边，穿着揉皱的衬衣长裤坐在窗边沙发上。落地玻璃窗外是浩荡江水和外滩的万国式建筑，天光一色，尽收眼底。他见她醒来，走到床侧坐下，伸手抚摸她的额头，默默无言。这是她所熟悉的眼神。是的，她认识的男子又回来了。准确无误，没有丝毫偏差。那个在暮色房间里凝望她蜷缩在窗帘后入睡的男子。那个在远天僻地的下雪夜晚以拥抱贴近她的男子。那个被她小心翼翼收藏于内心褶皱之中的男子。那个被她放置了期望、意志和幻觉的男子。

他说，庆长，我该怎么办。我们该怎么办。他的声音沙哑而困顿，眼睛里充溢一夜无眠的焦灼血丝。他把头埋到她的肩膀上，褪去她身上的衣衫。

窗外此时传来一声尖厉而悠长的汽笛长鸣，江面上一艘庞大客轮在阴沉晨曦中正在启航。从此地出发，去往彼岸。

5

后来，他对她说，他觉得她的笑容极美。如果想有一个比喻，他觉得这笑容是他幼小时经常观望的掠过天空的燕子。这是他5岁时在北京的童年记忆中，印象深刻的鸟类。他家里居住的四合院，花园里有一棵粗壮海棠树，大丛丁香和棣棠，满架老藤葡萄。每年春天，燕子在阴凉屋檐下搭起灰白色泥窝哺育幼鸟，穿梭如箭，啼叫轻盈。这实在是一个少年心中无比丰盛完整的世界。

但现在，在城市里很少能够见到燕子。他甚至怀疑这种鸟类是否已绝迹，或者只在他的记忆里出现过。也许他遗失了生命中最为真实的一个时段，现在堕入的，却是一场漫长无期充满虚妄的梦境。

庆长，你的笑容，令我觉得生命真实。

很多次，他说过这样的话。当他伏在她的身体上，深埋在她的体内，从她耳侧抬起头来凝望她的时候。当他用双手捧住她的脸颊，如同捧住一只在高山龙胆花蕊中捕捉住的稀有凤蝶，用额头顶住她的额头，轻轻亲吻她的眉毛和眼角。当他们在餐厅里吃饭，他从不愿意与她隔桌而坐，因为觉得离她太远。他只坐在她的侧边。她知道他在凝视她，故意转过脸去，佯装不知。然后他的手就会伸出来，握住她的手腕，轻声对她说，庆长，你可知道此刻你有多么美好。还有在机场，在车站，在酒店门口，在街头，在每一个告别的时候，她总是选择做那个留在最后的人。目送他直到彼此不见。

她的姿势都是同样的。在人群或空无中，孤立无援地站立着，右手绕过胸前，搭在垂直的左手手臂上，微微抱住自身，仿佛一种倚靠。脸上露出孩子般无辜而微弱的笑容。这种记忆到了最后渐渐成为泥土下面生长的根。

6

他说，我只能这样做。庆长。原谅我。我害怕来上海看你的决定，害怕独自面对你。我做出种种设计，只为想看你一眼，又防备自己接近你。我一直在克制。我知道我们一旦相爱，伤痛纠葛无法避免。但是我对你充满欲望。这一切没有用。我们绝无可能错过。我知道你是我的。你来到这个世界上，为我而存在。

下午两点多。酒店一层咖啡厅，当天第一顿饭。她的脸上有膨胀出来的红晕，披散的长发略显潦草。什么也吃不下，只想抽烟，喝一杯威士忌。他吃肉食，喝了很多杯咖啡。他说，你应该吃点东西。她说，我不想吃。

不行。你要吃东西。他的声音坚定，有命令的口吻，帮她点了一碗荞麦面条。

他询问，你辞了工作，如何谋生。

她说，接其他的活，翻译，写稿，总有出路。

你需要帮助吗。他平静提出疑问。

她看着他，说，我经济没有困难。

Fiona赞同你的才华，但说你有时过于固执，不懂得妥协和周旋。媒体圈子也许不适合你，你只能做自己的事情。如果需要帮助，请你告诉我，我会尽力。

他换了一件干净的白色衬衣。衣履整洁高贵，坐在她的对面。她没有携带换洗衣物，依旧是昨日出门时的装束，散发出隔夜酒精和烟草气味。搭在椅子上的黑色羽绒服渗漏细小的白色绒毛，如同千疮百孔的生活，如同她打包收拾起来但从无可能弃置的复杂历史，如同她对感情的需索和落空，她对爱的真相的疑问，她对这个时代的退却之心。她的无地自处。

离开一座即将消失的古老的桥，她的生活将如何延续。她宁可时间停滞在他们卸下衣履坦白相对的时刻，这个男子以温暖炙热的肉体将她包裹，而不是现实中这般生硬疏离地面对。他们分明认清，一旦脱离彼此怀抱，只能是来自截然不同的世界的两个人。各自背负的现实何其沉重而无法拖动。

冷静下来之后，他变得谨慎。没有谈论任何关于他们之间的前景或未来。此刻要再袒露心扉也已十分多余。他们没有空间可以容纳承诺或期待，并且需要时间消释这最终迸发成形的强烈情感。她什么也不追问，闷声不响吃完眼前这碗面条。他知道她的倔强，说，你好好照顾自己。他马上要去机场赶飞机回北京，然后去温哥华总部开会。离开半月。他们没有约定何时会再见面。

他紧紧拥抱她，说，我爱你，庆长。这是他可以说的话，也是他喜欢说的话，但这是她所不需要的话。我爱你，这能改变她的处境和生活吗。不。她只是意识到自己将会更为分裂而苦痛地存在。这感情将是她的负债，而不会是救赎。

在淅沥微雨中，他把她放在地铁站。车子即刻开往机场，他的时间紧迫。

她没有伞，站在人行道边，打开关闭的手机，短信响动出现，是定山。他一晚上没有收到她短信回复，打电话也没有被接。但他并不着急。对庆长，他从来都给予自由独立的空间，不追问不担忧。只说，你方便时回复我一条短信。庆长在地铁口回了他，说，醉酒，住宿朋友处，现在回家。然后她慢慢走下地下通道。

一路静默，站在地铁上身心疲惫。周围拥挤喧杂散发混浊气味的人群，使她感觉到客观生活不止息有条不紊地行进。而她与清池的一切，已被推远搁置，仿佛一场梦魇，前路茫茫。这场梦魇不会是她的光芒，却可能是更为深邃的一条黑暗通道。庆长压抑住内心怅然，表情冷静，想着接下来面临安排的事情。是的。要准备去南京，要给定山的父亲买礼物，要再接稿子再接工作，要准备结婚的戒指和衣服……生活有无尽的实际的琐事。生活有巨大的无解的空虚。

此刻，她内心真正想做的事情，只有一件：抛弃所有一切，跟随那个男子而去。哪怕走到天涯海角，哪怕走到山穷水尽。只想与他一起。但她什么都不会告诉他。因为他无法迎接她，而她甚至不想给他任何时间，她能做的就是保护自己，结束这段关系。她站在地铁车厢的苍白灯光下，内心脆弱分崩离析，眼泪盈眶完全不能自制。泪水流到脸上，只能仰头用力呼吸。尽力控制这顷刻间被摧毁的虚弱自保。

她要结婚。无可置疑。这是唯一能够走的道路。

7

她想念他。如同一双手在胸口里无从捉摸地揉搓着，从上而下，从左至右，从内到外。有时心脏会被抓紧，阵阵生疼。有时又只是怀着淡淡怅然，如同包裹被折断和碎裂之后的隐痛，故作镇静。回忆像河流深不可测，无声远行。她站在岸边，无所作为，随波逐流。她从未这般清楚分明地感受到感情的成形，看到它逐渐凝聚成一枚孤立而集中的内核，嵌入血肉。与之形影不离，与之呼吸存亡，与之起早落夜。

出于对清池的思念，以及某种内心沉堕的消沉，她持续深入于姜个人空间，只为找寻哪怕一丝丝关于清池的线索。在少女无所保留的记录里，庆长看到绝无可能猜测和了解的清池的情感历史。事实上，时间中隐藏的真相远超过她想象。

他对她情有独钟，不姑息金钱物力，照顾和培育这个少女3年，付出许多精力期待。

他让她接受钢琴英语网球芭蕾素描等种种训练。时常带她出国旅行度假。

他一直想说服她停止模特工作，送她去加拿大读书。

他买了别墅，写的是她的名字。

他送给她一辆高级跑车。

他带她去过温哥华。与父母相聚，她与他们相处融洽。无可置疑，他们可算是一种认真的关系。冯恩健也许知道，也许不知道，但从不流露出任何怀疑质问。这是他们的婚姻平静无波关键所在。

她的左手无名指上戴有一枚钻石戒指，是他买给她的。于姜提出要求。她知道他有妻儿，即使他们远在一万公里之外。这种物质的形式化暂时可抵冲为安慰。

少女同时为这慷慨而稳固的关系，付出代价：

在18岁和20岁时，为他做过流产手术。在文字里流露出伤痛。

大部分时间需要独处，并容忍他不间断的暧昧和幽会。幸亏她有一个热闹职业，有大帮吃饭喝酒跳舞旅行的各色人种朋友，以此打发时间和空虚。

她做出过一些努力。尽可能投其所好，学习他所喜爱的一切。从各类高雅艺术直至学习做蛋糕。

她要求一起去照相店花费高价拍了一组照片，穿上白色婚纱打扮成隆重新娘装束。一直幻想能够嫁给他。

在共同的3年，这个活泼少女为他钟情，从无异心。但他一直跟其他女子有染，几次被她发现，悲痛欲绝。离家出走，又被他追回。最终缺乏离开的勇气和前途。

她知道他不爱她。或者说，他曾经爱过她的时期已经过去。他有某种理想主义的爱的期许，不是在男女关系里只需要肉欲的男子。一个关注名牌、度假、吃喝玩乐的女子，即使也可以谈论一些思想或者文艺，但他终究觉得她幼小。而她本来就幼小，只是他尝试忽略或改造过这种幼小，后来就灰了心，任这段关系随波逐流。她知道他也许始终都不会和她结婚。她也知道，他不会随意就把她离弃。

她长时间凝望照片里他与另一个女子生活的轨迹。

他和于姜，去过欧洲大部分国家。在老城区，在河岸，在城堡，在酒店，留下大量度假照片。于姜的照片都由他拍摄。那时他们正在热恋，他迷恋于她的笑容、背影、身体、姿态，一举一动。照片里可见到手持相机站在对面的男子的炽热爱意。于姜自然能够感受到这份宠爱，笑容娇憨，眼神天真，那时她很美。庆长看着这些照片，没有嫉妒，却有淡淡感伤。在他们未相遇之前，清池的生活与这个女子相互依存。于姜的美貌和单纯活力，带给他愉悦，并持续长久。

他试图把身边少女塑造成心目中完美女性的形式：无懈可击的外表，丰富优雅的内涵，知性和纯真并存，肉欲和精神平衡丰实。但最终发现，这不过是他男性的好胜和理想化所衍生出来的虚幻假相。于姜的核心，始终是从重庆出发之时就已具备的，对这个繁华现世无比强烈的向往和虚浮之心。年轻肉体，会有被厌倦的时候。可带来的最终支撑，只能是由内散发的精神力度。尤其是像许清池这样，对伴侣精神世界有要求的男子。他无法在她身上得到最终满足。他一直继续有其他女人。

于姜在这种压迫和要求中，3年之后的照片里有衰老的迹象。她的脸，在某个瞬间，突然发蔫枯萎。她的确下功夫学会一切他引导之下的技巧，跟随他不断海外旅行见多识广，努力调试自己，身上散发其他同龄女子所没有的摩登气息。一切来自背后这个推动和资助的男子。但若他不再强烈爱她，对比一定明显。清池对女人太过宠爱，他的表达方式是直接而实际的丰厚的馈赠。从巨大到细微处，周到细密，无可比拟。一旦他减弱，女人适应极为艰难。

8

他是这样的男子，每次出差收拾妥当行李箱，会塞上一本克洛德·列维–斯特劳斯的《忧郁的热带》，或者一本尼采哲学著作，或者一本博尔赫斯短篇小说集。这些是与他的电话会议工作计划客户约会没有关联的存在，但他需要它们陪伴左右。哪怕只有在飞机阅读灯下打开的片刻静谧，或者是入睡之前勉强打开几页最终困倦而眠。有时也带上逻辑学的趣味题集。

工作压力，废寝忘食，日夜颠倒，尔虞我诈，费尽心机。不仅如此，生命有时处于一种荒废和停滞之中。物质的现实世界，反复颠扑之后，剩余下独处时难明的一种焦躁和失落。他是持有矛盾之心的人。一边，是他在世间必须安身立命的好胜和强硬意志。一边，是他对4500米高山之上一种野生鸢尾的向往和理解。他知道它强壮静谧，幽静充沛。也许，那也是他自身希望组成的一部分。

他们会为彼此降服吗。事实上，他离她如此遥远。即便她一眼看到他个性中隐藏繁复的褶皱和阴影，他依旧是这个世界上，目前，此刻，唯一走近她内心并如此轻易的男子。

不在一个城市里，不在对方身边。告别之后，短信和电话都很克制。基本上清池发给她，但庆长回复极少，从不泄露情绪。在现实中该如何与清池相处，她完全不得知。她要的，是一双在睡眠中在懵懂中在黑暗中在冰冻中一再追逐和把握着她的手，温暖笃定，可以结盟。不过如此而已。但这双手只在极为短暂和间断的时间里出现。她只能以回忆来联结他。他的身份和情感经历太过复杂。他们也无任何约定。她必须独自面对自己的生活。

调整工作，决定是否结婚。这都是迫在眉睫的决定。结婚意味着她将在上海真正扎下根来。这对在云和的亲戚来说，是个安慰。他们或许担忧她终有一天落魄而归，再次平添他们负担。庆长自离家出来的一刻，就下定决心绝不成为任何人的负担。哪怕独自饥寒落魄，死在街头。她要继续存活，就只能打起精神来，面对生活，往前行进。

春节期间，与定山一家度过关系紧密的6天。定山父亲提出让他们在春节后挑选时间结婚。定山对她一无所求，唯一心愿，不过是希望她去南京时，能与家人保持和谐关系。所谓和谐，是见面客气有礼，能敷衍过场。平时他们并不会在一起。但事实上她超出他的期望和要求。庆长早已看淡这些。换言之，在内心她从不在意身边任何无关的人，故对人情从无计较。没有希望，也没有失望。

她对定山坦承与一同的前次婚姻。无意说出细节隐衷，只是告诉他一个过往事实。这是她要做到的诚实。是叛逆青春铭刻的印记，也是她对自我历史的确认。她宽恕自己的失败，也决定淡忘往事。并且始终把一同的那句应允放置于感激，他使她的人生获得开端。

定山没有失望之意。他说，你有这样的事，我不奇怪。你是这样的人，庆长。你的个性和经历自有离奇之处，我早已接受。但我并不打算告诉父母知道，这对我们没有帮助。这个朴实勤恳的男子，身上有其他好处。即使他对她的世界一无所知，不代表他没有承担的力量。事实上，也并不是任何一个平常男子，能够把她挽留在身边。他们总是对她有所承担。不管是过去的一同还是现在的定山，都为她付出代价。

他们去百货公司挑选首饰，他想给她买一枚钻石戒指。她想起于姜手上的蒂芬尼钻石戒指，款式华丽，看起来价格不菲。清池无名指上的结婚戒指，只是一枚简单铂金戒指，和冯恩健是一对，没有任何点缀，极其朴素，却是他大学毕业后就已戴上并心甘情愿戴了14年的戒指。对一个男子来说，什么是本质，什么是形式，黑白分明，一点差错都无。她看了良久，没有决定买哪只。觉得贵，买下的前途无非深锁抽屉。她不是手上会戴一枚闪闪发亮钻石戒指的女人。她只是决定要结婚。

她对定山说，他来安排就行。定山刚好要去香港出差一个月。他说他去那边再看。

她买下过一条白色丝缎连身裙，镶缀有刺绣、珠粒和手工白蕾丝。觉得它美，如同为一种庄重仪式准备的衣服。再有一束洁白芳香的小小捧花，栀子或者茉莉搭配上绿叶花枝就已足够。这裙子穿完之后，可以收入衣橱保存，以后送给孩子。比起穿着租借来的婚纱被四处摆布展览，这种自我确认的形式感是她所注重的。平时庆长从不穿这些。她没有小礼服，不出席任何派对或酒会。

母亲在她6岁时离开她。二线小城生活庸常，他们不过普通人家，她无可能得到一件从母亲处细心保存下来的旧年代的华美婚纱。这种形式对女子来说，本应是何等宝贵丰盛的馈赠，但庆长知道自己的生活贫乏缺漏，并不仅仅是一件衣服所能象征的。

自幼年开始，她就一直说服自己对这种贫乏进行对抗。物质的贫乏，情感的贫乏，精神的贫乏，信念的贫乏。种种贫乏而无可回避的现实。竭尽所能地对抗，尝试让自己逐渐丰盛独立的途径和可能性。即使路途坎坷，一直颠沛流离。但这是她的命运，一直在某种对抗之中。

结婚，对她来说，只能做到和定山去登记。其他所有形式都不要。以前是无能为力，和一同年轻贫穷，婚姻也仓促急就。这一次，却是自己没有心意要隆重热闹。结婚不是表演，无需对外界交待说明。那不过是她和定山的事。情爱路途波折艰难，她的确想从中回避，获得安宁和休憩。哪怕片刻。

因此。清池，我要结婚了。她终究在电话里，告诉他她的决定。

他在温哥华，即将回北京。沉默良久，说，我不答应，庆长。你至少要等我回来。我马上飞去上海看你。我们商量这件事情。

9

去机场接他。早到一个小时。一直等在候机厅。

春天，她嗅闻到空气逐渐苏醒的温润跳跃。站在人群中，感觉身心充盈饱满，如同一棵汁液上涌要生发出枝叶和花朵的树。这种振作和挥发中的活力，使世界面目呈现细微颠倒变化。她28岁，面临一场迫在眉睫的世俗婚姻。但现在她确凿地恋爱了。她爱着那个男子，无可置疑。

遇见清池，这不是企图或谋取的事，是一件自动趋近浑然不觉却无可推搪的事。她寻求这个时刻，漫长，并且艰难。他打开她生命中一扇被禁忌关闭的门，唤醒她身心隐藏良久对爱的敏锐和感应，让她知道自己的沉睡，不是天资欠缺，而是持有解除咒语的秘密的人没有来临。每个人的内心，都有一扇这样的门等待被打开。终究需要安排。

也许有些门始终不能被打开。有些人始终不来。但如果他来，那么被打开之后，人能再次获得新生。是这样的偶然性，这样的随机，无常，心甘情愿并且无能为力。

因此。她觉得现在所在的位置，并非一个衰败行进中的跨越点。相反，她正朝向内心的孩童趋近，接近它的热望和纯真。她不觉得俗世还会有其他的规则和秩序，能够带来更多收益或者损失。尽量在高空钢索上停留更长时间，这是所能勉力的唯一处境。只是有些人故意视而不见，有些人不加点破，有些人笑笑而过，有些人浑然不觉。

这是她生命中一次可超越高空钢索的凭借。这是一次机会。

遇见清池，必须要与他相爱。哪怕秉烛夜游，只争朝夕。

第七章　　庆长。揭开丝绒布

1

如果幻觉给予的，是为眼前现实提供一块紫罗兰色丝绒布，用以覆盖、遮挡、掩饰、伪装，那么当失去这块薄布，没有屏蔽保障，一切赤裸裸双目清明，你将会看到肉体与深渊之间的距离。微妙的一线之隔。游戏规则是，即使你知道丝绒布背后的黑幕，也要装做对此一无所知。并且兴致勃勃继续推进。

穿着嬉皮士牛仔喇叭裤的电影女主角，在咖啡店里，轻描淡写对男子说，我搬出前男友的家，因为他的厨房里有煤气炉，对我总有诱惑。如果我们动一下手指就可以结束生命，那么世界上的人至少将在瞬间失去一半。

客观规律从不提供假定，哪怕只是一个信手拈来的玩笑。人早已认清自我终结的手段极为困难。与之相反，苟且偷生，方式更轻省。试图穿越现实规则的决心，必须经受考验，某种力量对此做了界定。你，不能轻易做到这件事情。你，要撤销所有平衡杆以及幻术。你，要接受真正的无依无靠。你，要拿出跃入深渊以肉身刺破黑暗的勇气。这勇气与生命方向相背离。这样的背叛要受到警示。

因此。除却战争、疫病、灾祸、节育等种种干扰因素，这个世界总是人满为患。假设科技和政治最终可以使玩笑成真，那也是人类不应得到的自由。世界将会为此更为混乱和肮脏。能选择自由的死，意味着会有更多的人选择无所顾忌的活。失去震慑和禁忌的活，只会加速一种意愿的降临：天上降下熊熊烈火或者暴雨洪水。重新洗刷这一切。

时间短促，最终被卸去一切装备的时刻来临，需要拿出与它融为一体的勇气。

即使失去被幻觉的丝绒布保护的特权，也努力凭借虚妄的一线搁置，摸索于高空中的钢索，并相信手中意志来源正当，支撑坚定。卑微处境，随时可能坠入深渊，却貌似跨越障碍走向前方。这并非一趟自主旅程而是注定的线路，反复衡量不能得以拖延回避或幸免。你已到了出发时间。

恐惧即使可以让心脏破碎，也务必要在这临界点上，迈出第一步。

2

远远的，她看见他从通道里走出来。高大健壮的男子，平头，藏蓝色衬衣，清朗笃定。他在人群中尤其显得敦样。在机场，每天如流水般穿梭而过的人该有多少。她在此地，只为等待和迎接一个男子。只有这个人和她的生命息息相关，互相渗透和联结。这就是宿世因果所捆绑和牵扯的缘分。生活中还有什么其他的事情更为重要。她不知道。

她只知道，当他微笑走近她，当他放下手里的行李箱，伸出手臂紧实拥抱住她，当他热烈而不避忌地在大厅中亲吻她的头发、额头和眉毛，当他低声地说，庆长，我在飞机上想着要与你相见，一颗心惊颤如同跌碎。当他的情感，如同烈焰把她包裹和燃烧。此刻的她，在这个浊暗浮躁的世间，才拥有棱角鲜明轮廓凸出的存在感。她知道自己活着。她在爱与被爱着。无可置疑。这种确认将比生命本身存在更为重要。

他平时商务活动入住江边昂贵酒店。这次她提议他去她家里。

她不喜欢在酒店里与他相处。哪怕在高级奢华的酒店，也能够在枕巾、被单、浴巾、毛巾上闻到生疏气味，消毒剂漂白剂混合起来的气味，隐藏其后陌生人皮肤和毛发反复印染之后的气味。所有人来去匆匆，只把此地当作中转停歇之地。装饰一模一样的房间，看起来洁净宽敞，令人愉悦，每一件摆设和物品却没有丝毫感情。人住在其中也没有爱惜。东西随意摆放，使用过的毛巾零乱扔掷。行李箱敞开着，随时准备打包离开。租住场所，再堂皇华丽，内里却充满仓促草率。如同餐厅里形式精美的饭菜，无法与家里亲手制作的食物相比，因为缺乏真情实感。

庆长是对生命的真实性持有敏感的人，她认为他们之间的情感是血肉俱存的，不应该在一个公众冰冷的环境之中依存。她有抗拒之心。

他这次在上海停留两个星期，一是工作上有各种安排，二是想陪伴她更长时间。他接受她决定，跟随她来到静安寺附近租住房子。她住28层。这栋高层住宅已旧损，过道墙壁上全是污迹，角落里余留陈腐垃圾的气味，每一楼层窄小迂回的走廊两边，布满密集住户。衣着潦草神情萎顿的人，进进出出。电梯窄小，运行时发出噪音，有狗尿水迹。庆长是弹性极大的人，可以出没在任何一个地方。清洁的华丽的昂贵的，肮脏的简陋的贫乏的，都能伸展自如。清池虽然神色平静，但显得格格不入。这不是与他相宜的环境和气场。他的高大个子一进入40平米的房子，顿时显得处处逼仄，转身都困难。

他没有不适表示，安之若素。放下箱子脱掉西服，先参观她的房间。极小的厨房和卫生间。卧室刚好放下一张1米2的床，一个工作台，一排衣橱，两把椅子，一个矮柜。露台晾晒衣服，远眺楼群和市景。陈旧家具都是房东的，书籍密密麻麻，或叠放或排列占据卧室大半空间。她的生活里只有书籍和电脑是重要存在。对世俗物质没有占有之心。她替他放出洗澡热水，浴缸很小，只能站在里面淋浴，但擦拭得干净。她说，你洗澡，我替你去煮咖啡。她有咖啡机，特意为他去买了咖啡粉。给他准备了新的拖鞋和浴巾。

厨房里有一张窄小的两人位木桌，仅容转身。他们坐下来喝咖啡。桌子上有她买的一束新鲜芍药，插在白色搪瓷杯子里，有些热烈盛放，有些还打着滚圆骨朵。放在桌子上的棉布茶垫是自己缝制的，两面雅致的花色，边缘有密密手工线脚。房间里散乱摆设收集或捡拾的物品，织布，旧碗，画册，铸铁小佛像，茶具，以及干的花枝，松果，佛手，蝉蜕，卵石等。环境简陋，但到处可见一个内心有审美的女子的情怀。

一面墙上粘贴密集明信片和照片，很多是她在旅途中拍摄，视角独特的景色和人物。她去的少数民族聚集区很多，大部分地区极为荒僻遥远。他看到那张观音阁桥的照片。她也许一直活在自己的天地里，对世间失望，但从不抱怨。他走过去，拥抱她，亲吻她的头发。他说，庆长，我至为喜爱你，你可知道。

他问她，为什么要跟定山结婚，但始终没有跟他住在一起。她说，即使结婚，她与定山，也会保持各自独立。定山是性格独特的男子，淡泊，自在，能理解她的个性和状态。对他们来说，情感和身体的紧密，从来都未曾有过。没有热恋过。只是尝试在这个城市里彼此依存。都来自外地，在上海没有亲人朋友。定山做饭，与她一起吃，饭后一起打扫厨房，之后她工作，他看电视。这是他们常有的相处方式。她说，如果结婚，这样的人就可以了。

他看着她，轻声说，庆长，你对这个世间有敏锐和深刻的体会，你的内心丰盛细微和优美，却为何唯独对自己的婚姻和感情，如此轻率不经意。

她说，我没有轻率不经意。我尊重情感。所以我告诉你，我要结婚。我不是别人。我是周庆长。我不能以其他任何方式与你相处。清池。我们也许需要一些时间，但我的感情没有中间路线。非此即彼，黑白分明，清清楚楚。这是我的方式。

3

即使现状和未来混杂不明，未知并且无解，当下每一刻仍值得小心珍惜。他抛下他在北京的工作、家庭、处境，孑然一身来到她的身边。也许知道之间时间无多，现实错综复杂，只有情感单纯强烈，暂且过一天是一天。毕竟决定给予对方时间，试图再次确认这关系。

整整两个星期。每天在一起。

在生活习惯上的确有差异。他只喝冷水，喝一切冷的饮料。早餐吃培根烟肉蛋卷，浇上味道浓重的沙士酱，喝大杯咖啡。她喜欢热的茶，早餐喝粥，吃味道清淡的小菜，不喜欢油腻荤食，吃蔬菜水果。睡觉他要拉严实所有窗帘，房间里一片漆黑，伸手不见五指。她喜欢拉开窗帘，让房间里有一些昏暗浮动的光影，这样才觉得安宁容易入睡。他极为注意衣服的清洁和平整，所有衣物都需熨烫。她时常去贫困地区，适应把干燥的衣服直接穿在身上。她依旧如同在瞻里时那般，侧身独自蜷缩起来入睡。渐渐也习惯被要求互相拥抱，牵手入睡。

早晨他要去工作，早起洗澡，她已替他搭好衬衣西服领带，在厨房里备好咖啡与早餐。他吃完，拿起公文包，亲吻道别出门上班。她在家里收拾，清洗熨烫他的衣服，去市场买蔬菜水果，整理家务。打开电脑工作。他在工作间歇会发短信给她，热烈情感表达始终是他强项。他喜欢肉食，她对照菜谱，在黄昏时开始炖煮食物，用烤箱做甜点。窄小房间充溢食物热腾腾香味，在厨房里团团劳作，一边打开收音机听古典音乐，一边等待下班的男人归家。

他是被宠坏的男子，基本上从来不做任何家事。她什么都不让他做。一切以这个男子的意愿为重。她愿意为他做所有的事，只要他生活在她的身边，时间归她所有。但她知道他最终无法办到。所以，她也不会告诉他她的内心情意，只是尽力照顾他。

他非常之忙碌。会议和约见不断，工作随时随地。但仍竭力推挡应酬抽空陪伴她。一起去超级市场购物，去古董集市浏览，去花鸟市场买花草，去电影院看电影，去茶馆听昆曲。接送她的日语课。睡前读旧约给她听，读博尔赫斯的短篇小说，一起做智力题，对话并且讨论。

窄小简陋的房间，充溢着他的气味、声息、热量、言语、欲望和情感。这一切存在，从未有过的热烈和饱足。包裹，缠绕，填充，融合，渗透。没有一条缝隙被遗失漏缺。

周末，她留出时间坐地铁去他南京西路的办公楼。在排列高大法国梧桐的街道上步行。路过街边卖花人的竹箩，选下白兰花。新鲜花朵用铅丝串起，香气扑鼻。暮色阳光洒在额头和眼皮上，春日暖风使人沉醉。她穿了薄绸连衣裙和绣花鞋，在玻璃窗里看见自己满头黑发闪烁出光泽。女人只能在感情中苏醒和复活。这是天性。若有可能，她愿意为这个男子舍弃一切远行的路途，只在家里为他烹煮清扫，生儿育女，等待他回家。这也是每一个貌似坚强能干的女子背后，默默发出声音的期求。但她如何做到。

等在他办公大楼的大堂里，她坐在沙发上，看着手指，因为内心对他的爱，感觉一颗心脏顶撞胸口隐隐生疼。这是她自己一个人的事情吗。这种种欢愉、疼痛、不舍和贪恋。是的。爱在此刻只是她一个人的事。她看着他走出电梯门，看到她出乎意外一脸惊喜。从来没有一个人，或者说一个男子的生命，与她贴近如此亲密深切。她微笑起身向他走去，一边擦去眼里隐隐泪光。

两个人携手去旧租界小餐厅吃饭。在街角等候绿灯时亲吻。在夜色中无所事事散步很长时间。走过几条大街，抵达一处街角的小小酒吧。兴之所至，携手进去看乐队表演，一起再喝一杯鸡尾酒。

如此搭建起来的世界，是孤立的，充沛的，完整的。无需任何其他事物的存在和介入。仅仅只是两人在一起，日夜相守，乐此不疲。

如同少年般的热恋。

4

他说，庆长。你是我一直在寻找的那个人。

每一次。在他的身体进入她的时候，她抚摸他后脑的头发，闻到他脖子皮肤上熟悉的气息，暂时忘记现实的复杂和破落。如同第一次，他脱掉她的衣服，迫近她的是意想中健壮清洁的身体。即使在他进入的时候，她的脑子里依然混沌一片，不知道自己意图何在。她爱他吗，她为何和他做爱，以后又将怎么办。完全没有想到这些。只是单纯地要与他靠近，联结，粘着。他的肌肤和气息没有任何生分。他的身体对她来说，从未告别。

她同时忘记对他的所有疑问。也许他有权决定她的生命。因为他们的生命在某刻息息相关，为对方而存在，而不仅仅是为自己。

这样一种难解难分的肉身的黏连，也许需要神秘而绵长的因缘。她在楼梯上，跟随他下楼走向灯火闪耀的客厅，那一刻，他肩膀和背部的形状如此熟悉，似乎她曾用手抚摸过这轮廓无边次数。这轮廓让她的眼睛和心获得安宁。与他种种，从无生分、疏远、脱离。是联结的一体被分裂之后的两部分，断裂处留有详白的记忆和线索，期待重新融合。她看到这伤口时日久长，创面从未干涸。当他们相遇，她确认这断裂处所有信息一一对应。妥善，正确，完整。

她是他放在行李箱里那一本需要在睡眠前获得安静的书籍，是他内心小心翼翼保留和保护的一处小小天地，盛放着一簇海拔4500米高山之上强壮静谧的野生鸢尾。她与他的现实无关。她是他的内心仅存最后一抹破损的伤感和真实。他们在一起，那一刻世间单纯至极，像茫茫大雪覆盖之下的村庄，没有人烟，没有俗世的生气。拥抱在一起，世界失去声响。只剩余他们两个。

他们所能够做的，只想做的，是卸去彼此衣衫，赤裸拥抱，让身心被分裂的两个界面再次聚集及对应所有在时间里游荡轮回等待良久的信息。除此之外，没有其他。

即使现实中他并不是属于她的男子。

5

在他住在她家里的两个星期，其他人的存在从来没有被忽略。他的女人们各司其职，待在各自位置，但电话会打过来，每天数次，非常固定。她已能分辨她们的声音，短促稳重的是妻子，女友于姜则年轻活泼，娇俏可人，有撒娇的语调和笑声。轮换打来电话，传递模式各异的问候。有时他正与她在一起，只能在电话里竭力用正常语调向对方解释：我在睡觉。我即将要出去吃饭。我现在开会。诸如此类，种种借口，只为迅速结束通话。

刚放下这个，两三分钟后，另一个又打过来。即使在深夜，枕头下手机也不断发出接受信息的声响。

他的女人们始终对他情有独钟，从不松懈。而他，也只能分成三头六臂，应对生命里这几段至为重要的关系。也许他不认同这是一种玩弄或者操纵，而是一种多情或者博爱。对每一个与他有深长关系的女人，他都持有迟疑不决的感情，包括情爱历史中难以计算的萍水相逢和一夜露水情缘的女性伙伴，比如Fiona。他自认为从不想伤害她们，也从未曾恶意或者粗暴地对待过她们。他只选择冷淡，回避，拖拉，暧昧。他等待她们自己离开。

他对她有真诚，因此对她坦白感情历史。在身不由己的时刻，选择接起这些电话，而不是躲避。当着她的面对其他女人说出为了避免伤害的谎言，冷静沉着，不露破绽。他要她接受他真实的自我和情感生活，他的处境，他的状态。他是这样一个男子。要她自己看到，听到，接受，明白。她只能被迫面对这样的场景。一个40岁能量强大的男子，对女人的控制和操纵，接近是一种残酷。经历的刺激实在太多。

有时深夜她无法入睡，看着他拥抱着她，侧身而眠，额头贴着她的脸颊，发出酣沉睡眠的呼吸。他的厚实脑袋贴着她的脸，如同一个童年期男童，游戏玩耍至满头大汗，皮肤上散发出阳光和野草的腥味。手指紧紧相握，如此这般黏缠的依赖凭靠。她在黑暗中会感伤良久。他们是在渡口一起摆渡乘船的少年伴侣，嬉耍游乐，不知归途，已渐渐行至江面波心。遥遥对岸有无继续同行的路途，无人得知。一轮明月升起，天涯就在咫尺。即使是这样剧烈纠缠地热恋着缠绵着，又能如何。

两个各有归属的人，怎样才能做到对当下和未来界限清楚，而不受到思念的伤害。呵。清池。我们并没有出路。但我们要这样执拗而盲目的，在对彼此的贪恋不舍中沦陷堕落吗。

时间飞逝。他归期将尽。他们之间务必要再有一次交谈。

最后一个晚上。他带她去外滩奢华的餐厅吃饭。下班回家，把恒隆广场的纸袋递给她，里面是他给她选的礼物：浅紫色丝绒连身裙，质地精良剪裁出色的高级衣衫。一双小牛皮黑色高跟鞋，丝绸披肩，钻石耳环，全套高级护肤品，香水。他有足够心意宠爱她。难得两个星期，一直与她过着粗茶淡饭的生活，在蜗居里苦中作乐。他毕竟还是希望她成为他的世界里的女人。

她洗澡，穿上他所选择的衣饰，化上淡淡的妆，扑粉，抹上口红。无可置疑，镜子中的面容有了崭新意味。丝绒是矜持而奢侈的织物。一不小心就会损伤，污脏，伤口从无隐晦，在反光下呈现出背道而驰的绒毛方向，白晃晃如同疤痕。好的旗袍绣花鞋衬衣裙子都会采用丝绒质料，但庆长没有这些。她穿那条丝绒裙子的方式，如同穿一件粗布衣衫。搭配球鞋，混搭胆色无可言表。这是周庆长的风格。

她是他生活里存在过的女子完全不同的类型。也许是从未有过的。那些艳丽时髦的年轻女孩，如同一种标准化的价值观，芳香悦人，他是置身主流社会的男人，习惯并全盘接受这一切。庆长带来独有的存在感。眼神清澈带有失落。白衬衣，粗布裤，邋遢的黑色羽绒服一穿一个冬天。稍纵即逝的笑容，像燕子黑色如剪的翅膀，轻盈掠过他童年记忆中的春日天空。整个人似乎是从一个不合时宜的时代里被遗漏下来的存在。

他说，你很美，庆长。我给你这些，不是要你改变。而是想让你尝试生活中其他部分。她说，你想让我成为像Fiona这样的女子吗。他说，当然不是。我一直尊重和爱慕你自身的存在。但现在你是我的女人。庆长。你要接受你的男人所给予你的东西。仅此而已。

水晶吊灯。烛火晚餐。一顿西餐花费不俗。她坐在对面，看着江水两岸霓虹灯火，内心惘然。她要的是一个伴侣，不是一个阶层。有时她把他拉进她的生活，瞻里的冰天雪地，她在现实生活中的窘困和落魄，她内心的渺远空旷。有时他把她拉进他的生活，他作为主流范畴的强势和权力，他情感的无法忠诚和割裂。只有他们的爱是单纯的。但这份情感，找不到现实的基地。只能像飘摇的种子，在风中漫无目的地漂泊，找不到一块可植种的多余土壤。

他直接说，庆长，你不能结婚。你要离开定山。

那你如何安排我。

你要给我时间，让我来处理问题。任何问题都需要协商解决，不是短时间的分晓。

需要多久。

我不知道。他坦白看着她，说，我无法说清对未来的预计，但我知道如何安排我们的现在。他停顿了一下，说，我想在上海帮你另租房子。事实上最简单的方式，你可以搬去租赁式酒店公寓，房间舒适干净，有人来清扫服务，你工作或出去活动，都很方便。

不行。一个月上万，太过昂贵。

你无需考虑这些。

我生活得自在。也许只是你觉得不习惯。

他拿出一张卡，递给她，说，你最近没有稳定工作，我希望你还是能够生活舒适。我要照顾你，庆长。

她突然觉得内心一阵蹿动，一股强烈意志从胸口升腾而起，根本无法遏止。她说，你要做什么。你让我住你为我租下的房子，让我用你的钱，让我等在上海，让我失去对生活的控制和安排，让我成为你情感生活的三分之一。我做不到。我要结婚，想生孩子。

你如果要生孩子，只能生我的孩子。

她尖锐回应，你已经有三个孩子了，他们在温哥华。你还有一个北京女友在极度渴望能为你生儿育女。

我只想要跟你生下来的孩子。

你怎么跟我要，结婚吗？同居吗？

我要跟你在一起。

你怎么跟我在一起?

以一切的可能的合理的方式，跟你在一起。

她低下头，默默发笑，我对推动你的妻子和女友，没有愿望，也没有力气。我只想平静生活。

那我们的感情你置于何地?

这个问题，我也可以转过来问你。你早有妻儿家庭我不计较，这是你的组成部分，你不想改变，我就不会要求你破坏。但你若想跟我在一起，必须离开于姜。否则我怎么能够看到你对我们的感情至少有所尊重和牺牲。

我会处理。但我希望你马上离开定山。我无法忍受你在一个男人身边生活，我会发狂。

在你没有做出任何行动之前，你有权利来要求我这样做吗?你仔细想想，你有何权利说出这样的话?

庆长!注意你的言辞方式。

但她并不打算退却。她说，只有当你成为一个做出选择和担当的男人，至少有一个属于你自己的空间来容纳我们彼此的时候，你才有权利来要求我，要求我为你做些什么!现在你没有资格!

6

如此对抗他，她并不后悔。他们在现实中无法隶属没有归宿，他如此灵敏，早该如她一般内心洞明。即便如此，她也早已知晓自己势必将跟随他，在这段感情里辗转流离。哪怕不问时间和未来。

那一年春天跟随他去新加坡开会。天气炎热，日日高温，白天她大多待在酒店房间里。晚上他工作结束，如果没有应酬，会带她吃饭，散步，看电影。她在楼下午后花园，捡到坠落在草丛里的缅栀子。硬挺厚实的小花朵，有5片乳白色花瓣，橙黄色花心衬着青翠侧叶，芳香洁净。回到房间，选择窗边一个角落，把定焦相机隔在窗台上。从木百叶过滤之后射进来的日光，呈现涣散而轻盈的质感。她试拍一张，发现脸部、脖子、手臂裸露出来的皮肤，光泽极为柔和自然。无心所得，马上把握。换上一条白色衬裙，棉和丝混织柔顺单薄的质地，低垂领口处有纤细蕾丝。把缅栀子插在左边发鬓，长发流泻在两边脸侧，嘴唇抹上口红。这样，对着木百叶窗口的光线，进行自拍。

光线在分分秒秒中发生变化，很快被暗淡暮色替代。拍下约20多张照片。事后，她在电脑里回放这些照片，看到一个全新的被发现的自己。或许也是一个被重新创造的自我。面容已有衰色，眼睛清澈似浸润泪水。漆黑长发，白花，口红，手臂上刺青，衬裙，变幻莫测如同水纹日影的神情。这是28岁的她，与一个男子热恋之中的她，被男子的感情和欲望重重包裹之中的她。她知道，这是生命中极其特殊的一个阶段。

她从未有过这样珍重的时刻，如同珠贝中被磨砺的粗糙沙子，被孕育成一颗珍珠。只因通过与一个男子肉身和情感的联结，获得一种全然新生，透通空灵，熠熠闪光。只因知道自己在爱与被爱着。

她没有告诉他，自他离开上海，她已经正式对从香港回来的定山提出分手。她选择实话实说。这是周庆长的方式。

她说，定山，我爱上一个有家庭的男子。本来我打算离开他，与你结婚。但我们感情强烈，确认无法分开。虽然他目前不能跟我在一起，我依然决定要给他时间。

定山平静，说，庆长，其实你知道你时间无多。你28岁。他可否能够给你未来。

她说，这倒是次要的。我只想得到自己期待中的感情。

我一直试图照顾你，庆长。但这不是你能够获得满足的感情，是吗。

这是两回事情，定山。人生短暂，世事无常，其实我知道情爱欢愉如同清晨的露水稍纵易逝，即便如此，我也要得到。生命的苦痛和悲哀太多。哪怕一丝丝光线，也是我的所求。我不寻求你的理解，我只希望你接受我的决定。

你可以离开。庆长。但如果你回来，我依旧在这里。请你记得我的位置。

我很抱歉。

不。你有你离开的自由。我也有我等待的自由。这只是我们各自的选择。

她想，他们能够如此轻省地面对和解决这件事情，大概因为她与他都性情不俗，不拘一格，所以态度简洁截然。定山理解和接受人性幽微之处，这些存在极容易被随意放置粗暴轻率的世俗断论和道德质问。但何谓规则又何谓标准。他无法提供给她想要的东西，而她自知内心并未死灭。她心灰意冷，但却从不轻易妥协。

她没有告诉清池她所做的决定。她宁愿让他感觉她的生活独立自主，并不因他有改变，或者说，他不解决自己的问题就可以得到她的全部。他对女人的支配随心所欲，自身强大试图操纵一切。这不是她想让他得到的立场。

7

因为无法在一起。因为不愿意听从他的安排，搬去公寓，归属他的部分生活。因为彼此相爱。他只能制造机会在工作中把她携带在身边，来回颠倒。只是争取能够与她一起共处的时间。那年10月，他去首尔开会，替她买好机票，让她去找他。他们在那里度过一星期。他们认识刚好一周年。

他爱她，只能做出最大程度的安排和牺牲。为了与她一起吃晚饭，尽量推托应酬早早回来。知道她在异国他乡只身一人，只为与他相伴。她在洗手间的梳妆镜前扑上粉，抹上唇膏，穿上桑蚕丝连身裙，盘出发髻，戴上耳环，跟随他出门。那一段时间，她为他妆扮，不觉得麻烦。曾经，她可以一件黑色羽绒服就打发一个冬天，即使白色小绒毛四处绽出也不觉得牵挂。曾经，她是个在工作、旅途和行动主义的自我麻醉之中试图与世界脱节的人。在恋爱时，她清晰感受到自己的美。这是被一个男子以肉身和恋慕映射出来的美。

如果他离开，她独自一人，这被映射出来的性别的美，就将如日光之下的露水自行蒸发消失。她很清楚。他让她感受到自我在生命结构里的另一种存在方式：作为一个爱与被爱着的女人而存在。

他在门口等她，看她出来，轻轻吹出一声口哨，如同大学里读书的少年男生。他说，庆长，你这样美好。他从来都安然于他的表达，对女性有一种举重若轻的爱惜态度。他已换上白色小蓝竖条的衬衣，深灰色裤子，身上淡淡古龙水气息，俊朗外形让人觉得妥当。只是每次当他衣履整齐的时候，他就清晰昭显出某种社会化身份的存在。他们的现实，分属社会秩序规则的两面。

他们在电梯里对着镜子拥抱，他说，我们可相衬。她微笑不语。现实中Fiona那样艳丽能干的事业女性，与他同属。但清池个性复杂，对女人选择自有路线。他与冯恩健这样敦实而出身良好的女子结盟，他享受于姜花瓶式的摆设和娱乐。同时他需要庆长作为4500米高山之上的野生鸢尾存在，以此自觉生命没有被商业社会彻底吞没，还留有一丝天清地远的灵性。

此刻当下，一切无碍。两个在异国他乡的男女，隔绝生活困境，脱离处境桎梏，暂时卸除负累。携手而行，如同普世一对朝夕相伴的日常伴侣。紧紧握住对方的手，饭桌下，黑暗中，人群中，马路边，入睡时，醒来时。在坡道小巷慢慢上坡，寻找独具风格的餐厅。首尔是粗砺而率性的城市，她却喜欢。他们热衷平民化有当地风味的小餐厅，装饰简陋，灯火刺眼，热火朝天挤满喝酒聚会的人群。他带她吃生螃蟹、生牛肝、煎牛肠、杂血汤，质料独特口味生猛的食物。

这个国度的气质，有一种热烈的阴郁难辨。喝烧酒喝到半酣的程度也已悦人，浑身血液流动，暖意上涌。他们喝得半醉，有时谈天说地，有时默默无言。一直坐到店门凌晨打烊。

他领她去听迦耶琴的弹奏。老年女子唱腔如此高亢有力，令人屏息。这种声音表达，虽然语言不通却能心领神会，骨子里的压抑刚烈无由催人泪下。他在一个星期里带她去听了三次。他愿意宠爱她，让她获知丰富感受。有男性渴望引领的强势和慷慨。

那天晚上，他借来韩国同事的吉普车，开车带她到很远海边。已是初秋，晚上大风凛冽，冰冻刺骨。海边餐厅遍地垃圾，地面湿漉漉，走路时不小心会跌倒。提供的各式海鲜却极为新鲜泼辣。铁丝网上的贝壳或生蚝，被火焰炙烤突然发出双壳打开的声音，令人觉得激痛。她喝了很多烧酒，脸颊通红，连眼皮都红了。觉得羞愧，用手挡住额头，轻轻发笑。

他低声问她，庆长，和我在一起，你可愉快。她看着他，看到他眼里渐渐沉落下来的感伤。他说，如果我们在很久之前认识，会是怎样。如果我在结婚之前遇见你，会是怎样。我嫉妒你生命里所有出现过的男人，我应该是你最先的最后的唯一的一个，你只能属于我一个人。如果在年轻时遇见你，也许脾气不好会吵吵闹闹，但我知道我将会深爱你。与你一起生活，生下一堆孩子，彼此相守，直到老死。

她突然非常冷静，脑袋里仿佛被一汪冰冷的水激醒。她说，你26岁在温哥华结婚的时候，我才13岁。我还是云和小城里一个被生活压抑扭曲的少女。你如何可能遇见我，遇见我又怎么可能带我走。

那你到上海的时候，我在哪里。

那时你是回来中国，但你位居高位到处飞行，并且已有家庭孩子。我23岁，寄人篱下，到处奔波，只为寻求一份能够谋求生存的工作。

如果那时我遇见你，我会怎样。

你大概会把我始乱终弃。我不属于你的世界。你的现实生活不需要一个在生活底处为生存奔波的女子，她无法成为你的妻子。

不。我想只要我们能够遇见，我就会知道，你为了我而存在于这个世界。他低头，露出无力笑容，说，现在我已知道这个结论，但是，庆长，为什么却无法得到你。

她说，你可以得到我。只是看你愿意不愿意。只是你想不想做而已。

说时眼泪无知无觉掉落下来。她内心振颤，无法继续这对话。他平时十分克制避免谈到之间处境。这是一颗坚硬钉子扎在关系的血肉里，谁都无力拔除，只能让它血肉模糊腐烂在那里。彼此一直在绕行。这天晚上，在异国海边，也许喝醉他说出内心真实言语，却只是让她觉得他软弱退缩。为何要把过错推卸给时间。

他们只能在被约定的时刻遇见。27岁的周庆长，遇见40岁的许清池，这是命运既定规则。他们竭尽全力靠近，共存，若不做出改变，在一起时间只有这么多，在一起的方式也只能如此畸形。也许她期待他说，庆长，我愿意为你脱离一切关系。我的生命里，只愿意有你一个。我愿意对命运逆向而行，看看我们的终局到底会是怎样。这是她内心激进的理想主义所要求的爱，有勇气，有担当，可以打破一切，可以做出牺牲，可以付出代价。但她非常清楚，这不是许清池的行事规则。他不愿意伤害身边任何一个女人，他希望生活平衡完整。

那么如此抒情又有什么意义。只是令她意识到这无力动弹的失望并更为刺痛而已。

她暴烈的个性已起，起身推开椅子，跑出餐厅。清池追随出来。一条通向大海的栈道大风呼啸，尽头是夜色中大海，黑色怪兽般巨大礁岩被涨潮拍击出汹涌浪花，发出惊天动地撞裂声音。她一直奔跑至边缘，对着大海狂风，一动不动伫立，凛冽寒风吹到身上穿透单薄裙衫，脸上泪水全部干涸。这一刻所有被推后的现实全部逼至眼前，她看到自己在这段情感关系中的寸步难行。看到自己在世间的边缘位置。

她如何才能够跟随这个男子，她可以去往哪里，她如何自处。这失望贯穿的不仅仅是她对他的爱，还有她对自己人生的态度。

此刻，清池在后面已经拽住她的手臂，同时飞快脱下身上西服，用力裹住她的身体。从后面把她紧紧拥抱在怀里。

8

他说，我要跟你在一起。但他所在的地方，都已没有可以容纳她的位置。

她只能被放置在酒店里。酒店是脱离他现实生活的空间。他们从未得到过一个固定住所，可以安歇下来静静生活。她无法接受酒店的气味，以及属于他们各自的行李箱。两个人总是在路上，在不同的餐厅吃饭，在不同的酒店房间辗转。仿佛他们注定是短暂拥抱后各奔东西的伴侣，仿佛他们的生活是临时搭建的舞台上匆匆演示的一场戏剧。

如同每次终局，他理所当然买上两张机票，各奔东西。从未拥有相同方向的回程，从未拥有相同方向的未来。在她敏感的内心，她认为这个男子无法对他们的情感做出最终安排，即使她明白他无能为力。不断爆发的争执，也影响他的工作状态。有一度时间他非常颓靡。

不管如何，冯恩健离开中国之后，他与于姜紧密相联，一如往前。他因为工作经常回去温哥华，顺便回家看望妻子孩子。而在北京的日常生活，基本上住在于姜别墅。这一点他并不告知庆长，也许是怕她介意，他营造依旧住在原来家里的假相。但她在于姜持续的日志里，却看到他们共同生活的轨迹有条不紊：他陪她听音乐会，为她钢琴课专场演出捧场，带她看牙科，计划带她去欧洲滑雪，生日时送她大捧玫瑰花和奢侈礼物……被乐此不疲一一罗列上去的记录和照片，一直呈现赤裸现实。

同时，他发短信给庆长，每天打长途电话倾诉思念。他不知道庆长拥有途径和通道观察他的双重生活。如果她还能得到途径和通道，获知他在温哥华的家庭情况，那会是更多残酷考验。但其实无需想象他跟妻子儿女的相处，许清池一定是形式上无懈可击的丈夫和父亲。除了他的心。只有他的心，那颗心时时渴望逃遁跳跃到高山顶上，遗世独立，眺望天清地远。这是一个多么自相矛盾的男子。

在一次激烈冲突中，他说出实话。他说，庆长，我没有时间解决与于姜的关系。工作忙碌，事务压迫如山，说服她离开需要时间。这不是简单事情。他又说，我不忍伤害于姜。她17岁就跟在我身边，如果我离开她，她的生活就被毁坏。

是。于姜要回到她自己的阶层里面去。她将失去这些原本不属于她的生活，跟身边同龄人一样，被打回原形，为衣食奔波，寻求栖身之所，除非另外再找到一个依傍。但另一个年龄也可以做她父亲的男子，不会是许清池。她知道他的好处，不会轻易离开。而且他与于姜时日久长，他们根本不知如何分割在数年共同生活里积累的庞大的回忆、习惯、信任和情感。即使他已不再热烈爱她，责任和内疚仍在。

他无法直接伤害她，即使要离开，也不愿是主动开口那一个。他只会冷漠，拖延，回避，敷衍，维系，期待对方忍受不住最终主动提出。于姜不过21岁，她有时间和他消耗，她也从不想要离开这个推动和资助她的男子。所以，庆长要成为在后面排队的那一个，与他一起等待于姜自动退出。

或者，他也可以保留与于姜原有的家，另外开辟一个属于庆长的家。但他已没有余力，负担沉重。在温哥华和北京共三处独立别墅房产，五台车，日常开销，包括三个孩子的教育费用，医药保险，缴纳各种税金，父母家人的照应，对三个女人的照顾开支。他竭尽全力所剩不多。他也许可以给庆长租赁公寓，但已无力在国内购买价格膨胀的房子。他说，我不打算在中国再购买房子。他拿了一本温哥华地产图册给她看，加国别墅环境优雅建造优美，价格比中国便宜许多。他不信任中国地产。说，如果以后我们在一起，我会在温哥华买一栋房子，前提是，你要愿意跟我去国外生活。

这种蓝图描绘，对庆长无效。庆长觉得他对于姜早就说过这样的话，并且也付出过行动，带于姜去加拿大旅行过一个月。但现在两个人依旧生活在北京。北京气候和交通的恶劣，生活之不便利，环境之粗糙，有目共睹。他工作在此，不能由他自己选择。更何况，在中国他的婚姻可以形同虚设，相距遥远，冯恩健看不到，乐于装作不知道，不会直接冲突。但一旦去了国外，他的家人和妻儿，怎会做到袖手旁观而不参与力量干涉。

他失去法律意义上的自由。他的身份、精神、经济、个性各个方面都有局限和束缚。他没有空间也没有能力，开拓与庆长在一起的生活。

庆长独自时，理性分析这些背后隐情，层层盘剥，逐一推断，更加清楚她与许清池之间的未来，障碍重重，根本没有出路。不用说与他生儿育女15载的冯恩健，哪怕是于姜，她都无法推动。她也不想。她不会处于被动境地，也绝不轻易陷入这混战。她觉得许清池应有的态度，只能是挑起担当。如果他想跟她在一起，他应该，并且也只能，坚决去解决他感情生活中的所有问题。而不是犹豫迟疑，搬出种种借口，维持他自我世界的平衡。

如果他做不到，那么她就与他对峙。绝不妥协。

9

他说，没有女人跟我剧烈争吵。只有你，庆长。也从没有女人动手打过我，唯独你。

越是这样寒心，越是执拗任性。如同回到少女时代，为了脱离贫乏寻找一条出路，四处碰撞斗争，不罢休，不妥协，硬要冲出一条血路，这样的倔强心意。她对他言辞日益刻薄，说话总不留余地，挖他伤疤。唯一根源，不过是她已过29岁生日，他始终一无作为。只能把她带在身边，流连辗转路途上，没有任何推进和改变。

他承认他体内有两个自我，两重人格，两种需求，两条轨道。也许这同时是他魅力所在。既不是纯粹的乏味功利的商人，也不是虚无的理想主义的追随者。兼具理性和感性的碰撞，尽力做到平衡均匀。这是他天性里的秘密。从某种程度上来说，这平衡均匀的反面，是一种缺乏血性和勇气的迟疑，一种回避伤害和冲突的伪善，同时，总是在制造诸多借口，以此维持自我和解的假相。

如果找不到对自己对他人解释的理由，他会堕入混乱之中。混乱令他觉得失败。所以，这是他一定会强力控制的事情。他宁可选择回避一切真相，并且总有理由。

他说，我已和她提出过分手。她不同意，深夜出走。说，我和她之间还要种种问题需要解决。她出言锐利，说，我看不出你们不过一对同居男女，没有孩子，没有共同财产，没有法律束缚，为何分手比15年结发夫妻更为艰难。他勃然大怒，说，你根本不知道我为你付出的是什么，我也不会再说出心里的话。我所有对你付出的感情，都被你扔到土里践踏。

如此打斗已成为恶性循环。那时他去法国出席内部公司会议和开展销会，需要半月时间。也许他情感疲惫，心神混乱，开始逃避面对问题。不打电话，每天只发一两条短信。这种临阵奔逃，退缩自保，使关系彻底陷入僵局。怨怼，失望，被强行封闭的情感如同浑浊河水使人窒息。剧烈争吵。持续冷战。她在漫长黑夜难以入眠，浑身颤抖，只能流泪不止。

她无法以理性与这个男子相爱。曾这样强烈而真实侵入彼此肉身和情感，如同各自身体里的一部分，无法隔开距离，无法以进退自如的面具应对。她在他面前曝露无疑的，是童年期贫乏缺失的自己，一个失去凭靠和信任的女童，对感情持有根源一般的需索和质疑。她所有成长，在与他的关系之中失效。她面对这个男子，身心赤裸，这使她回复幼小。

他被她逼迫如困兽，无法自圆其说，无法视而不见，无法突破和进展。内外夹击，失去所有平衡，失去往昔种种优雅洒脱，爆发出怒吼和暴戾前所未见。他说，你把我扭曲至此。庆长，你为何这么大的力气。

这样的血肉相搏，最终把人赶尽杀绝。

10

庆长，你为何这么大的力气。

对抗某种下沉的执拗和蛮性，是她骨子里的力量，但它们并非天性就有。如同受伤之后树的缺口分泌出汁液包裹修补，不过是为了自保免于伤痛，不过是为了继续存活。如果一个人面对生活的缺陷、苦痛、损失，根本没有逃避或躲藏的可能，那么就只能承担、忍耐和顺服这命运。他必须积累这么大的力气，否则会瘫软在地，任凭生活下沉的力量摁捺锤打。直到成为一坨烂泥。

她曾经时时追问祖母，母亲什么时候回来。渐渐不再问，知道不会有答案。再见到母亲是在10年后。当时幼小的她无法预计时间安排。她由祖母抚养，父亲一蹶不振就此生了病。长时间住院，经济拮据，出院之后，躺在家里一个小房间养病。拖延一年半之后死去。

死亡来得没有声息，损失和匮乏只留给存活的人世。守夜晚上，祖母哭倒在椅子上几近昏迷，一到正点，又机械起身，用力扑倒在棺木前嚎啕大哭，如此反复直到天亮。这是她第一次目睹悲痛的力量，它蕴含强大的坚韧和冲动。庆长却没有一滴眼泪。她与父亲一直生疏。他也许隐约带有戒备恨意，她长得与母亲面容相似。她看到的父亲，是一个被贫乏生活和失败婚姻打垮了的男子，此后再无翻身之地。

12岁，祖母去世。在叔叔家里寄养3年。

叔叔做生意，长时间不在家里。婶婶和其他孩子苛责她，度日艰辛。饭桌上有好吃的菜唯独她的筷子不能伸。做许多家务，又时时遭受斥责讥讽。她见惯婶婶恶形恶状，克节克理。越是亲近的人越彼此缺乏怜悯。即使那时婶婶过得不容易，婚姻大抵也不幸福。年少的她实在无力理解。有时婶婶刻薄言语激起她的恶，两个人对抗激烈动起手来。她离家出走，并在那时开始逃课。深夜回来没有饭吃，邻家伯母把她领进小厨房。用开水泡冷饭，煮热稀饭，拌上酱油和猪油给她吃。这是童年印象中她唯一认为是美味的食物。

邻居说，这个独养囡犟头倔脑，没有父母真是可怜。这些直直骨骨的议论，带来的不过是日益积累的心的紧缩和刚硬。对人的戒备，莫名的敌视，对情感的失望、质疑和抗拒，当然不是一日之内形成。事实上那是漫长的磨损和成形的过程。

15岁，她被百般无奈无计可施的叔叔送入寄宿高中，从此一直住在学校宿舍。放假时也不愿意回家，无处可去，时常流落在街头、百货商店、图书馆、车站，只为在人群中获取一份热量和空间。几乎没有其他选择，她开始恋爱，和高年级的男生。庆长有天然的吸引力，也许来自她犀利而激烈的情感需求，对方无法不产生感应。这样有时可以去对方家里过夜，比她年长的男子也会给予关心照顾。

她非常早熟。生活缺陷无法克服也无法超越。

那年，母亲从深圳回来探望她。住在她学校附近小旅馆里。

母亲面容没有太多变化。连身裙，浓密漆黑云团般头发。熟悉的属于母亲的气味，属于那个蹲在她床边哭泣的年轻女子，那年母亲26岁。见面时，母亲36岁。她再次离了婚，带着后来生的男孩还要再嫁。强盛的母亲，生活对她来说，是一段段持续冒险的路程。她总是走在路上。

在一家小餐厅里吃饭，无话可说。庆长穿着学校制服，白衬衣蓝裙子，纤瘦冷漠。过早恋爱和无所归属的生活，使她脸上有了成熟女子的表情。坐在对面分明是一个陌生中年女子，她们已不了解彼此生活，为何再次相见。母亲在生活转折关口，想起不幸女儿，以为可以彼此怜悯吗。不。她对母亲没有怜悯，就如同她从来不曾怜悯自己。怜悯是带着鄙薄的。她对人情已没有任何信任。

她一言不发，母亲被激起而愤怒，说，庆长，为何你这般对我。母亲往日脾气没有更改，抄起桌上菜盘随手砸在地上，碎裂瓷片四处飞溅。她冷眼旁观，嘴角扬起一丝嘲讽笑意。激起对方强烈反应，即使是恨，也是感情存在的证据。她要得到的就是这个。

她起身要走，被母亲拉住。母亲坚持让庆长去旅馆房间。她脱掉鞋子衣服，躺到床上，面对墙壁保持沉默。她的确不知道要对突然出现的母亲说些什么，只觉得无由的深深的疲倦，就这样睡了过去。凌晨时模糊醒来，母亲在背后拥抱她。拥抱她的姿势，仿佛她依旧是幼儿，一只手切切抚摸她的头发、肩头、手臂，无限疼惜爱恋。母亲克制的哭泣中，有内疚、哀伤或是一种无能为力。对她自己的生活，对庆长的生活，一种无法推翻的屈服和挫败。

庆长背对母亲，一言不发装作入睡，看着光线暗淡的房间墙壁，无声流下的泪水湿透枕头。心里想起5岁时临远夏季旅行的山顶亭子，伫立窗边的自己和玻璃中映出来的母亲。她们生命中一只衔鱼跃起的白鸟已飞远不见。生活在瞬间奋勇的奇迹之后，只余留下漫长的困顿。但痛苦的时间，还是太久了。久得没有至尽一般，久得看不到过去，看不到未来。只有当下此刻难以煎熬只能强力支撑的失陷。

她是成年少女，已不是轻信奇迹需索承诺的天真女童。内心有强烈冲动，想转身拥抱母亲与她一起哭泣，想对母亲说，妈妈，请不要再离开我，请带我走，带我去你的城市，让我跟你在一起，再不要分开。但内心所有呼唤只化作静默的绝望。她知道母亲对摆放在她们面前的生活无计可施。而她自己，幼小软弱。这样的卑微境地，她除了忍耐不能有丝毫兜转。

天色发亮，母亲起身收拾行李准备离开。在背后再一次拥抱庆长，亲吻她头顶头发。庆长闭上眼睛屏住呼吸，用全部注意力倾听对方离去的脚步，以及关上房门轻轻喀哒一声。这声音使她的心脏碎裂。她起身看到充满微明蓝光的陌生房间。桌子上有母亲留下来的现金和一页书信。她把现金塞入裙子口袋里，把书信蜷成一团直接扔进墙角垃圾桶。

她在镜子里看到自己的脸在瞬间衰老。一张成年女子的脸，上面有被雨水和失望击打出来的痕迹。

推开房门，走过旅馆通道。如果曾经有过对孤独如此强烈的感受，此刻无可回避。身体每一个部分都在被洞穿和碎裂。这种四分五裂的意识，这种破碎，把她摧毁。如同地球此刻再无他人，只有她自己。她从未有过这样坚定的叛逆之心，要对抗这一切。宁可把心关入铁笼，也将不再让任何人或事物来伤害她。

11

她以为不会再有爱与被爱。即使无爱，仍旧要装作没有爱也可以存活下去。这是一种对抗的决心。

热衷刺青，感受针尖在皮肤上穿刺的疼痛。去偏僻危险地区，翻山越岭，长途徒步。以肉身贴近天地，感受它的暴力和洗礼。反复恋爱，与他人试图联结，执着渴求情感，丝毫不顾惜，自虐虐人。打开全部身心，投入工作，竭尽全力。尝试和实践一切手段，让生命成为一匹在河流中被反复捶打和漂洗的粗砺沧桑的麻布，直到它变得清淡通亮。青春曾如此残酷剧烈。

遇见一同，结婚，迁徙。获得机会离开不堪回首的小城。她一直想打包过去，以空白身份重新开始，持有出发的希望，以理性和现实的行动超越生活束缚。即使现实一次一次让人受挫，但从不屈服。

与清池的恋情，像一面镜子，让她再次清楚看到自我存在。虽然她用力并且坚韧，内心对情感的畏惧和渴念仍未被治愈。期待爱，需索爱，渴求爱，倚赖爱。如同用力地抓捏流动的水滴，穿梭的风速，虚弱的自我，变幻的情感。如同捕捉空中的花，水中的月。这是早已被注定的虚空。

12

在日志里，她看到，原来他去法国带上了于姜。

他们同在巴黎。期间于姜生日，他带她去南部度假。她穿着他为她新购置的白色夏奈尔裙衫在漫无边际薰衣草紫色原野里拍下照片。写下华丽句子，记录法国浪漫旅途。即使清池对庆长说，因为他对她提出分手，她多次哭泣吵闹离家出走，但在日志里，她从不透露任何冲突心迹。她故意忽略苦痛，强调愉悦，或者说，试图说服和确认自己拥有无限延伸感情的未来。于姜以天性或伪装的单纯无知，继续谋取前途。这是她的强大。

在某个角度上来说，她凭借这种强大打败了周庆长。最起码，现在在法国与许清池在一起的人，是她而不是庆长。

庆长久久观看照片。于姜年轻面容笑靥如花，她试图想象站在薰衣草田地边手持相机的清池，是什么处境什么心情。他什么都没有告诉她。以为她不知道故意隐瞒，还是觉得这本来就是与她无关的事情。他再次选择逃避。

此刻，她只觉得内心冰冷安宁。如果他与于姜一起，是逃避之后愿意隐遁的处境，她又为什么执意要让他分出立场。不合适的人，怎么会在一起平安无事度过4年，并且是在彼此没有婚姻前景的现实之下。不合适的人，不会这样难以分开。这个少女单纯温柔，充满活力。她不像周庆长这样暴烈执拗，并且质疑拷问男人。她懂得取悦驯顺，这比什么都重要。

而她，一再逼迫他，的确好强，咄咄逼人，一意孤行，无法容忍他的平衡自保，无所作为，理所应当。她不想取代于姜，更无可能取代冯恩健。她要的只是确认。确认他们之间的感情纯粹真实，互相隶属。她的理想主义危险倾向，在这个离生命如此之近的男人面前，遭受崩塌。她执意追究他对待这份关系的态度，哪怕只是一个姿态。物质和世俗的一面，她没有野心欲望，唯独对感情所注重和维护的要求，是这样一种格格不入的骄傲。

在如此卑微分裂的模棱两可的现世，高傲和纯粹的感情何以存活，它注定被损伤、落空、挫败。

以前Fiona对她说，庆长，你注定孤独，因为你总是试图保持清醒。水至清则无鱼，人至察则无徒。不用说朋友，即使是深爱你的男人，都会困惑于如何长久与你相处。你把洞察到的黑暗追究到对方和自己身上，从不原谅。Fiona是正确的。糊涂或者假装糊涂的人才是有福。庆长宁愿在一段关系里是个瞎子，什么都看不到，什么都看不清。但事实是，她看到太多，看得太清楚。并从来都无法做到假装视而不见。

各种形式的关系，不过是包裹各自幻想和欲求的纠葛。撇去虚假、夸大、期许、自我麻醉、贪恋、执着、妄想……还能剩下什么。人与人的关系禁不起这般深入骨髓地盘问、挖掘、剖析、分解，真相从来都不悦人眼目。自私软弱的人性，在厮打揪斗中，如镜子般对照映显。

以成人的形式孩童的内核需求包容照顾，需求承担付出，需求母性父性，需求天长地久，却各自匮乏陷落，无力愈合填补对方。这关系的残酷性被逐渐过滤出来，最终把对方赶至角落，榨取出彼此小心潜藏的被保护的恶性和缺漏，就这样损毁到底。

在精神和肉体上依赖需求，超越现实种种。但这种依赖需求，最终又被现实扑击。这不能不说是人类情感所持有的天性缺陷。如果以所缺陷和匮乏的轮廓相爱，不能相贴重合，只能是断裂。我们向往和爱悦天上飞翔以及闪耀的东西，但我们只能站在地上。

庆长意识到她和清池的关系，注定的自相矛盾。这样一种对现实的无解，一种毫无出路的绝境。

13

清池发来短信，或者打来电话，她不再接应。只发过一条短信给他：我们彼此拖拉旷日持久。我认定自己在感情不拥有中间路线。我也看到你做出选择。让我们各自平静存活。不再联系。

发出之后，她更换手机号码。他务必会继续寻找她，但找也无用。他已不具备力气去承担和容纳她在他感情中的存在。她对他来说，太重了。他对她来说，太弱了。只是如此而已。

她只要一份单纯的感情，一个单纯的爱人。清池教她开放自己迎接另一个生命的能量和灵魂进入内心，这沉痛实践带来伤害。他的肉身在世间不过如她一般千疮百孔的存在，软弱，贪心，推卸，逃避，无力承担。即使她看穿他作为一个俗世男子所具有的矛盾百出的情感特性，即使她早已知道这段歧恋突破世俗规则难以被容纳理解，他们的关系里，有一部分始终超越其上。

冰天雪地陌生异乡，他千里迢迢赶赴她身旁。凌晨在逼仄简陋的房间里醒来，看到手被另一双手紧紧交握，一刻也不松懈，从未有过的安全笃定。世界再如何荒芜无边，脚下深渊不可探测，又有何关系。她找到一处火源，靠近它，以火光照亮身心，暂时苟且偷生。没有他，她孤立无援。

感情即便单纯强烈，在现实的严酷和客观性之前依旧处处碰壁，没有出路。最终只能采取自保各奔东西。无路可走，回到自己的身边。只有在无爱的境地里，才能获得沉睡、治愈、休憩。如果说这是自私，她早已看透自己和他人种种被妄想和幻觉所包裹着的自私。就让这无解的自私进行到底，走向破碎。除了冷眼观望被碾压而过的挫败和碎裂的自我的尸体，没有他途。

彻底撤离对他的幻想、期待和憧憬，同时撤离她对彼此人性的质疑和拷问。

14

一颗心，每天像被一只手紧紧地揪着。

疼痛，虚弱，不能自主。一种从内到外的抽离和剥取。无力感。发不出声音，也不再思考。身体，心，被压缩成单薄一片，只余下存活本能。独自度过一个月。默默无言，日以继夜对着电脑工作，吃很少的食物。困倦到极点，衣服未脱，灌下半瓶酒，躺倒床上入睡。无人对话，无人消解，无人分担，无人介意。这不过是她一个人的事情。而她，除了以工作、酗酒、麻醉、忍受煎熬度日，已找不出其他任何方式可以失去清醒，对抗时间。

如果没有足够被磨炼过的心理上的坚毅，恐怕早已无法支撑。她是对苦难可以做到麻木不仁的人，她一贯如此。

即便如此，呵，也只有被真正伤害过，或者伤害过自己的人，才会明了这种克制和沉默，是一种怎样的负荷。整夜无法入睡，旧日记忆摧毁心脏，理性即使再清醒、自知、分明，感性在某些瞬间如洪水猛兽绝不相饶。无望，对背叛和放弃的怨恨，对爱的渴慕，留恋，惋惜，悲伤，失落，激愤，勉强，无奈……泪流满面，失眠深夜中几近觉得无力存活于世。

所有混沌而剧烈的情绪像大海潮水起伏、交叠、变幻。有时她能够旁观这些潮起潮落，有时被翻滚其中无法自拔。爱的熄灭令人毛骨悚然浑身碎裂，就这样被沉默凌迟。在意识到有求死之心时，她把厨房里所有刀具锁进抽屉。

清晨醒来，看到自己依旧存在，镜中女子消沉苍白，但始终神情镇定。日复一日，丝绒布一旦撕裂，严酷生硬的现实便成为架起脆弱肉身的庞大机器，冰冷，创痛，无可回避。以绝不饶恕的力度和重量，在崭新开始的每一天，重复碾压和揉搓这虚弱仅存自保的生命。

一个晚上，她独自在酒吧喝酒。喝至心跳惊惶，手心发颤，感觉神经麻痹。凌晨3点打车回家，无法分辨街道位置，只是瘫倒在后座上，任玻璃窗外吹来凉风，眼睛里泪水没有知觉源源不断滑落。司机发现她一直说不清楚位置，车子来回兜转几圈，只能下车问询路人，把她送到家门口。她付费下车，脚步并不踉跄。冷静拿出钥匙开门，走进房间。还有半瓶剩余的威士忌，倒在玻璃杯子里，如同喝水一般快速吞下。又倒出第二杯，快速喝掉。

倒在床上，把肉身扔进麻痹之中。

庆长，你在这个世界上，追寻的是情感和温暖吗。你可知道它们无常、脆弱、碎裂、虚空。我们不可能为情爱而活，它充满幻象。它出发于自私软弱的个体，它不是解脱。是。我都明白。但此刻，我不是29岁的周庆长，还有时间深处的自己。内心缺失和陷落的黑色团块，尽其所能隐藏在封闭角落，如今被一一掀开。我不是在跟一段关系做斗争，是在跟自我做斗争。遭遇自己，迎头痛击，这是必经的道路。

意识模糊的脑袋里出现清晰异常一段对话。同时，她被一种混沌而剧烈的力量牵扯，身不由己，只知道此刻内心真正渴望的东西是什么，一定要对自己做些什么。对。要感觉到肉体的疼痛，让心致死。

没有开灯，跌跌撞撞摸到桌子边，打开平时锁住的抽屉，从刀具中抽出一柄水果刀。心里没有任何畏惧或犹豫，把刀刃搁在左手手腕上，割划，刺破，血液渗出滴淌。带着鲜血淋漓的手臂，她重新躺倒在床上。

酒精作用令人快慰，痛楚被推远而迟钝。全身如同被麻木硬壳包裹，内心有一个缺口却被无声分裂，释放出被百般压抑克制的自我。来回翻身，四肢难以自禁抽搐，身体上下弹动，颤抖无法自控。胸口迸发出失去意识的喘息和嚎叫。这样惨痛的自我爆发，在没有酒精的时候，会被理性和羞耻所克制。但此刻，躯体内所有情感，随着这振动和嚎叫释放出来，痛快淋漓，无可救药。如同坠入地狱般的煎熬，引火自焚，粉身碎骨。

呵，这需要用如此强烈的痛苦去偿还的畸恋。人身不由己，没有可能逃避，只能被索债，直到终结。她像濒临死亡的野兽，发出嘶吼和挣扎。从未有过这样大的力气去消耗和伤害自己。也许，她试图让心里那头以痛苦和黑暗喂食存活的野兽死去。周庆长需要死而复生，周庆长必须死去一次。

她给定山拨了电话。这是她此刻在这个世界上唯一可以凭靠的人。他理性淡然，缺失情感却不需要也无知觉。她神志迟钝，不知道对他说什么，但却必须要对一个人说话。

她说，定山，我对你说过的话依然正确。人生短暂，世事无常，我知道情爱欢愉如同清晨的露水稍纵易逝，但即便如此，也一定要得到它的存在。生命苦痛和悲哀太多。哪怕一丝丝光线渗出，也是我的所求。

她说，我被长年积累的孤独打败，输给一直匮乏的对情感和温暖的需索，同时也屈服于情欲和幻象之下。这是我注定的沉沦。

她说，我因此知道，我不过是个彻头彻尾的失败者。

15

定山即刻赶到。床铺上的斑斑血迹和她酗酒自残的放任，使他把她带走的意愿异常坚定。她住到他的家里。他守着她，煮米粥，熬蔬菜汤。待在她身边，默默无言。她食不下咽，体重迅速减轻，日渐消瘦，只是长时间睡觉。仿佛不愿意从昏睡中归来，以此逃遁赤裸裸暴露的现实的机器。

有时深夜，他走到她床边，轻轻问她，庆长，还是这样难吗。她没有睁开眼睛，微弱地点点头，他便走开，去看电视或打扫厨房。有时凌晨，他又过来问她，庆长，还是这样难吗。她在微微发亮的天色里依旧是点头，他再次走开。直到某天她能够开始交流。

他说，庆长，人不做违背本性的事情，如果你如此煎熬，离开他是不对的。可以去争取他，放下自尊，丢弃猜疑，找他谈一次。假设只有感情才能够让你完整，为什么不设法去得到。

她冷静下来之后变得自知，说，我与他情感模式不同。我需要纯粹坚定完整确认的感情。这种不切实际的理想主义肯定是一种悲剧，但我不能说服自己放弃。这是我的信念。如果我接受他随机自保平衡分裂的态度，那是妥协和屈服。我无法做到。定山。这是他的方式，不是我的。他的方式令我觉得不完整，不彻底，是一种自欺和受辱。我宁可失去他。

他说，实际状况复杂，也许他有难言之隐。为何不给予他耐心和时间。

她说，我并非对时间失去耐心。等他10年都没有问题。但我对他的情感失去信任，他摇摆不定，犹豫不决，其实并未对这份感情持有信念。我不需要表演、戏剧和娱乐，我要的是确认和证明。我知道这种方式太刚烈，僵化保守，独断固执，它会被折断而不会有结果。但我愿意接受这结局。当下我所能够做的，就是承认失败，保持安静，试图自愈。

他说，那么，你好好休息，尝试让自己复原。虽然痛苦，但这痛苦每天多睡一晚便少去一成。时间是最好良药。一天一天过去，所有创痛和破碎，终究会得到平息。也不过是如此。

16

他带来的情感，像火光一样被点燃，满天烟火绽放。熄灭之时，却看到处境之荒芜败落更为急切逼真。她清楚对他的放弃，是对自我的一种放弃。与他的终结，使她不再确定在世界上的位置，只能随波逐流。即便如此，她要勉强并且用力支撑，继续存活。

保持沉默，自生自灭。一如大部分日常的人，忍耐着生活下去。

她没有再回去住所。按照定山的意愿，退掉房子，与他同住。定山愿意照顾她。对她而言，她也担心清池回国之后去租住房子找她。安顿下来之后，需要更多内容和行动让生活忙碌，以此失去回忆和情绪。除了文字工作，她又去一家美国人开设的私人性质孤儿院做义工，给残疾孩子洗澡洗头剪指甲喂饭，与他们说话。庆长长久以来，觉得有社交障碍，一贯不擅交际，对人常常无话可说。为此她的生命持有缺陷，一直生活在社会边缘。这份工作她却可承担，对着幼小病弱孩子，无需刻意，纯真之处自有心领神会。你一句，我一句，话题无穷尽。地上蚂蚁，花朵露水，光束中的尘埃，雨水声响，手指数目，衣服颜色……样样都可耐心对答半日。

她教他们背古诗。第一首是《春晓》。

春眠不觉晓，处处闻啼鸟。
夜来风雨声，花落知多少。

大声读它，就觉得简单明了20个汉字，足够把人的一生道尽，把前世过去和未来一一安排就位。

这首古诗具备光线一般的禅性。通透，清明，概括洞穿万物。如同从“空”中捎来的一封信，这句话来自一个日本和尚。那段时间，她以阅读禅书打发闲暇。在这封信里，她读到关于时间和心得的信息。读到童年时迎石阶而上的路途，飘落裙子上的白色海棠花瓣被风轻轻吹散又飘落到空谷。读到内心如水波轻轻起伏澄澈如初的情感，她的爱并未失去干涸，而只是被损伤和隐藏。读着读着，声音越来越低，孩子们逐个入睡。轻轻抚摸柔软的小小身体，闻到只属于孩童的幼小发丝和肌肤的气味，纯洁芳香如同幼兽的气味。空气慢慢静寂，只听到嗓音低微振动。

不知不觉，一头漆黑浓密的直发越发地长了，抵达腰际。她从不去理发店修剪，只是小心清洗和梳理。有时把它编成一根印度式的粗长辫子，发丝中缠绕深蓝和暗红的细细棉线。就这样，度过夏天的30岁生日。

人会在瞬间变老。庆长真正地觉得自己老了。

第八章　　信得。夜航与书

1

16岁，她独自去英国读书。大学报考分子生物学，没有选择其他热门专业。这门学科试图了解生命现象本质及其客观构造。感性，灵性，意识，情绪，情感，这些组成，她经由与贞谅共同生活，已触摸到此中结实血肉。把所有经验，先大力织成一块平衡光滑的织物，再慢慢切割它的经纬，剖析它的纤维属性。也许她一直渴望能够更广阔和客观地检视自己。

在过程中，只是逐渐感受到幻灭。理论对了解自我质地没有最终帮助。贞谅赋予她颠沛流离四处游荡的童年，已成为内心观念的坚硬基石。她只信任身体力行得以检验的真实事物和直接经验。

伦敦是阴郁而不存亲近的城市。古老建筑，人群面无表情生疏有礼，性情的保守和刻薄，与它无血缘的人无从领会。学校里身材瘦削脸色苍白的欧洲同学，她与他们无话可说。细雨霏霏的气候常有，雨水使人倦怠。休息日，她独自带一把长柄雨伞，穿黑色大衣和球鞋，背帆布包，坐地下铁穿梭整座城，逛遍博物馆，美术馆，教堂，广场，集市……所有大街小巷。用脚步丈量地图上的每一个标记。疲龛时，走进街角咖啡店买一杯热咖啡，一只夹新鲜奶酪的全麦小圆面包，坐在落地窗前的高脚木椅上，看着街景进食，休憩。雨中的古老建筑，清冷轮廓湮没于水雾中。电车开过叮叮当当。耳边略带坚硬腔调的英语嗡嗡作响。

她说，在这个城市里，我得到完全的隔绝，因此觉得自由。

20岁，她意识到生命陆续缓慢长出新的结构和部分。她仍旧习惯在眼皮上描出漆黑粗壮的眼线，眉间涂上戏剧化的白粉。皮肤黝黑，东方面孔，一双眼尾细长的漆黑眼睛，单眼皮，眼神高远冷淡。十年如一日，始终是齐眉刘海的浓密长发。她来自高山上与世隔绝的少数民族村庄，唯一留存下来的样本。同学老师以为她是日本人或韩国人。她说她是中国人，他们会问她来自中国哪里。她无法说明经历，生性严肃，不爱插科打诨嬉笑过场，于是从不解释也无说明。很多人因此认为她倨傲。

她的确无法轻易说清内心容量。那里隐藏的黑暗深沉难辨。

跟身边同龄人并不靠近，几近活在完全不同的层面。她少年时想要和贞谅反向而走，在临远积极投身友谊寻找伴侣，成年之后却自动放弃。投靠人群需要付出太大代价。事实上，她并不知道如何与人互换。她的生命在按照一种既定的秩序坚定有力地抽生、蓬勃，即使是新生的结构，也遵循同一轨道。等她清楚自我的属性，她便也学会了坦然接受孤立。

因为失去对情感的信仰，投入情爱姿态不羁。不交结朋友，只有恋人。很多恋人，男性，女性，年龄身份全无限制。与不同肤色不同语言的人进行肉身的联结，这种短暂而迅急的麻醉，使她一度无法自控。与旁人的关系，都以自发行动作为主要方式，直率，热烈，截然干脆。她耽溺于性与药物。

种种方式，不过是想暂时得以忘却。忘却存在，忘却记忆，忘却时间，抵达日常经验无法揭示的心灵层面。听到，看到，感觉到种种清醒时无法被打开的超脱大门。只要能够有效完成，哪怕昙花一现，时效完尽，身躯跌落大地分崩离析。这些礼物，暂时使她忘记自身是个异质的存在：没有亲人，没有故乡，没有归宿。她被放置在世界任一角落，随波逐流，孑然一身，自生自灭。

我们是否一定要寻找和回归故乡，这样才会联通本源，让心安宁。15岁时，她询问琴药，并要求他日后安排时间带她去寻找春梅。他答应她，但说，其实你未必需要知道自己从哪里来。最终，你也不会知道要去的是哪里。所谓故乡，我们回不去的地方，你不必担心没有家，没有血缘的认知。我们每一个人都只是暂存这具肉身之中的过客。度过此生，是让灵魂完成这段旅程，让它获得超越的能量。世间所有地方，不过都只是旅店。也许以后我们还回来。也许不再回来。

你希望自己回来，还是不回来。

当然不要回来。如果回来，那说明我们的力量不够。

2

16岁冬天，与贞谅最后一次去往清远山。

山顶上废弃古老的寺庙，清远寺，大殿里有三座佛像，分别代表过去现在和未来，用生长一千年银杏雕刻而成。清远寺也许是一座真正的庙宇，古老，被废弃，永恒仪式感的佛像，没有人来烧香跪拜祈求俗世繁荣。寺庙历经浩劫多次，被战争和权力交替轮番洗刷。后来有一年，雷电劈击殿前老玉兰树，引燃火灾。但始终没有人扰动三座大佛，佛像完好无损，大佛神情目空一切。

庭院里腊梅在雪后凛冽寒气中绽放，黝黑色清瘦枝干上，金黄色梅花密密排列，散发出清香，在灰白天色里显出勃勃生机。破损墙壁上留有墨迹，有人用放逸行书抄了一首晋人的诗。

山气日夕佳，飞鸟相与还。
此中有真意，欲辨已忘言。

她们在诗句前伫立，长久凝望这片字迹。

晚上住在寺庙旁边的小旅馆。这家私人旅馆名叫清宿，每次来山顶，她们都会住在这里。旅馆有温泉，在露天温泉里浸泡，细雪落于头脸轻轻碰撞，嗞嗞融化在滚烫热汤里。她和贞谅全身赤裸，偶然而稀少的亲密靠近。她紧绷绷的身体，仿佛蓄势待放的花蕾，坚硬青涩。身心极为早熟，也许因为身边存在一对内心深沉不驯的成人男女。贞谅纤瘦，但毕竟是在褪色中，肉体有一种熟坠。如同已开到盛期的花树，在释放出内里最后一股力量。她的手臂、后脖以及后腰上的刺青，花纹均来自古代图饰。

她记得那刻当下，这个成年女子对她说的话。

贞谅说，信得，不知为何，我觉得人越老去，越觉得这个世界什么东西都不像是真的。只有我们的感情是真的。人若死去，什么都无法带走，余留的不过是内心幸存的记忆。只有情感与我们同行。但它在这个假的世界里处处碰壁，最后也会如同假的一般带来损伤。我的确渐渐觉得什么都不重要，去往远处的哪里，过什么样的生活，都不重要。重要的是拥有真实的情感。如果人得到整个世界，却没有得到感情，只是独自一人，他该如何存活。我不愿意寂寞至死。

她说，信得，我不愿意寂寞至死。

她说，而我要在很久之后，才能明白这句话。因为只有在那时我才能够知道，寂寞是什么。

3

那天是星期三。清晨，贞谅独自外出。

她出门时穿一件红色大衣，黑色镶银线的丝袜，丝绒绣花鞋。脸上扑了粉，涂淡淡的口红。她对装束一向率性，有时邋遢潦草毫不在意，但这次却有郑重艳美，浑身熠熠闪烁。她说要出门见人，黄昏时回来，但没有详细说去哪里，见什么人，做什么事。信得也就什么都不问。看见她手指上戴着一枚钻石戒指，心有好奇，用手抚摸这枚精光闪烁的戒指。贞谅说，你可喜欢。她说，喜欢。贞谅便把那戒指脱了下来。

她把它放在她手心里。说，你喜欢就给你，可以戴着玩玩。这是个庸常东西，不会让人显得更美。它不过是一个旧日礼物。

她看出来这戒指极为昂贵，指圈内刻有奢侈珠宝品牌的限制编号。贞谅遣送它的态度平淡自若，没有留恋，已不关心它出路如何。她只开门准备离开。她说，你逐件收拾行李，我们要走。她问，我们要去哪里。她但笑不语，对她摆了摆手，眼神表明一切早有安排，不必操心。她的红大衣鲜明耀眼，在门沿边快速掠过，如同一道彩虹光线。门外冰天雪地，阳光剧烈，湛蓝色天空如同宝石般明净而纹丝不动。

她知道贞谅已做出决定和琴药分手。她们两个即使离开临远，不过继续面对漫长孤旅。往前走或者往后退，都不是出路，总之哪里都不是家。贞谅会再找一个岛屿吗。再找一个异国小镇吗，或者再找到一个高山之巅的村庄吗。她们最终并不知道将去往哪里。所有存在过的都是临时决定。她熟悉贞谅风格。小时候某个早晨她在旅馆里睡得正酣，贞谅已打包好行李，走过来抚摸她的头发，轻快地说，起床，我们要离开。

她决定去找唯一的朋友庄一同。穿上大衣，骑自行车一个多小时，抵达他家花园门口，在楼下高声叫他名字。这个英俊软弱的男孩从里面跑出来，看见她眼睛里有喜悦惊奇光彩。他真的喜欢她，她想。忠心耿耿跟随在她身后，做她意愿的事情，附和她的想法，容忍她暴戾任性，为她偶尔的温柔主动喜不自胜。以后她还会有这样的伴侣吗。或者说，这是她需要的伴侣吗，她无力猜想，只觉得身心疲倦想获得安歇。

她说，一同，我想在你家里停留一会儿。我要躺在床上。

他的房间她来过多次。一起做作业，阅读，争论，看碟片，听音乐，嬉戏玩耍。在他铺着蓝色床单的单人床上，她脱掉外衣躺进棉被里面，神情萧瑟。他站在旁边，目光担忧，说，你是不是病了。你是否发烧。他抚摸她的额头，她拉住他的手，说，你进来抱着我。

他和她一起躺进棉被里，伸出手臂给她。她把腿压在他肚子上，抱住他脖子，脸枕着他的肩头，紧紧拥抱住这具身体。这不是她在湖边触摸过的健壮丰饶的成年男子躯体，这是一具属于少年的清洁而单薄的身体。她不觉得他美，但此刻这一切温暖而可倚靠。

一同一动不敢动，平躺着任由她需索依赖。也许感动，说出内心的话。

Fiona，我父母最近在协议离婚。我父亲有了外遇，他要弃家而去。

你害怕吗。

是。他们日日争吵。感觉这个家随时都要破碎。我和母亲要失去依傍，以后何去何从。他眼中泪光闪烁。

如果你知道一切不存在任何坚固的稳定的不变的可能，你就不会畏惧。她伸手抹掉他眼角眼泪，说，我们有什么依傍呢。时间在变化，人在变化，没有什么能够一成不变。

他知道她在安慰他，抱住她愈发伤心，开始抽泣。

她说，我未曾拥有过如常人一般的家庭，也不知道哪一天又会出发去世界哪一个角落。如果你觉得伤心，我是否该伤心致死。但我还活着，一同，你要相信，我们原比自己想象得要更坚韧麻木。一切都会变。一切也都会完尽。一切还会重新生发。一切会继续行进。

他逐渐入睡，她却清醒，听他发出均匀呼吸。轻轻从床里面爬出来，穿好衣服下楼离开。

回到家里做简单食物。开始检查书籍、衣物，看哪些需要拿走，哪些只能留下。她翻阅一本20年前的地图册，在地图上找到春梅的标示。对照后来新版的地图册，春梅被删除，周围的地形和道路描绘也已改变。老版地图册中，贞谅夹了一页素描，是她路过的春梅。她年轻时去旅行，在长途客车玻璃窗边，为它无心而野性的美所吸引。半途下车。在山路边为它画下一幅素描，直至搭上下一辆车离开。这是她和春梅一眼之缘。地震之后它消亡于世。她领养了此地唯一幸存的女童。

她想象在这个地方，哪一间木楼是她的家。她的父母，兄弟姐妹，家族亲戚，会有跟她一样的细长的眼睛形状吗，还有浓密漆黑的头发，粗直的眉毛，前额高而浑圆。如果她一直没有离开那里，现在又会是什么处境。她会在养猪放牛，做一切粗杂劳动。她不会受到教育。她很早就会结婚生子。也许一生都不会越过高山。

因这注定的天性的不确定，她极渴望找到一个稳定的地方停留，得到一个地址不会更换的住所，得到一个忠实爱慕的伴侣，得到一份心有所属可托付信念的人生。

4

她感觉疲累，躺在床上入睡。在梦中抵达一个火车站。

候车厅是巨大的拱顶建筑，坚固的钢骨结构。数条轨道上停着火车，人群熙攘，语音如同沙沙雨声。她站在月台上，手持车票，不知道该登上哪一列火车，去往哪里，完全不得要领。又怕错过时间，滞留在这个陌生地不知何去何从，心里焦灼。一个面目不清的成年女人出现，她的五官无法分辨，说，信得，我带你去。她跟上这个女人，人群变成劈开的海水。她们走的是一条孤单而空旷的通道，有密封玻璃隔离出来的廊道，两边放置形状诡异的盆景。疏朗枝干扭曲成优美造型，挂着鲜红的圆形小果实，像大叶冬青果实。走到一个检票口，一个人拦住她们，从抽屉里拿出一叠票据，给她们两张通行证。此时，她才稍微放松。在经历漫长的慌乱而无目的的挣扎之后，此刻结果，也是梦结束的时候。

很多年之后，她在欧洲某个城市的火车站里，看到和梦里结构相似的火车站。相同角度、声响、质地和气氛，当下浑身一凛，感觉如梦初醒的警惕。她用了无法预计的时间，以重复梦境为当下这个无心抵达做了漫长准备，终究最后抵达宿命指向的地点。

又梦见和贞谅一起，站在清远寺殿前观望古老玉兰树，开出硕大洁白花朵。栖息野鸟，在光秃树枝上婉转鸣叫。一朵盛极而衰的白花，从枝头脱落坠于树根泥地，发出扑一声堕落轻响。突然时间焕然一新，被剥夺参照和对立，显示出独立意味。除了当下一分一秒，不容彷徨期许。如同置身大海之中，如何数算水滴，与此一起律动，起伏，真心实意才是归宿。贞谅俯身捡拾起那朵玉兰，花瓣俱完整，饱含水分和硬度，只是岌岌可危。

她俯首嗅闻它，脸上露出一丝微笑，轻声说，信得，你可知道，事物就该让它以本来面目抵达最终的路途，不会更多，也不会更少。这也是你我所拥有和失陷的真实面目，不能更多，也不能更少。少女内心无比惆怅。轻声应答，说，我知道。

然后她警醒。凌晨5点20分，贞谅没有回来。

她打电话给琴药，响了很长时间。他接起来，声音清醒镇定。

信得。
贞谅一直没有回来。昨天她是否与你在一起。
没有。我们没有约会。
那她会去哪里。
你不要担心。等天亮，我过来与你一起处理。

他与她一起等待了3天。第4天，她报了案。
警方来家里检查，试图寻找蛛丝马迹。家里堆满杂物，但贞谅生前不做文字记录，也没有书信。卧室床上发现一本笔记本，记录工作和店铺相关安排计划，没有任何情绪或感想抒发。在床垫下找到一份密封的书信，是一页遗书。日期显示它写在去年，有简约的3个交待：所有遗产归属沈信得。一旦她有意外，沈信得由许熙年监护成人。她不要坟墓，把骨灰撒在无名山谷中。

这份遗书，证明贞谅于这世间再无其他深入的交集和纠葛。她的人生寂寥至极。

许熙年接到告知，抵达临远。他迅速清理和变卖房子物品，要带信得回北京。

他说，我打算送你去英国寄宿读书。贞谅的财产处理之后，归于你的新账号。不必担忧以后读书和生活的费用，我会来做安排。直到你大学毕业独立生活。

她说，我什么时候去英国。

很快。学校和住宿联系好就可出发。

她无端生出勇气，说，我不知道贞谅的故事，能不能告诉我，她是谁。

他说，我认识她的时候，她是20岁。当时我在卢塞恩工作，她租住在一个古老建筑的小公寓，独自生活。每天上半天语言课，在露天市场买蔬菜水果，在家里做饭，种花，阅读，缝小衣服，在咖啡店里闲坐，去教堂。有个男子每个月来看她一次。他在苏黎世有家庭，但曾去国内工作，认识她，无法娶她。他的妻子不愿意生育，不限制他自由。她怀孕之后，他希望她生下孩子。愿意给她一大笔钱，条件是孩子他需要带走。我是他的朋友，被委托照顾她生活。

她在怀孕后期经常逃跑，渐渐知道在做的是一件无望的事。离家出走，又被追回来。男子受惊吓，气急不可控制，用力掌掴她，说再这样任性伤害了孩子，就将什么都得不到。他把她锁起来，捆起来。有时又抱住她，难过愧疚，流泪不可自制。他痴迷她，但他的现实生活不需要她存在。她小时家境贫困，出身卑微，执意对抗生活深渊，17岁认识他，一直跟他虚耗。这个貌似强大有力的男人，带来世间残酷规则。

这规则是，你从哪里来，你就依旧待在哪里。她不服输。这代价至为巨大。冬天，她在医院里生下孩子。孩子即刻就被抱走。她几次试图自杀，最终被带回北京，接受医生治疗，尝试重新生活。我一直照顾她。她内心黑暗能量激烈，我希望她能用时间去控制、转化、消解。她开始织布，以此清洁和平静自己。她做得很好。在感觉被治愈之后，她领养了你。

她问，她从来都没有提起过那个男人和孩子。

他说，她在治疗中有部分失忆。记得其他，唯独不记得这两个她再没有机会见到的人。也许这对她来说是一种本能的保护。

这样做，是为了得到金钱吗。

不。她希望得到时间。哪怕只是一段有期限的感情。她那时候年轻，不知道有些感情即使付出代价也无法侥幸得到。不知道有些感情即使结束，也依旧会在我们心里留下创痛。

这个一贯冷静体面的男子，倾诉中露出崩塌，说，我第一次见到她，她刚刚抵达卢塞恩。那是个幽静洁净的城市，有湖泊，雪山，天鹅，古老木桥。她已怀孕，身形还未显现，穿着一条粉白色连身裙，式样很老旧。眼白跟婴儿一样微微发蓝，眼神清澈如同山泉。我们去看公寓，她走在前面，粗黑辫子在后背晃动，上面绑着细细彩色绒线。我从未见到过这般恍若隔世般存在的女子。我知道，我对她的怜悯将使自己成为她的奴仆。我一直尽力照顾她。她想要的感情是没有的。这样的感情成本太高，没有人愿意并且能够支付。虽然我深爱她，我也只能落荒而逃。

她想起与贞谅一起去北京到过的公寓，一屋子奢华沉重家具水晶吊灯古董物品，空荡荡大屋洞穴般停滞空气。一对成年男女冷淡客气，静静置置。她听到的，是春日花海之中贞谅与琴药嬉戏玩耍的清脆笑声，轻盈灵动充满活力。他们说话总有机锋，不管做饭还是劳作，乐在其中。点起烛火吃饭，不说什么话，眼睛也能闪闪发亮。生命交融相聚的生机、喜悦和神秘。激发，生长，燃烧，满足。这让彼此沉溺的欢愉，是迟早要被收回去的罪孽吗。如果人原本不该得到脱离凡俗的生活。

她是一个走在路上的人。他是一个脱离日常生活范畴的浪子，不想结婚，不适合厮守，只想游戏人生。贞谅的生活从无选择，往前走，是断崖深渊，往后退，是漫漫夜路。三个男人，一个给了她经历和物质，一个给予她照顾保护，只有琴药，令她得到快乐，也最终令她幻灭。

他们本该在一起，嬉戏世间，秉烛夜游，打发现世庸常黯淡。贞谅对无常和虚空早有识别，却试图证实还能获得新生。对方无力承担她的期望。他试图脱离常规限制藩篱秩序，拒绝面对事物苟延残喘原形毕露。他们任由她，她任由自己，逐渐陷落沉没到底。

最终消失。

5

她先回北京，之后起身前往伦敦。等待间隙打发时间，在机场书店看到刚刚上柜一本新书。

她平素不读国内作者小说，阅读书目极为冷僻，大多是古书以及专业学科的著作。人的时间无多，只能读有用或确实喜爱的书。其他的碰都不用碰，这是她的态度。这本书，没有作者照片，没有推荐，也没有生平。作者是那一年备受关注和争议的畅销作家。她的第一本书，一个由六个小故事组成的短篇小说集，书名是《六段》。

登机还有几分钟。她随手拿起翻动一页，读到它的题句来自诗人里尔克。

我可能什么都想要：那每回无限旋落的黑暗以及每一个步伐升盈令人战栗的光辉。

快速浏览其中一篇小说，她决定买下它。这是离开中国之前，她读到的最后一本中文写作的书。

她把书塞入行李箱。一只黑色箱子打包完整16岁之前的生活。行囊里不过是衣服、书籍、地图册、素描、照片。她的手上戴着那枚贞谅的戒指。这戒指代表过什么，爱而不得的无奈，人世的残酷和冷硬，还是一个人试图对抗世间所付出的代价。她一直觉得贞谅与世无争，简朴自足，如此形式优雅而完整的骄傲。她们从未为生计忧虑，或为衣食住行对别人低声下气，不需要小心翼翼应对敷衍这人世。

最终，这忠于自我的美好形式背后，却是以沉痛的降服作为代价。

深夜机场，她站在落地玻璃窗前，看空旷夜色中飞机起落，询问自己，是否还会再回来。前途苍茫不明，只能对它顺服。接受在13个小时之后，抵达1万公里之外的欧洲城市。在地球的另一边，另一端，在肤色语言不同的人群中生活。在全然陌生的历史中存在。她的过往将被粉碎，如同一次新生。

这是她人生中注定的无数出发当中的再一次。凌晨1点半，夹杂在神情疲惫哈欠连天的人潮中，登上即将穿越漆黑夜空飞往欧洲的大型客机。

6

她说，我在飞机上读完《六段》。一盏小小阅读灯照亮航程，有时读得睡过去，醒过来之后继续翻页。有时思绪翻涌，不能自制。有时则心平如镜，无心无想。我看到不同的人生充满细碎线头般的对照和连接，一直以为自己特别，但并非孤立。人与人如同分叉小径的交汇，就内心结构而言没有什么不同，只不过属性和模式变换无穷。

读完之后她决定把它搁置，塞入行李箱隔袋，不会再读它，也不认为可以把它处理。她选择把它收藏起来。有些书，读完就可即刻丢弃。有些书会放在枕边一读再读。有些书，适合青天白日亮相在书架。有些书，读完之后把它收藏于黑暗之中。如同收藏青春，收藏记忆和历史，收藏一份信物，收藏另一个隐蔽而真实的自我。

事实上，13年之后，她重新又把它取出来。再次读完一遍，并决定写出第一封信给不曾谋面的作者。

7

她说，如果有一种结局是命定，人无法借助任何假定逃离。哪怕貌似逃离，也不过是兜转自我欺骗的小圈子。命运总是静静守候于拐角处，等待你我迎头撞上。即使我们获得一段叛逃路途，建设自我欺骗和生活幻象，积极争取斗志昂扬，获得时间。人生照旧铜墙铁壁。

她说，我和历史失去联络，也不流连往事。到了伦敦之后，和一同，琴药，所有故人故事，彻底截断关系。我本能地把心设置成一个机警的平台，观察和过滤随时闯入的思维和情绪，把漂浮不定的幻象如同击打透明气泡一样，生发时即刻自动破碎。一切只当它是浮光掠影，这样才能控制自我。因为我见过太多身不由己，情难自禁。这对我来说，都是一种软弱和羞耻。

有时我想，这个世界上还会有谁与我有关系。人与人的关系，究其本质，也许是彼此满足需求和幻象的关系。如果无法成立，它就将面临孤立、隔绝、断裂、分离、摧毁。人，所有的人，只能静默无声小心翼翼，生活在属于自己的深渊边缘。

因为对人的世界的无法信任，她放纵于肉体和药物。也谈过数次伤筋动骨的恋爱，都是和年龄大15岁之上的男子。有的是她的教授，有的是商人、艺术家、模特、律师或医生，身份国籍形态截然不同，相同的是，她都曾试图刻意在他们身上寻找少女时代留下烙印的痕迹。她信仰过一个男子的美和光能，信仰过他的自生自灭，无所作为，他的不驯和无情。她幻想自己还能够得到，每次故作投入，竭力燃烧自我，但每次都挫败而终。

这些男子，不管是已婚还是单身，最终呈现的都是束缚于大地的庸常之心，拖沓冗长毫无作为。胆小，自私，懦弱，虚伪。属于人世的恋情，被重力拖累，果然都不具备超越性。

自我重新回归的时候，总是让人破碎。

22岁，即将毕业。某个起雾冬日清晨，在浴室穿上蕾丝内衣，丝袜，机车皮衣，丝绒短裙，高跟鞋。带着酒精和药物退却之后的头晕及虚空，走出一夜欢爱的男子公寓。楼梯上足音响彻，她感觉灵魂如同从冰冷的海洋深处慢慢浮出。在街边打出租车。玻璃窗中女子脸色青白长发潦草。她能报出的唯一地点是租住房间，除此之外再无去处。街道上掠过坚固颓美的建筑，忘记自己身置何地。

该如何和这个世界建立一种联系，和别人建立一种关系。她不知道。她的青春形同一场无人观看的舞台戏剧，出演唯她一个。观望自己的独角戏，生命力旺盛，演出茫然卖力。

记忆并非胶片式的展出而呈现血肉鲜明的质感。这血肉逐渐拆除溶解，渗透扩展于她的肉身和意识。在梦中她见到旧场景。老挝天花高旷的殖民地风格小房间，夏日午后，她对着百叶窗光影出神。贞谅在旁边小浴室里淋浴。门半开着有水流声音，风扇慢悠悠晃动，她的白色衬裙搭在木椅子背上，轻轻荡起一角轻盈的夏布。她走出门外，来到的却是临远的农舍。贞谅与男子做爱，赤裸肉身，在日光花影中痴迷联结，瞬间跨越生死界限。

她站在古老檀木格扇边。六扇古老的山西紫檀格扇门分隔，雕饰极为精湛。鹿，蝙蝠，花瓶，莲花，鲤鱼，童子，牡丹，石榴，鸳鸯……种种传统吉祥图案，华丽深邃，如同她无从了解的成长之后的道路。空气中刺鼻的栀子花香气。年少无知，不知道已置身于时间边缘。往前一步，是成人世界的虚无荒凉，退后一步，是孤立的人生。只有这立足的瞬间，天真无邪，天长地远。

又见到与他伫立在水库边上那座亭。雨水声音刚刚平息，湖面荡起波纹，月光下他赤裸的肉体如同花海烂漫。穿着夏布旗袍的女子，从背后伸出手，递与她一束粉白色石竹花，锯齿边缘的花瓣，像一簇栖息的蝴蝶。女子询问，你喜欢花吗。蹲下来与她双目交接，落落寡欢的眼神如一面湖水般宁静。

这一个晚上，她觉得需要祈祷。跪下来闭起眼睛，把双手交叉放在胸前，做一个祷告。说出内心话语。说出忏悔、悲伤、秘密以及禁忌。贞谅曾经对她说过，如果生命里不曾持有罪恶、欲望、盲目、破碎、苦痛，它多么乏味。但现在她明白，一旦持有，就必须重新学习清洗和舍弃。

她跪在床边，试图说话，酝酿再三，呼吸觉得粗重，却什么都说不出。渐渐，就只有满脸的眼泪倾流，无法自制。

她在这个内心汹涌却说不出一句话的夜晚，陡然感觉到成长。她已是成人，成为和贞谅和琴药一般拥有内心历史的成年人。她将和他们一样，如大海一般波澜不惊隐藏波涛起伏，并因为秘密和创痛闪烁出无尽的暗与美。

8

也不算专注学业，但升级都顺利。有一种力量映照世间眼睛无法抵达的边际线，涵盖人无法理解和创造的事物。她相信自己对这种力量的感应，来自童年与寺院接近的经历。如同奇幻的镶嵌壁画和佛像，是它朴素无华的一次显示。这种力量，超越图书馆和实验室里百般验证和论证。毕业之后，她放弃继续读硕士，也没有去寻找商业性质的工作。

和以前的情爱癫狂相比，突然失恋很久。生活中再无来自他人的情感和肉身纠葛。百转千折的欲望，被一种刚硬洁净的理性覆盖。她穿越过它的变幻形式，触摸到它的骨骼。她的情感，不可能再和年轻女孩热烈困惑中的爱慕贪恋混淆。只是很想休息。于是一个人默默度过落空的一年。

之后。她参加一个国际性慈善机构，提供义务工作。接下第一个任务，跟随小组去东南亚少数民族自然村，进行自然环境保护和改良的指导工作。先到越南又到老挝。她再次回到老挝。小组工作基地在万象。每次人员撤离远地村庄的工作，都在万象集中。她没有抽空去琅勃拉邦。童年时候待过的地方，法式殖民地风格白色大房子，阳光炙热气氛淳朴的大街小巷，以及有古老壁画的宁静寺庙。它不是她的故乡，只是记忆中一个标记。

她与贞谅的所有旅程，已化身为她的结构不可分离。她无需去求证或试图寻觅回忆。

在万象，工作间隙有两天休息。她住在老城区靠近寺庙的旅馆里，闲暇时在寺庙学习禅坐和中草药按摩。那日中午，在花园晾晒完衣服，走在小厅，看见一个穿军绿色卡其衬衣的年轻白人男子，正向接待处当地少年打听，如何才能看到夜晚出来活动的大象。

他们词不达意纠缠良久，她在旁边观察，走过去对他说，要做此事，离万象较近的是距离82公里的班纳村。大象会在黄昏或晚些去往盐渍地。带上手电筒，月圆之夜会更好，但也未必能够如愿以偿。如果能够走远些，就去南部的吉翁村。那里老龙族的村民以前会让大象干农活。但现在大象越来越少，大象只用来载游客。

他说，你怎么会知道。他有浓密的睫毛以及深褐色孩童般明净的瞳仁。

她说，我小时候跟母亲在南部村庄住过很长时间。森林小径时常邂逅在搬运木头的大象，现在应该也见不到了。

骄阳如火。正午时分，街巷上游客很少，热带植物在尘土烈日中兀自狂热地开花。他们结伴去西萨格寺。这是她在此地喜欢的一座寺庙。当初暹罗人进攻，扫荡全城，唯独这座庙宇得以保全。低矮精巧的回廊布满小龛壁，摆满各种银制和陶瓷佛像。她脱鞋，赤足走近高旷的殿宇。古老的《本生经》壁画剥落破损但丝毫无损它的美。天花板有花卉图案的优雅装饰。法式水晶枝形吊灯。一座佛像在鲜花烛火的供奉之中，微微含笑。

她让他在殿外的廊柱边等她。她独自跪在那里，双手合十，以恭敬的姿势跪拜，沉默良久。

等她出来的时候，他问她，你在祈求它的佑福吗。她说，只是对它表达尊敬，它在此地存留长远还能让我看到，这是殊遇。自然，每次过来，我也顺便告诉它我内心的愿望和话语。

9

在伦敦取到大学录取书那一年，她得到通知。需要回国一次，回去临远。

有人在燕坡水库看见上浮的汽车，打算捞取上来当废铜烂铁处理，却发现副驾驶座上余有一具骨骸。是贞谅开的日本二手车。经过侦查化验，证实是她遗骨。车子坠落之时，车上并非只有贞谅一人。停滞3年的警方调查再次开始。琴药被取保候审。她被要求回去提出公诉以及出席庭审。

在法庭上她见到分别3年的琴药。

他得了病，是肝癌。身形消瘦，腹部有腹水，贫病交加。即便落魄到底，身边也有年轻女孩子照顾他，并且怀了孕。女孩希望他能病愈，如果能好转，就生下孩子。如果不能好，她只能再自找生路。琴药对女人始终有魔力。但他在疾病折磨和时间捉弄中失去活力，如同火焰般热烈顽盛的生命力，使围绕空气都散发出热量，那是他嬉戏玩耍游荡人间的支撑。一旦活力停滞，整个人如同被抽光树汁的枝叶，萎靡干涸面目全非。

他也许一直在等待这个时刻来临，最终能够说出这一切。这历时3年长久的隐藏、回避、沉默。在法庭上，面对律师提问，供认不讳。

他说，那个周六，贞谅约他一起外出。贞谅决定离开清远，前路已定，之间反而没有了任何争执，心平气和。她说，琴药，你与我在一起，只为与我相爱。我已明白。我们时间无多，能有几时算几时。我的回忆稀少，知道你对我的贵重。我对你也没有占有之心，我只是一意孤行。

雪后冬日上午。她盛装见他。他驾驶她的日本车，两个人再次上清远山去燕坡看腊梅。水库上结了厚厚冰层，日光闪耀。突然飞过来两只绿头鸭，色泽鲜艳，在冰面停栖下来慢慢走动。他说，她当时提议，我们开车到湖中。她要给鸭子拍照。

按照他的直觉，以前他会拒绝这提议。事实上，他从未将车开到过结冰的湖面。但那一天，他们回复到刚认识时的爱悦平和，她也神情愉快，他愿意满足她要求。这是她执意的要求吗。是的。是她执意。她平日也经常用手包里的小相机拍下一切关注的细节，可以作为工作的素材。

他小心翼翼驾驶汽车趋向。剧烈阳光晃耀在前窗玻璃上几近盲目。整片山谷空无一人寂静无声。副驾驶座上的贞谅，从包里摸出一只平素常用的康太斯T6定焦相机。他有些紧张，因为完全感觉不到冰的弹性，也听不到压力发出的声息。坐在汽车里，失去判断推测，如同在盲目中摸索前行。他已经后悔自己服从。此时，身边女子转过脸来看他，露出微微笑容，说，琴药，你害怕吗。

这是他听到她说的最后一句话。金色阳光暴烈有力，铺满她整张线条分明艳丽郑重的面容，那笑容诡异如同一抹飞掠而过的鸟翼。就在这瞬间，他感受到冰面破裂，车子猛然下坠。冰冷刺骨的水，从踏脚板处涌入。他大叫快开车门，同时自己飞快去推车门，却发现车门被死死卡住。狭小空间里迅速注满湖水。他们被水浮起。车子往12米深的湖底沉落。

他用力摇动窗玻璃，拽住贞谅红色大衣，推动她身体，试图奋力把她推向窗外。却在此刻，感觉到黑暗中那双手，出现从未有过的坚定力量，紧紧揪住他，把他拽拉下沉。他的行动，由主动转变成被动，无法动弹，奋力挣扎。持续的窒息和恐惧。他无法有任何思考，只有身体随着本能做出的反应，拼尽全力，挣脱那双如同死亡逼近般坚定的紧攥的手。奋力一推，大衣边缘从他脸上滑过，如同红色火焰在水中飘飞而去。即刻，沉寂像一块厚重绒布泼洒过来，牢牢覆盖一切。什么都看不见。你确定当时是她抓住你不放吗。是。但我知道无人可以证明。我无暇思索她动机何在，我只有按照本能逃生。

他隐约听见自己的心跳声，耳边咕嘟咕嘟的水声，以及脑袋里轰鸣着流水沉闷的振动。窒息。昏沉。意识稍纵即逝。即便如此，依然尝试控制住浮力中虚弱无助的身体，从窗户爬出去，奋力往上游动。这短短时刻，持续多久。也许对当时的他来说，有漫长的一生那么久。但也许，不过是数十秒。当他狂乱的手碰触到一块坚硬破裂的冰块，紧紧攀住它，整个身体得以依靠。找到回复世间的桥梁。奋力把脑袋顶出水面，剧烈阳光顿时冲击而来，黑暗中沉溺的眼睛，瞬间如同刀刺。

等视力逐渐回来。他看到一望无际的冰雪水面，除了他自己，什么都没有。但是我已没有任何力气。冰冻刺骨。我无法再下水去找她。这样我会死。所以你选择离开这里，去寻找帮助。对。我浑身湿透冰冻，身体僵硬，精疲力尽，只剩最后一丝求生的本能，支撑自己走过冰湖，走出山坡，来到山路边上，等待经过的汽车。那天有人载你吗。有。一辆去往外省的卡车，从山路上开过。他们载我到市区家里，之后直接开走。你为何不报案。如果你及时报案，会有人马上去那里找车找人，也许她还会有一丝希望。不。绝无可能，那天温度非常低，更何况她不会游泳。所以，你确认她必定死去，你不报案。不。我觉得报案于事无补，她已死去，而我将没有办法说清楚在我身上发生的事情。我知道一定会有麻烦。所以，你选择隐瞒3年，让她的尸体在湖底腐烂，最后变成一具骨骸。如果你要以这种角度来表达，那么我承认，这是我的选择。

我陈述的事实就是如上所说。我已完毕。

10

庭审结束，她去看他。

她等在接待室，隔着玻璃窗看见他被人带出来。往昔俊美健壮的男子被疾病掌控，消瘦至不成人形，脸色青白，穿一件灰色毛衣，脸颊和下巴绽出胡子茬。他们再次又离得很近。他的眼睛没有变。看着她，眼神里露出往日微笑。

他说，信得。你在英国可好。似忘记他们刚在法庭对峙两边。

她说，我考上大学。分子生物学。

呵。以后你会知道我们每个人为什么有不同的组成。不同的组成，让我们得到各自不同的命运。

所有熟悉感觉在瞬间来临。他是那个爬上桑树为她摘下紫色桑椹的男子。他告诉她用何种方式去观望云朵。他在月光下吹起尺八心无旁骛。他与她们一起共赴春日花海的盛宴。他在暴雨之后的亭子里卸下衣衫美丽完整。他以情感和肉身洞穿一对来自远方的母女充满幻象的生活。他是让她最终看到空虚破碎的男子。

他说，你相信我刚才说过的所有的话吗。

她说，如果我不相信，一切又会有什么不同。我只想知道你为什么让她独自沉落在湖底3年。

我是个普通男子。信得。我软弱。需求自保，苟且偷生。

你任她死去，独自留在湖底。这是爱吗。

对。这是爱。你母亲最终逼迫我做出承认。她要的真相就是这个。他平静地看着她，没有躲避视线，说，现在，你可以觉得彻底失望了，信得。爱既不高尚，也与浪漫无关。它会在某个特定时刻显露出直接和残酷。没有伎俩，没有幻术，没有前景，没有余地。只有考验和真相。这就是俗世的平常凡人之间的爱。

第九章　庆长。爱是深沉的幻觉

1

7月夏日午后。她醒来，从午睡竹床上起身，推开木门，走向庭院。

阳光在院子里涣散成白茫茫平原，午后炎热空气。栀子花累累满树，散发出浓烈香气如同发酵。

她穿一双水红色塑胶凉鞋，是祖母在集市上购买。童花头，白裙。5岁庆长，沿着房屋之间窄小巷道，走向机耕路外大溪涧。巷子尽头敞开，绿色山峦高耸绵延。轰隆隆水声从远处震荡过来。世界如同油彩般静止，没有风吹草动。

水流一路奔腾，冲击岩石和河滩。拎着鞋子涉入水中，溪水深及膝盖。水底遍布绿色水藻，小鱼小虾轻巧游动，鹅卵石棱角磨擦脚掌。在烈日下穿越一条河流，走向对岸。远处，金黄稻浪在风中波动，开阔田野蒸腾泥土气息。紫菀花开得繁盛，无边际簇拥如同云霞。

草丛中有带刺的茅莓，她俯身摘下一枚被阳光烫热的红色果实，轻轻放入舌间。抬起头，看到溪边堤岸石块间栖息的翠鸟飒然飞起，发出婉转清啼。翅膀闪烁宝石般蓝紫色光泽，如同一道静谧光线飞向远处。

一切展开井然有序。庆长的童年记忆，来自崇山峻岭之中的偏僻村庄。这些场景从未在脑海中消失，在梦中，在入睡前的恍惚，在每一个意识与现实界限不清的时候，突兀如同一面镜子从胸口升起。

回忆真实确凿，现实却令人觉得变幻无常。如同以往27岁的她，在凌晨疾驶于空旷平原的列车上醒来，窗外一片漆黑。偶尔有稀疏灯火掠过，夜雾浓重。车厢里熄了灯，只有走廊里地灯照射出窄小通道。列车速度加快，车轮与钢轨的摩擦声带有一种锐利。旅途正在展开，她去往瞻里。无法辨认，梦中的旅程是目的所在，还是列车中的旅程才是一场梦魇。

在梦中出现的5岁女童，与万事万物持有的单纯而开放的关系，是她生命模式里坚固的一组结构，被深深敲入泥土无可动摇的基底。它决定独自穿越山岭隧道走向日光花影的14岁少女的无所畏惧，决定在瞻里荒芜田野探访一座古老廊桥的27岁女子的感伤情怀，决定她在窗台上轻轻跃下跟随清池走向人世情爱的决心，也决定她从不放弃的挣扎和摸索。她寻求真实美好闪耀出光芒的事物，信任它们，付出代价，从不退缩。

但肯定还有另外一部分自我被陷落。决定她在人群中游离颠簸无法停靠，决定她对感情近乎偏执和贪婪的需求追究，决定她与清池在这段纠葛关系中的互相损伤，决定她貌似独立强大的表象之下，隐藏内在长久的缺损匮乏。如同一个有勇气的人，独自遁入一座夜色中的深邃森林，远离人世，手中却没有火把。她并没有在世间找到位置。

此刻。30岁的她在云端匀速航行的飞机上醒来，听见耳边巨大轰鸣声。窗外呈现环形梯田和起伏山峦，青翠连绵。乘务员播报飞机将在半小时之后抵达贵阳机场。

2

与清池断绝音讯之后，定山重新介入她生活。等待她平心静气，再次提出结婚。

她自然觉得勉强。说，定山，你已清楚我的生活和个性，为何还要如此提议。

他说，是。正是因为我清楚，所以我希望照顾你。

你知道，我们之间没有爱。我们并不相爱。

结婚是一个结盟的方式。我希望和生命的真实结盟，你是那个部分，庆长。也许我比你更消极，但我知道自己要的是什么，能够付出的是什么。你在我身边就是我的所得。你像一束光线，庆长，你拥有真实。

他又说，我对你没有狭隘的占有之心，也并不觉得可以占有你。我尊重你的性情和工作，你有可贵之处。但在情感上，你始终有未生长完整的弱处。我不想在你被陷落之时，身边一个依靠的人都没有。你可以把婚姻当作疲累之后的休憩地，现在正是时候，我心里清楚。我很高兴还能够站在你的身边，这是我的决定。

他们去民政局登记。秋日清晨，阴天，清凉雨丝。庆长穿白裙，戴上定山赠予她一枚小小钻石戒指。定山穿蓝色新衬衣。她30岁，他33岁。相识5年，反复聚合，最终决定结婚。排队很长时间，注册完临近中午。两个人找餐厅吃顿饭，开了一瓶酒。是一个如庆长预期中的婚礼，简单，安静，没有无关的人加入。仅属于两个人的朴素仪式。

在餐厅，他说，庆长，我知道你对感情认真执着，我想给你安定而不是束缚。如果某天你得到方向可以继续前行。我希望我们能够因彼此存在而趋向更多光明，即使这只是我一厢情愿的愿望。我深爱你，你要相信。他又说，你可以休息一段时间，或者再找一个采访线索，出去旅行和工作。总之，不要顾虑其他。我的薪水足够维持我们简单生活。你只管做喜欢的事情，我会支持。

说出这段话来，他一定思量已久。她辞去杂志社工作平日零散接活，生活责任都在他肩头，但他愿意背负。她隔着桌子伸出手去，他牵住，轻轻抚摸她手指，两个人一时默默无言。呵，她与他之间终究还是生疏遥远。这个愿意承担和背负她的男子，是和她的灵魂无法产生交会摩擦的人。她生活在他的身边，仍是那个伪装不需要爱也可以存活下去的人。但如果这是生活愿意给她的安排，她起码已学会顺受。

人与人之间持有信任才能互相凭靠。有时相爱不能使人信任，尊重却可做到。30岁的庆长，对照3年前去瞻里探访一座桥的女子，渐渐拥有空旷和沉落下来的心得，不再如以往那般剧盛的偏激执拗。一种欲顶撞现实常规不管不顾的放任。她对某种如水流般缓缓渗透的孤独有了消化和吸收的体会。

曾经她的孤立边缘如同剃刀般锐利容不下半分迟疑不决，曾经她对行动和意志的推进持有坚定激进的目的性，曾经她是个对自己对外界容不下任何模糊边界的人，曾经她是个非黑即白一清二楚绝不妥协的人。百转千折的煎熬和挣扎之后，经由与不同的人之间的感情，她试图清洁和照亮自己。

她去往高山上的村庄春梅。一个来自英国的志愿者，在春梅唯一的民办小学里工作10年之久。获知沈信得的信息，完全无心之举。读完信得的教课笔记，她对这个女子产生极大兴趣。事实上，沈信得在两年前已闭门谢客，拒绝一切外界采访和探望要求。庆长做事坚韧，写电子邮件给她，附上以前做过的数篇采访，告诉对方如果做这个采访，重点和关注绝非她所介意的喧哗取众。她说明目前没有在固定媒体供职，会自主决定发表方式。

一个月后，收到对方回信。信得邀请她去春梅。她说，你要摄影、采访、聊天、观摩都可以。以我的本意，希望你像个朋友般来春梅坐一坐。听你聊一聊观音阁桥，或其他。

3

一个为自己而工作深入穷山僻壤的任务。再一次，一个人的旅途。

在贵阳汽车站旁边的小旅馆，庆长住宿一晚。次日早晨，搭上前往孤沿的汽车。

去往榕江县。漫长迂回的山路。她在客车座位上头靠玻璃窗昏昏欲睡，醒来，长时间凝望窗外的青翠高山，幽美村落。河流和田野四处纵横，妇女劳作，孩子活跃嬉戏。这与世隔绝般封闭山区，天高地远，躲避掉外界强势汹涌的经济、商业、物化种种浪潮，和现代社会风气略有不同，依旧保留人与自然的和谐关系。少数民族女子的发式和衣物，延续传统的审美，手工刺绣繁复艳丽。个体与古老历史的联结没有断裂，一切还能有条不紊。

偶尔眺望到一处木屋重重叠叠的村庄，在僻静田野边际呈现，如同被遗失的找不到归去路径的故乡。大片水塘里盛开野地荷花，红花绿叶映衬蓝天白云，唱出一曲悠长歌谣。庆长看着村庄在视线中逐渐消失，想起去往瞻里的山路转折处，邂逅一面遗世独立的湖泊。世间有情万物总让她的心产生振颤。她是如此内心敏感丰盛的女子，知道还不能够成为一个对感情失去要求的女子。

与定山共存一个屋檐之下，如同搭伴过活的同居男女，礼貌客气，略带生疏。庆长有时失眠，需要长时间开灯阅读，与他分床睡，定山也不以为意。一个男子安静辛勤，工作，烹煮，打扫，无可挑剔，适宜共存。有时他在电脑前长时间工作，疲累至在沙发上直接入睡。她给他披上御寒的毯子，脱去他的鞋子。他们从不为琐事争执吵闹，也没有刻骨铭心的渗透和联结。没有思念。没有粘缠。生命路线终究是并存而无法交叉重叠。

怜悯与感恩，能否支撑起一段婚姻的形式。她追问自己，又为何一直没有勇气离开他。

她说她要去春梅，用6个月或更长时间做一个摄影采访。定山听到她决定反而释然，说，你可以去任何想去的地方，我只愿意你快乐。他说，有时我深夜醒来发现你不在身边，卫生间的门紧闭，灯长时间亮着，听不到一丝丝声音。我会担心。

定山母亲得癌，在少年怀中闭上眼睛去世。这使得男子对死亡持有一种薄弱感受。成年之后，也许是一种压抑，也许是一种训练，他对待感情的形式显得钝感，过于平静克制，有时接近无情。这关系始终是清淡而恒定的微温状态。使她觉得自己在这个婚姻里，如同被保护起来的女儿。庆长的性格并不女性化，也没有小女人的依赖和造作。他喜欢她远走天涯独立自主的生活方式。或者说，削弱抑制情感的浓稠和热烈，正是他所期求的状态。他们甚至很少拥抱。

在内心他对女性的情感有一种下意识的隔离。也许他根本没有要求，也许他是个信任中道的人，知道远离爱欲和贪恋的一边，就能避开恐惧和怨恨的一边。庆长不清楚其他人的婚姻是怎么样的形式。但她与定山的这一种，注定特殊而无解。

定山喜欢孩子，他的父亲也有此期望。庆长从来都热爱孩子，按照常理，应该让定山实现愿望。但她总觉得时间未到。也许是内心还没有被拼凑完整，尚需寻找陷落之处。也许，她不想使用一个孩子来填补与定山感情之间的缝隙。事实上，这缝隙是一个风声呼啸的深渊。她没有定山坚韧。他可以日复一日佯装不知或故意忽略。毕竟是个男子，有繁忙的工作俗世的目标，但她却无法停止觉察和感受这关系的疏离和淡泊。

她和定山的婚姻，如同用一张薄薄白纸糊住的无底深渊。谁若忍心伸出一个手指，轻轻一捅，即告破裂。但他们两个竭力维持，在一张白纸边各自做戏，也许这就是婚姻的本质。不管如何，无法被解决的问题只能先搁置一边。离开城市中的生活，离开定山，再次出发踏上旅途，这是她目前唯一能实践的行动。在开放的空间和时间里，独自一人，获得空白，查找内心失陷的角角落落。

4

汽车在崇山峻岭之中缓慢爬行。颠簸将近10个小时，抵达孤沿。

庆长见到接应的男教师。姓潘，35岁左右男子，温和消瘦，皮肤黝黑，在乡政府车站等待。他是本地人，在春梅小学教书15年，一个人教三个班。学校里有一台捐赠的电脑坏了，他背到县城来修复，要把它再背回去。信得委托他来给庆长带路。他已等她一天。两人都没有吃饭。庆长带着平时旅行用的60升旧登山包，里面是书籍、衣物和日用品。穿白衬衣粗布裤球鞋，一头长发编成粗黑麻花辫子盘成发髻。行动洒落，一看便知是习惯风餐露宿之人。潘老师脸上露出笑容。他说，庆长，欢迎你来。

汽车走过一段平坦公路，开始爬山。层层山脉如同没有穷尽的画卷铺展。山路曲折，边缘是高深悬崖。车子始终以S形前进，一个打转，又一个打转。黄昏暮色降落。夕阳如血。深邃山谷中变幻不定的光线，照耀绿色山林。不知为何，在远离城市文明和繁华的地方，在偏远深僻的地方，庆长觉得内心自如，不再流离失所。仿佛天生属于这里。

远离。远离钢筋水泥的石头森林。远离熙攘而隔绝的人群。远离形式感和物质堆积的生活。远离妄想。

信得说，离天空越近的地方，宇宙的讯号和信息会不会与人的生命产生更为紧密的关联。每一个出生的孩子，都拥有他独特的天宫图。万物星辰为任何一个生命提供能量。而人在成年之后，渐渐失去和这股原始力量的联系，被给予种种事先设定和束缚的概念，进入自我虚设的牢笼。一个幼小的孩子会指着红色说它是绿色，可以把前面说成后面，会询问什么是真什么又是假。他们不分辨是非对错。一切定义都是人为，和事物本质没有关系。成人世界规则体系，吞噬与宇宙相联的灵性和本能，人渐渐失去与自我的真实性互相联结的能力。

她说，我们最终面对的，是一个庸俗的难以被轻易改造的世界。

3个小时后，汽车抵达叫做月塘的小村。潘老师说，他们将在此地农户家里借宿一晚，明天一早起来爬山。抵达春梅需要3小时左右山路，只能徒步。一趟来回，山路迢迢耗时耗力，平时春梅村民除了赶集和交易货物，很少外出。

高山顶上的村庄。持续上坡的路途，有时走在黄土裸露的坡道上，有时进入葱茏茂密的树林。6月夏日，一丝风都没有，空气极为凝滞。黏湿汗水贴在肌肤上，一会儿身上衣服全部渗出汗迹。潘老师稳步走在前面，庆长闷声跟随，两个人都背着不轻的负担，往山顶深处行进。随着海拔增高，视野越显空旷。大片独特的梯田结构呈现眼前，稻苗在风中起伏。

春梅村寨出现在前方。密密麻麻木结构房子连接蔓延，屋顶覆盖的木皮被经年风雨霜雪浸染呈现黑灰色，生长出绒密绿色苍苔。小学在村子入口不远处。广场上有一面红旗，沿着山腰边缘建出的一排木头房子。树影下传出孩子响亮诵读的声音。

以前春梅小学只是几间土屋，屋顶由竹桩垒成，地面是碎石泥地，没有门，几个教室用帆布隔开。在寒风呼啸的冬天或者缠绵雨季，学生和老师苦不堪言。信得过来之后，因为逐渐扩展的影响力，为春梅小学找到捐助，最终重建房子。一度时间，电视台报纸杂志各种媒体蜂拥而至采访，不同的人探访，不同的奖项要授予她，各种活动邀请出席。当地领导觉得自豪，极欲把信得捧成一个有贡献的特殊人物，以此为当地做广告谋福利。信得却备受困扰。

种种演变已完全违背本意。她不需出名，也不想被当做宣传工具，只想继续静静在深山教书。最终采取绝决，拒绝一切活动和探访。村庄在一番泡沫般喧嚣而虚浮的名声震荡之后，重新恢复日常。

信得上课。潘老师带庆长去宿舍。木楼里的窄小房间，破旧粗陋，没有洗漱卫生设备。公共厕所是由木片遮搭起来的大坑，粪水横流，苍蝇到处飞。他们有食堂，自己蒸米饭吃。春梅隐藏在层层深山之中，经常断电，洗澡需要去特定的接山泉的地方。夏天酷热，冬季寒冷。土地贫瘠，只能种玉米和土豆。孩子读完小学，要下山去读书。除了信得，目前都是本地男教师。

他说，这里的环境艰苦，生活条件简陋，课务繁重，学校里基本留不下人。那些因为受信得的影响自动涌来的志愿者们，三三两两，待了半年或一年，也都走尽了。

他解释这一切的时候，表情平静。

庆长把背囊卸下来靠在墙角，伸手推开木窗。窗外是逶迤山峦和古老枫树的枝叶。高山围绕之中的异族村寨，远踞荒芜山顶，显得与世间格外疏离。

5

信得的面容特别。细长凤眼，额头高而开阔，眉毛粗直，狭长脸形线条浑然。脸上散落黑色小痣，数颗极为明显。她穿当地妇女的土布衣服，布鞋，头发盘成发髻。皮肤黝黑粗糙。人很消瘦。刚到中国，她也曾在初中教英文课，但后来一直选择待在春梅。这个村级小学有207个孩子，8个老师。加上信得，一个不领取任何工资和补助的义务工作者。她教自然，美术，音乐，综合实践课。每星期上15节课。

这里是高山之巅。她说，我喜欢待在高山的顶上。

庆长每周一到两次，和信得一起去爬山。已是秋天，山谷里漫漫无际淡黄色芒草，在风中如潮水般起伏。山漆树、乌桕、毛果槭、榉树的叶子都已被冷霜侵红。深浅不一的红色，使山林在阳光之下呈现出饱满杂染的颜色。两个习惯远行的女子体力都好。带了水壶和干粮，一前一后闷声爬上最高峰。脱掉鞋子，一起坐在山顶巨岩上，默默无言，或交谈几句，看蓝天白云，看底下山峦起伏，天地苍茫一色。

她也跟信得一起去家访。走10多里崎岖山路，抵达僻远村落的学生家里，有时在学生家里留宿。真是赤贫如洗的家庭，房子用木板拼成，不能遮风蔽雨，四壁空空，灶台被烟灰染得赤黑。几乎没有任何家具。家里的大人基本都外出打工，只留下老人和孩子。孩子要做很多农活，或者带着弟弟妹妹一起去上课。来回路途遥远，中午没有饭吃。也没有鞋子穿。

沈信得来到此地，工作10年，无疑做出了选择。

她说，新时代是辆轰隆隆势头迅猛的列车，所有人拥挤其中，身不由己，即使前面方向不清，人心惶惶，但有谁可以试图跳车或逃脱。人可以最终相信什么。肯定不能相信互联网，也不能相信电视电台报纸，不能相信主义制度概念形式，不能相信许诺和教条，也不能相信任何评判和结论。任何实际的世间事物，都在变化之中，都不可获得最终的信任。如果找不到真实自我，那么连自己也不可信任。这个自己，只是一个被装入列车失去自由的身份。

因此，她想让孩子们学习的最重要的事，是找到自我。她教他们编歌表达内心所思所想。教他们观察一年四季山林树木变化，用心观察自然细节，把它们画下来。教他们感受水流、泥土、植物、动物，置身其中，与一切亲身接触和体会，通过观察和记录，把种种情感，情绪，意识，心灵的变化和经验，在内心储存起来，转化成一种自我意识。进行感受和创造。

她教出来的孩子，会更有活力，更有思考力。有些一旦升级去了初中，很容易被老师不喜欢，会被开除。未来其实并没有多少想象空间。能有几个孩子可以走出高山盆地，最终走出地域和身份的界限。一旦成年，出路没有两样。也许终生无法离开这重重高山围绕之中的土地。谋取基本生存，进入成人的世界，喝酒，打架，结婚，生子，劳作，无视环境和心灵与自我的联系，再没有做出自我表达的机会。一起沉入世俗底层，自生自灭。

人被环境困顿，只能在生命最基本欲望之上挣扎存活。生存环境的恶劣，使人失去想象力和对理想的期待。穷困，使人无法远行无法得到机会超越生活限制。

信得不愿意成为一个短期志愿者，因为觉得这些孩子需要真正以生命和他们互相联结的老师，如果能够拿出情感和时间，至少他们的童年或少年时光里，接受到关于审美、自我存在、灵性的发展和培养。这是每一个生命都需要面对的命题，找到真实自我，或尝试这种可能性，而不管他长大以后的生活会如何无望。这也是她坚持10年的原因。

他们需要的不是怜悯或者捐助，应该是切身环境的品质提高和教育的安定存在积极建设。或者更长远来说，需要社会的完善和改进。但这是太大的问题。她和她的孩子们管不了这些。他们只管做好自己的事情。对她来说，她只管做好自己的教育。用去10年。或者用去一生。这是她的方式和行动。即使在这10年里，她不断遭受自我怀疑，挫败和被外界干扰伤害的种种影响。即使这也许会是一个注定失败的行动。

她的意志和愿望，是扑入河流之中的种子，但也许会在遥远的他处开花结果。

6

庆长与信得一起上课，一起活动，吃睡住行都在一起。她拍照，做笔记，观察，对谈，记录，坚持工作。恶劣的生活环境使她身体衰弱。山上食物单调匮乏，平时多是一锅白菜或其他蔬菜，煮在大铁锅中，蘸着辣椒水吃米饭。缺乏营养和良好的卫生设施，免疫力下降，身体时有炎症起伏。她吃药。也和信得一起抽大量廉价烟草，喝农户自酿的烈性酒。这是住在高山之上的人渐渐会习惯的方式。生活资源极其缺乏，贫困并无出路。

稀少的去县城的机会，她会和定山通一次电话。两个人交谈寥寥，说上三两句已词穷，剩下的不过是问候和叮嘱。这段时期，她内心情感和思省比在任何时候更为强烈丰盛。却无处表达，也无人分享共鸣。

数天前，信得帮助一个学生家里加固屋顶，不慎感染风寒发起烧来。山上已有药物吃了没有用处。庆长下山，去月塘卫生所配退烧药。一场连绵不绝的冬雨，持续整整一星期。雨水在低温中结了冰冻。山谷中白雾茫茫，冰块压垮树枝，路边有冻死的牲畜。庆长一趟来回，持续4个多小时。一路上，走在山林小径间，不断听到树枝被折断的喀喀声音。往回走的时候，天色已黑。突然在依旧翠绿的青栲树林里，看见一只褐色梅花公鹿一闪而过。雄健躯体如同闪电掠过，一对华丽惊艳的犄角，在树叶之间若隐若显。大概是饿极出来寻找食物。庆长站在草径之中顿时立住，为这无心偶遇，感受深深震慑。

呵，她从未见过这样漂亮的动物。但它的出现，是对世间的点缀，却提醒人世的无力动弹。雨水淋湿衣服鞋子，饥寒交迫，困顿贫乏。她知道回到山顶的归宿是什么：发烧病弱的信得，执着狂热的教育爱好者，一堆柴火由单薄衣衫眼神清亮的孩子烧起，他们一无所有，生活被高山限制，食物是土豆和白菜。这贫乏单调的生活，何时才能得到改变。人的天性和自由，何时才能得到释放。多么艰难。如同石头一样铺在前进道路上做出努力的卑微个体，没有任何口号，却付出自己的健康、时间和一生。

信得说，喜欢孩子们湛亮的眼睛，充沛活跃的生命力，心地像山峦梯田一般自然朴素。老远见到，大声叫唤，老师，老师，声音如同天籁赤诚。我知道它只是存在的一个层面，它无法孤立维持。与此不可剥离的另一个层面，是我如同一滴水珠填塞到这无数人生命所组成的黑暗鸿沟之中，即刻自行蒸发消失。个体毫无作用。我只能做完自己需要做完的事情。

刚刚来到春梅时，以为可以改变这里一些什么。但在这里停留的时间越久，融入它的生活，理解它越深，我渐渐明白，对它不可能带来任何改变。相反，这片土地，以它的力量束缚每一个存在其上的人。我再也离不开这里。它是否真正需要改变，我不得知。我不再轻易持有想改变任何事物的野心和妄想。唯一在发生改变的，只是我自己。

7

庆长计划半年之后就会回去，后来却决定延长到一年。

信得的存在比她想象中要更为生动丰富，也超出她出发之前的预期。但她知道，最终某天她一定会离开。离开这里的酷暑夏日，蚊虫叮咬，身上全是红肿发痒的团块。寒冬刺骨，没有保暖设备，手足长满冻疮，在黑板上写粉笔字的手指僵硬无力。离开垃圾遍地，粪水横流，物质匮乏，最低底线的生存本能。离开人在地域限制之中的无能为力和无法超越，高山之中劳作挣扎注定的一生。离开她某种理想主义的意愿，个体行动在人世规则之前最终将以牺牲的形象铺垫。

她不是一个被围困在城市里的人，为采访工作也算走过天涯海角。她的生活不归属于世俗范畴。即使有一个名义上的婚姻，也和常人有别。她是对人世感觉颓唐的人，但她不是沈信得。不是一个内心持有单一意志的信徒。在信得强大坚韧的形象之后，必然有一处失陷之处。这是她确信无疑的。她不可能简单找到，信得亦不会愿意袒露。

信得从未对庆长说起个人经历，也许她认为人性的薄弱和缺陷，大多由日常生活而起。唯独工作令她强大，遗忘忽视自身，使她进入某种信仰般深沉而执着的境地。她以此来忽略过去，未来，只余留下每一天每一日竭尽全力的当下。也有可能，信得的行动和意志，是在治疗她觉察到的自身存在和创痛。没有人，生而强大而完美，这样的人不会存在。信得同时让她看到，真正的寻找和弃绝，需要付出的代价。

冬天来临，高山上有一场大雪先兆。空气凝滞而寒冷刺骨。小木屋如同冰冻洞穴无一丝暖意，幸好学生家长送来厚棉花被子。有时她会突然再次看见他的面容。在深夜，在高山木楼的房间里，在呼啸的山风和雪花的声音中，在雨水彻夜敲打木楼顶板的凌晨，在睡眠的边缘。感觉到他的迫近，低俯下来的面容如此真实，五官轮廓所有细节丝丝入扣全都逼真。她连他眼角的一条笑纹都没有忘记。

他的身体，散发出熟悉的气息和热量从无消亡。如同在梦中，被他用西服猛然裹住，散发着体温的西服上衣衬里有熟悉的古龙水气息。再次触觉到他结实有力的手臂和胸口。这拥抱如此紧实热烈，一如瞻里大雪的夜晚。

在孤岛般的高山村庄，与世隔绝的处境之中，情感的混浊杂乱渐渐沉淀、清省、落定。她一度以为对他的爱恨交加，无法绕行无法穿透，只能停滞在前与它对峙。但随着时间消释，渐渐看清这矛盾的幻象包裹的不过是一厢情愿的愿望和激进的理想主义的爱的期求。清池理所应当要对她的要求和需索付出代价吗。当然他可以选择不做回应，并且畏缩后退。

他们各自完整独立，不存在责任。他只能以甘愿的方式爱她，不能以她需要的方式爱她。这是她的问题，不是他的问题。她在这段感情中最终领会和收获到的意义，和痛苦一起互相纠缠，不可分割，但那依旧值得感恩。仅仅因为他的出现本身已带给她生命全新的内容。

热恋时，上海冬日凌晨，他与她从酒店出来。他去机场，把她先送回家里。漫长车程，黑沉沉天幕之下的城市景象，石头森林的都会，暗淡灯火闪烁，汽车在高架桥上飞驶。她的内心如同一面明镜般的湖水，存在于身体深处。在车窗玻璃里看自己的脸，像花朵一样璀璨绽放的面容，摇摇欲坠，不胜其哀却又充满力量。在这段关系里，她希望得到的最终是什么。是欢愉，还是超越。是反省，还是领悟。这个男子的出现是命运安排给她的一次意味深长的路途，一边是断崖绝壁，一边是海市蜃楼。

她需要清池。他是她的伴侣，一个借由他的情感触摸死亡边缘的爱人。清池打开她生命中被隐蔽封闭的诸多门扇，让她看到从未曾有过的通道，连接源泉潺潺流动，看到新的自我被推动和唤醒，肉身和意志凛冽盛放。

她经由他的爱，确定她与世间的关系，对时间和空间拥有截然不同的感受，如同进入一个无法以感官和思维获得的深邃而无形的层次。如果说之前，她对生命的感知，是断裂的，干燥的，支离破碎。

那么，经由情感的通道，她获得了它的整体感，连绵而流动，源源不断，一种深不可测的活力和担当。即使它充满矛盾、冲突、挣扎和创痛。她知道，这是她获得的机会。

她确定这件事情，使心里那一头走动游荡的野兽获得休憩，停止漂泊，在一棵花树下饮水睡眠。她知道自己在爱，并且被爱。在这样一段关系里，她从来都比他更为勇敢、鲜明、坚定、纯粹。她无法以从自身出发的爱去支配他，控制他，操纵他，影响他，改变他，征服他，占有他，毁灭他。他也不能够。它的发生，仅对她的生命起到作用。静默无言，地动山摇。

为了触及这个世界的尽头，奔波过无数路途。去过接近天涯海角的地方，看过不同生活不同质地的人，包括一座正在消失中的桥。她是个心灰意冷的人，自然也不拥有像Fiona那样强盛的对现实的欲求：希望更换生存环境，或者拥有更高阶层的生活。Fiona是聪明自立的女性，骨子里却摆脱不了本能的依仗。换了一种语言说话，呼吸到更为清洁的空气，喝到更为新鲜的水，看到更为圆满的月亮，人就会得到幸福吗。如此生活会更应有希望吗。这跟高山之巅的孩子渴望突破地理界限去看看县城的人有何区别。

也许一些人最终一辈子都抵达不了县城，看一看游乐场或餐厅是什么样子，尝到冰激凌和巧克力的味道。这是相同的属性。到了彼岸，还有更远的远方。地球是圆的，绕回来，又到了原地。始终不变是人与重力的关系。人脱离不了生命本质的绝境。

她跟Fiona的区别，她始终执着的是对生命真实性的追索，其间最重要的表达方式，便是情感。相爱是卑微肉身对照，沉浮于世间荒芜。他牵着她的手，睡眠时，吃饭时，走路时，任何时刻，带来彼此生命紧密联结的幻觉。她孤单太久，信仰和追随这双手，直到失去力气。早知道绝境所在，只是缺乏勇气看到这簇虚幻火苗最终被熄灭。如果沦落于无尽孤独中，如何存活。也许，最终这不是这段关系的问题，而只能归结到她整个人生的问题。

俗世现世，如同孩童积木般的物质世界，岌岌可危，分崩离析。我们将如何继续存活。那借以凭靠的一线隔置，它来自何处，能够支撑多久。世界上所有的人，即使分布在不同的纬度和经度，痛苦的根源没有区别。最终需要面对的，是来自生命本身真实而无解的苦痛。

如同蒙上眼睛在一个空荡荡的宫殿里穿梭。她看到自己用尽全力对爱做出的询问。纠缠揪斗，不依不饶。这是她曾经最重要也是唯一用以支撑的柱干，觉得只有他在这里，世界才是确凿和作数的。其他都是幻觉。但在一日又一日，一夜又一夜，与他彻底隔绝的时间过去之后，她发现一切不过是颠倒梦想。在现实里，无尽的虚空是真实的。只有这个男子，才是她在这个世间最为深沉的幻觉。

那些温柔的缓慢的惆怅的时刻。那些热烈的野性的奔放的时刻。那些黑暗的暴戾的抗争的时刻。

清池。如果我们相爱过。

她已接近两年没有见到他。漫长的700多天。

8

在离开春梅前最后一个月，她在县城和定山通了一次电话。

定山没有提及她下山之后回到上海的打算。也许他比她更清楚，庆长在一个城市主流范围里已无立身之地。她置身于世间的个人形态，如同一个符号式存在。没有人寻找她，需要她。她脱尽一切可被交易转换利用衍生的世俗价值，成为一个边缘存在者。无法加入改造和建设社会热火朝天的洪流之中，无法说服自己跟随人群前行，真实生命只追随她的自身行动。她已接受这代价。

只有这个男子可以提供给她一席之地，即使那只是平淡如水的婚姻。他说，庆长，这一年你过得辛苦，该有段时间彻底休息一下。

她和信得一起，最后一次爬上青岩岭。季节轮回，高山初夏是花卉的海洋。在一处幽深山谷，满坡盛开野山百合，洁白硕大花朵，枝干坚硬，芳香扑鼻，绵延成空阔一片，几近脱离人世。信得30岁时来到春梅。她的面容经由长年日照和操劳，依旧无法分辨年龄。和孩子在高山之上相处，眼神始终湛亮清澈。人的眼睛若不苍老，面容就不会老。她穿农户织出来的土布衣服，说尤其舒服，选的是最长最柔软的一束棉花织出来。她也学会纺织，耕种，经常和学生家里一起劳动。

庆长说，她会整理一本摄影集，有少量文字注解。她打消了写采访的念头。信得明显蔑视采访，说以前的记者们都是在编故事，编造她的个人故事和情感经历，唯独对她的教育观点丝毫不感兴趣。他们总是想把她包装成一个感动全中国的人。她说，感动有什么用。感动能给这些孩子们带来什么。她无法理解这些人做事的目的何在。很明显，他们热衷形式，对虚浮表象的兴趣和夸大，远超过实质核心。她允许庆长对她的靠近，但庆长仍做出放弃决定。她之前的采访也从未加入过自己的断论或喜好，但她愿意尊重信得这种处世方式。信得是接近真相的人。

信得说，她没有家庭，没有孩子。她说，人有这些，或者没有这些，都是命定。对她来说，无牵无挂，是另外一种形式的福报。她说，庆长，但你以后会有你想要的家庭以及孩子。你散发出来的对情感的诚意实在太为剧烈犀利。你能吸引这一切的到来，这是你的意愿。

庆长对谁都未曾提起过清池的事情。在与世隔绝的高山顶上，在一个即将分别并且也许永不再见的女子面前，她坦承自己的故事。她压抑太久，倾诉使她获得解脱。

信得安静专注，听了很久。说，庆长，我不觉得你对爱的追索是一种错误。唯一的错误，也许在于，你把这种追索等同于信仰，放置在一个男人身上。但对方是一个血肉组成的普通男子，有缺陷有弱处，会无常和变质。他如何承担起这种精神上的信念。这非他所能具有的力量。

他不过是一个商业社会里有诸多限制和局限的角色。即使有内心能量和光芒，你身上所有也强过他百倍。他如此摆弄生命里这几个女子，方式既不尊重也不理性，相反，却是一种自私，任性，为所欲为。如同一个贪婪男童，操纵他手里数个玩具，却从不试图去理解和感受对方的苦痛。

你觉得他对你的这种感情，是爱吗。他无法接纳你的性格，无法消化关系所衍生的伤害，这并非一种有悲悯和责任的关系，没有担当，也缺乏宽宏。而你对他的这种感情，是爱吗。还是你自己对爱的信仰，恰好在一个有因缘的肉身之上折射，使你产生错觉。

庆长说，我的生命因为他的出现，焕发过前所未有的激情和能量。我能体会。

不，不，那些激情和能量，是你身心一直都具备完全的，你需要一个仪式来启动。他是那个世间的仪式，或许他的作用已经完结。如果他还没有完结，依旧带给你冲突，那么，他还具备更深层的任务，要把你的心带去更远的地方。但那个地方只与你自己的生命境地有关系，与他无关，也与你们之间的关系无关。明白我的意思吗，庆长。他是命运赐予你的一个障碍，你跨过这个，就能了解和拥有自己更多。有时，一些貌似是爱的关系，带来的意义脱离我们想象。它不是让你跟他结婚，生孩子。有些男人与女人之间生命的关系，不是这样的世俗内容。

我很软弱，信得。在情感的部分，我觉得自己幼稚，匮乏，有无法知觉和克服的缺陷。

我们无法决定自己童年和早期经历带来的创伤。但如果它已经存在，你无非要付出比其他人更多的努力，更长的时间，去填补，修复，重建。你只能如此。这是你的使命，庆长。你远超过自己想象的有力和明亮。把该走的路继续走完。如果与他的关系还没有完尽，那么向前走，让它自动走到完尽。

不要害怕。不要退缩。它会有它的结果。

9

那一天，她和信得，在下山途中迎接到黑夜来临。她们在山谷中停留很久，凝望连绵起伏的山脊群落和山下散落的村庄。一种只有在高山之上才能感受到的，自然的美和宇宙浑然一体的完整性笼罩天地。肃穆，有序，充满生机。层层叠叠木楼灯火闪耀，和天上繁星遥相呼应，山涧流水淙淙，风吹过稻田秧苗起伏，狗吠，昆虫鸣叫，孩子哭泣，有人唱歌。天地万物在一种完美的秩序中展现它们的流程。她们长时间凝望和倾听这一切，感觉身心溶解，获得巨大的安宁和欢愉。

夏季天空中最为明亮的一颗星辰，在深黑色天空中散发出熠熠光芒，这样饱满，硕大，闪耀。如同一个祈祷。是木星吗。她站在下面，听到它沉默的回音。她该往哪里去。她要如何生活下去。这无解的设问，需要一种光芒指引和照耀。在那辆正往黑暗深处疾速行驶的列车上，所有心有质疑的中途跳车的一意孤行的逃离者，反道而行的结局会是如何。苍莽大地寻找自己的位置，也许最终只是纵深扑入任由身心分化消解。

顺应天然的规律，跟随宇宙的节奏。碎裂自我，把它交付给命运的秩序。这是她在春梅获得的唯一启示。

10

她回到上海，已是31岁的秋天。

所有人的生活在一年里几近一成不变，被日常生活拖动，与时间同行并进，仓促混乱，没有标记。只有庆长的一年与世隔绝，单纯专注，因此显得绵长鲜明。

Fiona也许比以往更为忙碌。升职，成为报纸集团的出品人。这是她俗世的朋友。Fiona对待她始终热诚，只是她们关注的内容方向截然相反，没有交点可以相会。Fiona以娱乐和时尚潮流作为工作内容，孜孜不倦，野心勃勃。庆长关闭掉对外界求取的通道，不要虚荣，不要麻醉，这是她的选择。她从未对Fiona说出她内心对这个世间的真正想法。如同Fiona不断对她坦率重复中产阶级梦想以及对这个世界的游戏态度。她们在某种意义上来说是没有关系的人。

人的生活中，大部分都是擦肩而过没有维系的人，即使倾谈也不过是自说自话。真实而深入的关系很难建立，并且为数极少。对庆长来说，只有两个。定山，他们是婚姻伙伴，互相合作和经营的对象。清池，他是以肉身和感情侵蚀渗透她生命的人。是比国籍，主义，观念，理论，更为重要的存在。从某个方面来说，他是她的组成部分。

定山依旧在为工作尽心尽责，两个人再次一起生活。在下山的时候，庆长已想清楚，要跟定山离婚。她在山上反复思省，并最终做出决定，只是为了获得对内心的承认。她在这段婚姻中，见证到的只是自我逃避。至今做过最为软弱的事，是与定山结盟，这是逃避的极限。当她意识到这一点，某种被击中的软弱使人衰老。她一直内心消沉。

定山在这一年，却面临他生活中最重大一次困境。他的父亲在南京查出有癌，状态复杂，需要马上进行手术和化疗，时间急迫，但一笔治疗费用数额极为庞大。除去公家摊销，自己还必须要筹出30万来。定山平时为房子还贷，负责生活支出，存款不多，凑出10万，庆长素来无钱，剩余20万如何解决。定山一筹莫展。庆长不能视而不见，决定把其他事情且都先放下，帮助定山一起借钱。

她当然不会找Fiona。从不觉得可以向朋友或熟人借钱，这是禁忌。她唯一认识的有钱人，是许清池。不知为何，脑子中浮现出他的名字如此自然，仿佛他从未曾从她生活中消失，始终是离她最近的一个。她有困难，需要他支持。20万对他来说不算负担。他答应，她不觉异样，他拒绝，她也不会诧异。分开将近3年。这个人，依旧在她血肉之中存在，是她理所当然的一部分。定山父亲需要尽快手术。无法再迟疑。她问Fiona要了他的手机，给他打电话。

清池听到她声音，语调冷静。她没有说出具体，只说有急事需要借钱。他没有丝毫停顿，说，可以。20万即刻打到她的账户。她想起在上海，他看到她生活拮据，递给她一张卡，后来被她推回去，那张卡里，估计是差不多的钱。他其实是依然把那张卡给了她。

他在北京，说，庆长，我只有一个要求。请你见我一面。

她说，我已结婚。清池。

他说，我知道。这是你的决定，不是我的。它对我不作数。我需要见你，明天我搭乘最早航班飞机，赶去上海。

11

她很久没有出门见人。没有约会。见人对她来说是一件正式事情。洗澡，盘头发，换上整洁衣裙。从春梅回来之后，她很少去购物场所，衣物多为旧日存留。在山上，每天穿粗布裤子、布鞋、圆领T恤。那件千疮百孔的黑色羽绒服，终于把它穿毁。一次爬山途中，树枝和荆棘撕裂了它。

出门前，她在玄关镜子面前，最后打量一眼自己。体重减轻15斤，消瘦，轻盈，皮肤晒黑，不施脂粉。一件粗棉布大衣，灯芯绒连身裙，打褶裙摆，天蓝底色淡淡燕子鸟翼暗影。头发已很长，接近腰部，编成粗黑麻花辫子盘成发髻。摘一朵腊梅枝上黄色花朵，插在发髻。她在花市买大束腊梅枝，养在瓦罐放置客厅角落，只为它的清幽芳香。

搭地铁，再坐出租车，路途遥遥。司机把她带到江边熟悉的酒店。这家五星级昂贵酒店，门前广场正中圆形喷泉依旧踊跃，发出哗哗水声。色调简洁的大堂咖啡厅有充足暖气，大玻璃瓶清水里插着白色百合和绣球，穿黑色衣服的侍应来回穿梭。一切没有变化。她第一次来到这里，是27岁的冬天夜晚。喝醉，被情感打败，被一个男子征服。在其后一年，多次来过这里，多得令她厌倦。闻到酒店生硬混浊属于公众场合的气味就觉得不适。这不是香水气味能够轻易调节的。酒店是一个过渡的停留的出发的地方，它不是归宿。

因此，她和清池的感情，漫长4年，也只是一段始终漂泊在路上的关系。

一对欧洲夫妇带着他们漂亮的两个孩子正从旋转门里进入。男人穿着讲究。女人穿着米色羊绒大衣，冬天也只穿一双赤红色高跟凉鞋，绒和丝镶拼的薄丝袜。金发男孩健壮活泼，女孩穿黑色大衣，戴淡灰色镶珠片羊毛贝雷帽，典雅纯真。表面看起来完美无缺的一家。

很多年轻女孩幻想过这样的生活。在一个绿树成荫建筑优美空气洁净的城市里生活，骑车环绕大湖，湖水上有天鹅，很多孩子，一幢白色大屋，屋前花园铺满绿色草坪，获得一个强壮男子，被人珍惜以及照顾，脱离贫乏环境……生活的另一个层面，是她居住过一年的春梅。对这个时代的了解，通过两个环境的映衬，经历过贫富分化不同阶层的真实生活，就可理解置身其中的人们，所忍受和经历着的精神和价值观上的冲撞、分裂和炙烤。

大部分年轻女子的实际生活与幻想毫无关系。不过是数年如一日，独自在城市里谋生，即使坚韧聪明，意志强硬，那又如何。也许最终找不到托付终生的伴侣，哪怕各自都只是普通微小，哪怕互相联结只为获取一丝丝人世安稳和暖意。现实是钢筋铁骨，戳穿软弱的愿望。

所谓的理想生活，一个情感的乌托邦，根本没有力量。

人最终需要自谋生路。

阔别将近3年的清池，从电梯里出来。身形高大面目清朗的男子，穿着白衬衣。他的存在对她而言终究不同。在人群之中，任何一个位置，只要他出现，她就感觉眼睛被光亮照耀，心里震荡。热恋时，她去机场接他，他从出口走出来，也是这样。呵，那是多久之前的事,仿佛已属于前世般邈远。彼时春日，他向她走近，她感觉身心充盈成为一段汁液上涌的鲜活树枝，是如此蓬勃热诚的生命之殊遇。他在大厅中不顾忌众人紧紧拥抱住她，亲吻她的额头和眉毛，这般热诚欢好。这记忆是她内心坚硬凸起的一个伤疤。无法抚平，无法忽略。只能与它默默共存。

此刻，她见到他，还是这样亲。再无撕心裂肺的恨意纠结，只有山高水远的安宁无恙。看到他低俯下来的脸，天地完整。因为失去对他的占有之心，胸中更持有一种开阔空间，可以容纳下这个百转千折无可捉摸的男子。他看起来优雅洒落如昔，眼神却很消沉。一时无话，他打破僵局。

他说，庆长，你在这里。

她说，谢谢你给我帮助，信任我。我会在有能力之后把钱逐步还给你。

这都无妨。我只想知道，如果不是要借钱，你会来找我吗。告诉我。

她讪讪地笑，我只认识你这样一个有钱人，没有其他地方去想办法。

我什么都可以给你。庆长。

那倒未必。她微笑说话。他当然知道她在说什么，但她不再咄咄逼人，出言犀利。不知为何，所有暴戾和激烈如河流远去。她对他，剩余下来的心，是河床卵石被反复冲刷之后呈现的温润和黯淡。

他说，我发给你这么多短信，打过那么多次电话，你不回，不接，之后换了号码。连Fiona都不知道你新号码。你还搬了家。你把我彻底弃绝于生命之外。我甚至没有机会知道为什么。

她淡淡笑着，无从说起，也不打算再说起。

他说，但我从来没有放弃过信念，某天，我一定要再见到你。某天，你一定会这样微笑着出现在我的面前。果然，我的信念会成真。

她说，我并没有走远。我也无处可去。

他说，我们需要在一起。现在出发去临远。他如同往昔强势做出决定，要她服从。

她说，我向你借钱，这不代表我需要服从于你。清池，请考虑我的自尊。

他说，那我的自尊呢。庆长。我这两年，在你的远行和弃置中，可有自尊。在隔绝分离的关系中，可有自尊。在你肆意而刚硬的决定中，可有自尊。我们在对彼此的感情中，早已尊严丧尽。我只知道，我一直爱你，会爱你至死。而你。你只能相信我，别无他途。

12

他开车带她到临远，悠然古都刚下过一场大雪。她要求一天来回，不留宿。他坚持在湖边酒店开了一个房间。那处酒店设计有古典气质，颜色淡雅的大理石地砖和花纹繁复的壁纸，她都很喜欢，他记得点滴细节。走进房间，终于获得两人独处的安静空间。她脱下大衣，轻声说，你不能碰我，清池。我的身份已不同。他说，我知道，我只想和衣与你躺在一起。我们小睡片刻。我需要这样一个时段，我思念你太久，庆长。

也许是工作压力或其他，放松下来之后，他看起来疲累憔悴至极。穿着衬衣长裤，依偎在她身边，头靠着她脖子，握住她双手，紧紧贴着她，如同孩童很快发出熟睡中深沉呼吸。房间被拉上窗帘一片漆黑，外面正是阳光照耀的午后。她闻到他头发和皮肤上熟悉的气息，看到天花上隐隐流泻进来的一抹微光，在沉寂中没有规则地跳跃浮动，头脑清醒，毫无睡意。此刻，所有感觉一丝不差全部回来。即便沉默无言，知道已回到彼此身边。在一起，一生一世，仿佛从来没有离分。

漫长两年，各自失散，放逐对方在天涯海角。这故作的坚强和勇气，需要付出多么强烈的力气和创痛。她如何能够做到，而他又如何度过。良久，她摸到眼角不断有热烫泪水滑落，没有声息，也无知觉，就这样慢慢泪流满面。

不知何时入睡，只知觉到在模糊中醒来时，身边男子已苏醒。他伸展手臂拥抱住她，头贴着她肩膀，身体颤动，发出无法自制的低声哭泣。窗外隐约传来人世的声响，日新月异有来有往的世界此刻和他们没有关系。她伸出手轻轻抚摸他的头发。他在她面前毫不遮掩哭泣过多次，而她所有的泪水，都是在他看不见的时候才流下。从不在他眼前掉眼泪，好强至此。但她内心明白，只有待在他的身边，她才得到归宿。他们自成小小天地，隔绝，封闭，没有其他。两人相对，其间咕咕流淌无望而深厚的感情，以此存活。

一起走到青墩茶社，她童年时和母亲来过的地方。冬季已见不到草长莺飞，也没有烈日骄阳。山上以亭子改建的茶室依旧存在，旧貌旧颜。她已成人，仔细观察它的结构，飞檐翘角的亭子，造型优美，古老破损。走近看，所有组合石材清幽光滑，大块青石雕琢精巧。柱，梁，檩以卯榫结构连接。边上有座凳。楹柱上挂一副木刻诗句，写着：浮云时事改，孤月此心明。上面有字迹苍劲浑圆的题字，味空亭。大幅玻璃窗依然明净闪烁。

一面冬日大湖，在雪光中荒凉安宁。她站在窗边，点了一根烟。她知道他在旁边默默看着她，她不用企图掩饰自己的脆弱。一只白色苍鹭，长喙衔着一条银白色的鱼，从水草深处飞起，划出一道银白色弧线，飞向亭台另一边。蓝色光线充溢天地，明亮，寒冷。她突然有一种幻觉，觉得自己与他的一生，在此刻就得以完美地终结。她与他的一生，就这样过去了。

但她知道终究什么都没有发生。母亲后来彻底失去消息，不知道是否还存在于世。所有人除了留下内心记忆，手中空空，一无所获。她与他，她与母亲，母亲与那个男子，他们共同面对的不过是无常。看不见过去，无法掌控现在，也无从想象未来。只有无言以对。

13

晚上下起细细冷雨，找到一个本地餐厅吃晚饭。吃完饭开车回去上海。

店内结构颇似一个三层环形戏院，高朋满座。厅堂挂满书法字画，菜牌和菜单用纤细毛笔字书写。屋檐下挂着红灯笼。等位的人从店里排到店外人行道上，可见盛名在外。他们夹杂在人群中等待。雨丝打在眼睛上，头发略略潮湿。他站在她身后，温暖笃定的手与她交握。他的感情从不吝啬于表达，也不伪装坚强。跟她截然不同。此刻他们是彼此伴侣。

她看着窗边一桌正在结账的客人，手推车里面有1岁多的婴儿，还带着一个5岁左右女孩。他们推上推车，携带孩子，开始往外走。她默默观望他们。

他说，一些父母习惯带幼小孩子一起出行，虽然不方便，但这是他们认为的家庭生活不可分割的一部分。

她说，你以前也经常这样带孩子外出吗。

他说，没有。我一直忙于工作，很少时间跟他们在一起。那时我年轻，不懂得与妻子和孩子相处的情感。年长后稍许具备注重和理解的能力，但他们已长大，有了独立的思想和行动能力，与妻子则接近无话可说。生活太复杂，无法概括清楚。庆长，有时你埋怨我不与你分享我生活的形态，那不是我不愿意。而是我不能够。

家常食物摆上桌来，鱼，百页结，豆腐，小塘菜，黄酒。明亮厅堂里人群拥挤，伙计穿梭，言语热气汇聚成世俗的丰实内容，他们夹杂其中，是芸芸众生中获取生之欢愉的普通男女的一份子。跟随陪伴，享受食物，对望无言，心心相印。他快速喝酒，喝得过多。酒精使他敞开心扉。他说了许多从来不曾有耐心对她说明的言语。

他说，小时候我痴迷天文和地理，借阅大量期刊和书籍，花费很多时间。同时要努力做到考试第一名，否则父亲就会掌掴。渐渐成为个性组成多面而分裂的人。要努力适应和符合外界的要求，有时不惜妥协和屈从，又极欲保留自己的小小天地，持有幻想。事实上，我跟所有女人的关系，都是在寻找一种所需要的情感。也许我更倾向俗世之外的一种联结。我知道自己一直没有找到，直到遇见你。庆长。从见到你的第一眼开始，我确定无疑。

他说，本性上我不是适合结婚的男子。我习惯并且也需要自由自在的生活。与大部分的女人，我只是在游戏，与一两个女人，我是在生活。生活无所谓好，无所谓坏，生活最终不过是这样度日下去，维持秩序，不做伤害。但我与你，是在相爱。

他说，你离开我之后，我的生活放纵。每一个在怀里停留的女子，我幻想她们是你。我与她们做爱，但从不与她们过夜睡觉，更不用说建立感情。我在与你的这段变故中，感觉被生生剥了一层皮，这种疼痛和损毁无法长出新的屏障。我只能让自己陷入麻木，却明白根本无法复原。

她听着这坦白的语言，内心没有起伏。男人和女人的确是完全不同的动物。她在痛苦中试图找回自己，而他在痛苦中依旧选择放弃自己。他的身体和心，可以完全分离。男人到底是比女人更多情，还是更为无情。她再一次打量这个身边男子，吃饭时他愿意坐她的侧边，觉得坐在对面距离她太远，不能随时抓住她的手。他穿着洁净挺括的白色细蓝竖条衬衣，换任何一个角度来看，都是好看悦目的男子。

身上糅合复杂的气质，强势而脆弱，理性而浪漫，真实而虚伪，风雅而鲁莽，敏锐而粗硬，热情而冷漠。难以分辨。难以归类。她接受他明亮的部分，也必须接受他所有暗昧的缺陷和弱处。这是她爱着的男子。他是这种样子。他的历史她无法追赶。他在离她遥远的城市和世界里长大成人，他所接受的教育和工作超出她想象。他的一切浑然天成，即使令人无法消释，那也是他原来的组成部分。

她跟他相爱，很多时候忽略了他的优秀和独特，也许因为他的社会性特质与她无法产生关系。他跟她在一起的时候，是一个以肉体和内心脆弱而热烈的方式存在的男子。他只以这样的方式存在。

他说，你去春梅，可觉得有收获。如果我能够知道你去，我会去那里找你。

就像在瞻里一样吗。

是。我不能把你丢弃在任何孤立无援的地方。

那我们分开那么长时间以来，为何你从未来找我。

我找过你，费尽心机来找你，但你彻底失去音讯。我是有过退缩，因为我们在一起内耗剧烈如此困难，超过我能够负担的重量。也许我不够坚强。你知道你的伤害力有多大吗，庆长。你反复无常，不可捉摸。当你温柔平顺的时候，你是最为美妙的存在。当你暴戾激烈的时候，别人只能被你关入地狱牢笼。这黑暗的力量如此强大。我数次想过自杀，你可知道。我如何度过那些心脏如同要崩裂般的一个又一个的夜晚，只觉得身心折断，整夜无法入眠。

他说，这几年，你或者在我身边，或者离我而去，每一个决定都影响我的生活。我的工作表现并不好，疏忽管理，以前只想有时间和你在一起，后来则选择浑浑噩噩度日。总部早有意见。当然我不能把责任推卸给你，我只知道自己爱你，在乎你的感受，我无法做到自控。生活，工作，感情，全部纠葛在一起，像锅沸腾热粥。我并非强大或战无不胜，事实上，男人有时候比女人更为脆弱。

他说，我打算辞职。香港有投资公司邀请我过去工作，你可愿意跟我前往。我会跟于姜分手，我带她去法国，就已打算与她彻底摊牌，只当是一个缓冲，可以平静解决后续。但你不容我解释，断然离开，让我措手不及。如今，我们需要再次来面对这个问题。北京的一切都留给她，我对她做出照顾弥补。我们去香港重新开始。我尽力工作，来照顾你的生活。去年，冯恩健重新开始会计师工作，我们分居长久，现在孩子都已经长大，她希望得到解脱。我与她已在协议离婚。

他说，庆长，我无数次幻想过和你日夜相守，再不分开。想让你给我生孩子，这样我们的感情可以留下生命的证据。我们的孩子会好看，聪明，敏感，独特，集中我们两个所有的特点。你可愿意为我怀孕生子。我只想让你每一个晚上都能睡在我的身边，拥抱着你入睡。这样我们才能安宁。

她说，你说过，你并不喜欢家庭生活，你性格里有自在的野性，不愿意受到束缚。你甚至希望自己从未结婚。

他说，是，我承认对婚姻从无期待或憧憬。我相信你也没有，虽然你一再进入这个形式。但如果尘世的安稳，是我们的感情唯一能够栖留的位置，那么我愿意为了跟你在一起，付出这些代价。我给你这些承诺。

她说，你之前从不和我说出这些。你一直回避和含糊其辞。

他说，我承认自己优柔寡断，于心不忍，我们之间强烈而创伤的关系，带给我巨大压力。你结婚，去了高山村庄，你离开我的生活，使我知道自己的生命无法完整。我们已行至一个无可拖延的地步，再往前，就是绝壁断崖。也许我这一生就会完全遗失你。我内心十分清楚。如果不做一次尝试，就再无机会。可是我这样爱你，庆长，我可会甘心。我愿意付出一切来追随你。就如同你在瞻里的时候，我只知道，我要奔赴你而去，跟随在你的身边。

他又说，我在香港先尝试这个工作。如果以后有可能，我们也可以去加拿大。带着孩子回去那里。你不能在一个地方待得太久，你要到处看看，得到新的生活方式。国外应该会适合你的性格。我曾经多次梦见带你回去。我们有一栋带花园的白色房子，有三个孩子。你在屋前花园里摘薄荷和迷迭香，准备晚饭的材料。午后，最小的孩子醒了，我抱起他，推开屋门去找你，看见你戴着草编的太阳帽，穿白色连身裙，赤脚在草地上劳作。你起身，转过脸来对我们微笑，笑容这样美，像黑色燕子穿行过天空。你的笑容让我生命真实，庆长。无数次，我在梦中为这样的完整而释然，笑而泪下。在梦中，我们终于生活在一起，日夜相守，有孩子，有花园，有房子，有所有的内容，而不是拖着行李箱辗转于机场和酒店。

他说，你可以认为我的事业失败了，人生因此也是一种失败。但我爱你，这才是我最大的失败。我接受这所有失败。庆长，你会明白。

第十章　　信得。看不见的存在

1

Ian是来自南半球的男子。27岁，电脑工程师。俊美，壮实，略带鲁莽和天真之气，此前生活读书工作一直在小城布里斯班度过。热衷户外运动，登山，滑板，出海，自助旅行，和漂亮女孩做爱。他是独子，备受父母宠爱，未必有过深刻的恋情，不过是18岁开始，与不同异性之间幼兽般的肌肤相亲，戏耍玩乐。这一年，他失恋，也不是惨痛经历，只是选择与人分手。于是给自己一个理由，挑选一个孤僻遥远的地点，抵达老挝。

他对东方文化并没有太多好奇。但是就这样遇见沈信得。

他滔滔不绝说了许多，超乎预料的热情。童年，父母，工作，城市，恋爱，大学生涯，旅行趣闻，种种无尽话题，说给坐在对面略带寂寥神色的女孩倾听，享受妙语如珠不断让她泛起欢欣笑容。她很少笑，但笑起来极秀美。穿一件淡蓝薄布缝制的衣衫，式样简洁，细细手工盘扣，领口袖子缝着丝线。脖子上挂一根红丝线，串着一块白玉一枚白色狗牙。这奇怪的饰物应该是用来驱凶辟邪。当她顺手随意挽起长发盘成发髻，他看到她转身时露出后颈部位刺着一个青黑色中文字，凛。

他问她，这个字是什么意思。

她说，是寒冷，或者严肃的意思。停顿片刻，又说，也许还有透明，锐利，超脱，疼痛的意思。

他说，一个汉字，可以负载这么多不同含义吗。这些含义又如何在特定状态下对号入座。

她说，中国文字不具备既定的严格苛刻的规则，到你掌握它到一定程度，你就可以用想象力来打开它的范围。它会随着意识和情感而流动、变化、发展，它将由你而定。这就是它的生命力和超越性。

他表示无法理解。她轻轻微笑，说，你因此可知，这一生不必去学习中文是件幸运的事情。相比起现在的中文，我更喜欢古代中文。那是即使对中国人来说也更为优美而艰涩的文字。时间淘汰一切被现在的人认为不需要也不重要的事物。很多事物的价值最后被低估或者高估，并不客观。我们不知道真正重要的东西是什么，也经常缺乏耐心。

他们在街口一家露天餐厅吃饭，虽然暮色已深，空气仍炎热。在西方人密集的老城区，这家餐厅很有口碑，座位全满。晚餐是青木瓜沙拉、烤鱼、手抓糯米饭。他是擅长肢体和口头表达的活跃健壮的男子，思维习惯直接有效的秩序和模式。他们之间的交流显然有障碍，各自话题独立疏远。她的内心有他无法进入和理解的部分，虽然英文娴熟，也不过是自说自话。但这没有阻挡他们在异乡初识气氛愉悦的进展。差异带来的刺激，她让他着迷。

一顿饭吃了很长时间。直到深夜人去楼空，只剩下他们最后一桌。

散步走回旅馆。在即将分开的庭院里，她站在月光树阴之下，深黑瞳仁默默凝望他，心意难测。他迟疑是否要鼓起勇气去亲吻她的额头，她已开口，说，你是否有兴趣去我的房间小坐，喝杯中国茶。她主动提出邀约。

她的房间在二楼，窄小单人房间，墙角放置一只纯黑色压荔枝纹牛皮行李箱，很旧，但款式经典品质精美，整张厚牛皮散发温润光泽，抚摸时有紧绷的弹性。她说这是她与母亲以前在欧洲跳蚤市场买的二手货，在旅途中使用时久日长。最后到她手里。她去伦敦读书，带着这只箱子，放了一些简单衣物和书籍。

他问她，家在哪里。她说，没有。在伦敦或者中国都没有家。她一直住在学校宿舍，也租过短期公寓。她受别人照顾，目前已没有亲人存在于世。

她用热水冲泡中国绿茶。他出于礼貌啜饮一口，这绿色茶汤并不让他产生兴趣。他却注意到她的单人床铺上是自带的白色床单，枕套与被单边沿缝制棉布蕾丝，有手工刺绣出来的图案和字。她说，小时候母亲给她手工做的物品，不管是衣服、小包、手帕还是书套，都会刺绣上名字。她们出去旅行，也自带床单枕套被单。母亲对床有洁癖，不喜欢被陌生人反复使用的布料。她因此形成这习惯。

然后，她转过身去，神情从容，伸手慢慢脱下身上衣衫。

2

出乎他预料，这一切来得如此快速。认识不过12个小时。一起看了一座庙，吃了一顿饭。

他恋慕她，反而不是有太过强烈的欲望。脑子里也想象过拥抱住她的身体，感觉会是怎样，却并不觉得有付诸行动的可能。她不是他往日经验中熟悉的活跃丰满的白人女孩。她如同是从遥远古老的异国书籍或者薄绢画册里走出来的人物，是被提炼和重塑的形象，并非为世间而准备。她迅疾直接的方式让他惊诧。他无法猜度了解她的质地，只能打开界限由她摆布。

没有洗澡。一切随兴而起。白日被汗液和阳光渗透的肌肤，带有黏腻的触感和气味，却更使人缠绵纠葛，也是他从未有过的特别体验。她的身体纤瘦有力，肌肤如玉石清凉，肉身如同黑洞，本能吸收对峙融合中的力量和矛盾，神情却始终有一种镇定自若。略带冷淡，一言不发，冷眼旁观他的兴奋。他确信她是经验丰富的女子，对肉身有出自天性的爱慕痴缠。一个24岁心意深邃的东方女子。她的过往、历史和秘密无从探测。

他离开她的身体。意识到刚才没有采取任何避孕措施，略有担心，说，是否会有麻烦。

她说，我会处理。这跟你无关。

他忍不住还是提出让自己后悔的问题，说，我是你第几个男人。

她看着他的眼睛，说，现在，我们两个在一起，这样已很完整。

还需要其他吗。

她询问他是否想回去房间洗澡睡眠。手表上指针显示凌晨2点，她清晨即离开万象前去南部波罗芬高原，为沿途被挑选出来的少数民族村庄服务。时间持续两月。他不愿意离开。天亮之后，各奔东西，他不知道何时能再见到她。

清洗身体，躺在她的单人床上尝试入睡。她的发丝散发出清香气味，密密层层，铺垫在他的脸颊之下。拥抱中的身体如同少女，可触摸到纤瘦骨骼。大约5点多钟，他醒过来，重新充盈起饱满欲望，于是开始第二次。这一次她完全敞开，如同一朵春日海棠，在瞬间绽放之后，只能以肆意的力度沉沦下去。肉身展示出对这种与异质交换能量的天然趋向，热烈有力，单纯赤诚。尽力敞开所有通道，与他交换、汇聚、融合，但这又是无法被言语道尽的孤独。

他被她肉身顶撞出来的激情所震慑。堕入激流之中，柔软无形但力量惊人的水流控制住他，身不由己全然失去徘徊余地。微亮天色之中，与这个变幻莫测的女子联结，这感受如此新鲜惊人。他愿意探索这具幽暗充沛河流般的躯体，直到迷途。

如果他继续往下深入，她也许会展露更多令他困惑和无解的内容。也有可能始终守口如瓶。他已失去所有力气，说，其实我并不懂得什么是爱情，虽然我恋爱过多次。她说，时间本身保持着一种神秘感，所以我们才会虽然做过多次的事情，却依然不能够知晓它的真味。

她说的话，他总是听不太懂。但即便是看着她说话的样子，为此心折也已足够。第一缕阳光已从窗外茂密枝叶间渗透进来，洒到枕边。他由背后紧紧抱住她，内心被突如其来的喷涌潮水冲去一切堤坝藩篱，只能袒露心迹。

他说，Fiona，你是我见过的最为奇妙的女子。

3

她离开万象，一直在高原原始村寨里工作。他在泰国度过假期最后几日，即将回去澳洲。在清迈他思念她，脑子全是她的记忆。她的肉身具备一种强烈而粘缠的磁性，即使分隔遥远，他仍清醒意识到自己的情感和欲望如同一条河流，日夜奔腾流连，渴望趋向她而去。她留给他的手机，每次拨打都提示没有信号。写过很多电子邮件给她，也全无回音。

最后一个夜晚，试图再次拨打她的电话。这一次终于拨通，她清晰的声音平淡自若，一如往昔，没有任何情绪流露。只是说刚刚从森林里出来，在当地附近的一个小镇里看病。身体一直不太舒服。

他说，你要当心传染到当地病症。

她答非所问，说，我前几天做梦，走到一个幽深连绵的山谷，一条曲折大路，路面洁白闪烁着光芒，两边是星罗棋布的深蓝色湖泊。许多赤裸的孩子在水中游泳，沉沉浮浮，嬉戏喧闹，发出的笑声美丽极了。我从中间大路上走过，不知道该带哪一个孩子上来，跟我一起走。路延伸到山谷的背后。前面黑夜茫茫，天空有无数明亮的繁星。

他说，这是一个很奇妙的梦。

她说，是。在梦里我有一种安宁喜悦。

我非常想你，Fiona，我们可否再见。

她说，不知道。Ian，我们在一起的时间已过去。此后我们不过都是前途未卜。

她继续失踪从未和他联系。他回到澳洲。如常开始工作，运动，与年轻女孩重新约会，与她们上床。却始终无法忘记炎热的万象，在旅馆房间铺着刺绣白床单的单人床上，那个脖子后面有汉字刺青的女子。她的神情冷淡奇幻。她说的话他总是无法理解。她的身体一直在对他发出呼唤。他的心在某种被禁锢般的思念中碎裂。开始终日隐隐作痛。

他成为自己都无法理解的另一个男人，坚持打电话给她，无法停止。一个月后，她接了他的电话。她已回去伦敦。

她说她怀孕了。

如果命运要把一些离奇的不可思议的事情安排给他，那么一定有其中道理。就让它来吧，他想。他已在长久的渴望和思念中，撤掉内心所有防御和退路，只能随波逐流被席卷而去。她捉摸不定的个性需要周围的人对此顺服，对未知无惧也没有忧虑，如同野地里的百合花，不种不收。即使告知他这件事实，语气里也没有试探或目的。她似乎从来不知道什么是危险，也对结果毫无执着。

他说，你打算如何处理。

她说，也许生下来。我没有亲人，想要自己的孩子。

你确定这是因我而起的吗。

是的。但这可以和你无关。

你一直在说这句话，包括我们在万象做爱的时候。那我是什么，一个工具吗，一个不需要发表意见和感觉的协助生育的机器吗。

不要生气。Ian，我为刚才的话语抱歉。

那让我们生下孩子。如果你愿意，跟我在澳洲，我照顾你。

我从未有过打算要去那里。

那现在开始打算吧。这里会有你的家。

4

25岁，她生下第一个孩子。女孩，取名Isabel。在孩子3岁时，他们举行婚礼，她又已怀孕。第二个孩子是男孩，Alex。她对感情失去一个阶段性的寄望，找到一个合作的男子停歇下来。她需要休息。他们之间肉身联系如此紧密，以个性和特质互相施展魔力。这段婚姻，肉体的粘着沉迷是牢固坚实的基础。除此之外，不过是一对精神模式上没有共通之处的异国男女。

很少交流。早期还曾互相探索新奇话题，结婚生子后，日常生活很快被工作、孩子、琐碎家庭事务代替。她是沉默寡言的女子，性格也不活泼，但他知道她心意细密，绝非面目沉闷，只是无从获得通道进入她的内心。她即使生下两个孩子，个性依旧如大海深沉难测。

就这样她跟随一个内心无法沟通的白人男子，在南半球美而沉闷的小镇建立起家庭。因为童年离奇的生活有太多安全感上的缺陷，她对家庭的照料经营出乎意料的炽烈和专注。得到一个形式和内容极为完备的稳定的家，这是她希望做到的，为此付出意志和能量。这意志和能量在Ian第一次与她相遇的时候，就已察觉。她虽不动声色，每一寸肌肤每一个毛孔却都在对他发出呼叫：跟我一起联结。让我怀孕。跟我结婚。带我离开。

他无法理解和分辨她生命的结构以及属性，但却能听到这源自本能的声响，孤单而强烈地发出，根本不容忽视。

在他的所在地，Ian是极为普通的本地男子。开车上班，早出晚归，以工作支撑家庭，养活一家大小。她成为住在近郊小镇朗霞的全职家庭主妇。朗霞镇有1万多人，是个空旷而边缘的地区。大片整洁有序的花园房子，一个中心广场，有一条商业街道可以购买到家用必需品。也有学校、医院、教堂等各式机构。开阔路面两边绿树成荫，田野开阔。平时极少能见到人，气氛相当冷清。他们在此地购买宽大住宅，因为土地价格较城里便宜。此地位于南回归线稍南，从来没有寒冷日子，阳光暖煦亲近，是艳阳高照的地方。气候宜人。连空气都是乏味至极的清新。

他们很少离开小镇。除了Ian有假期，一起携带孩子去国外度假旅行。隔壁邻居交往稀松，这里也有华人，但她不爱与人交际。混血孩子使用英文说话，对中文完全不感兴趣。她试图跟孩子们说中文，教他们认字，收效甚微最终难以继续。她试图教会他们背唐诗，现在看来不过是幻想。她想起以前贞谅书架里密密麻麻的书籍。在她决定离开临远放弃那里的一切的时候，就已明白什么都无法带走。

生活历史一片空白。没有信物，没有纪念，除了地图册中母亲的一张素描、一枚戒指和保存下来的少量照片。她只能在逐步建立的现实生活中添加未曾有过的存在，比如婚姻，以及孩子。

照顾幼童，清扫整理，烹煮洗刷，一日三餐。在屋前屋后种植玫瑰、百里香、迷迭香、薄荷、石楠。有时想起童年花园里的凤仙、牵牛、忍冬、腊梅、兰草，这里的植物都是不一样的。亲自动手做面包。推车带孩子们去镇上超级市场购物，归途时在街边小咖啡店坐下，抽根烟，喝杯咖啡，孩子们笨拙地给店里鹦鹉喂食。有时孩子都入睡，她深夜做工，用各色花布缝制包袋，枕头，垫子，带着孩子们去集市上售卖玩耍，当做一种消遣。

周末，Ian愿意帮她看一天孩子，她会独自坐火车去城里游逛。

5

那一日。她穿正式衣裙，化妆，穿上绣花鞋。很多衣裙是贞谅留下。白色夏布刺绣裙子款式属于旧时，Ian很难理解这是一种美，但也已习惯遗世独立的东方妻子，仿佛活在世间另一个界面，与她自己共存。布里斯班是安静的城市，依据山形而建立，街巷常有许多坡度。有时暖热，有时下起细细的雨丝。她走在街道上，知道目的地所在。这是她结婚两年之后拥有的秘密。

一个隐匿的情人，比她大20岁的白人男子。每周见面一次。还有一个女子，华裔，比她小3岁。她在一天时间里轮流与这互相分隔的两个人见面。做爱，聊天，吃饭，喝酒。黄昏时若无其事离开，坐火车归家回去镇上。

有时她自问，希望在他们身上得到什么。那个男人在图书馆里与她相识，一个小时之后，他邀请她一起去看电影。她去了。下雨的晚上，她身上穿的裙子略有潮湿，紧贴在腿上，露出少女般纤瘦秀丽的轮廓。在灯光熄灭的电影院里，他反复抚摸她手腕和耳朵上的皮肤，皮肤的触觉如同一条丝线，在黑暗中悄悄缠绵盘旋，逐渐产生麻醉。她知道自己一定会与他做爱，因为她意识和确认了彼此肌肤所产生的粘缠属性。分别之后，他发给她短信，说，手上一直留着你的香气。整个凌晨我用手指捂住脸入睡，只为嗅闻到你的气味。他们之后也只做两件事情，进入彼此，离开对方。如此循环，始终维持。

她和年轻女子在餐厅里偶遇。对方很瘦，每天抽两包香烟，轻度抑郁症，滔滔不绝说话。有时亢奋，有时焦躁，有时粗暴，有时温驯。她们尝试各种触摸和爱抚的可能性，在女孩窄小的公寓里，在点燃着印度香的闷热房间里赤裸，聊天倾谈，喝酒，有时无端哭泣。女孩深深爱恋和依赖她，而她知道这一切不过是嬉戏流连。诉说，倾听。进入，被进入。饱足的平衡。

她经常凝望自己的脸。在酒店或者餐厅洗手间的镜子里，在商店的试衣镜里，在家里梳洗台的镜子里，见到不同时刻的面容，疲惫的，隐忍的，衰竭的，意兴阑珊的。她想认清和确定自我的来源和实质。而那个新的自我，是脸颊上膨胀出两团胭脂红晕的女子。年少时，做爱之后脸颊就会变得这样红，微醺而烂熟的云霞般绚烂沉醉的红晕。她害怕失去这种敏感而独特的身体反应。

她买许多胭脂，收集色彩，热衷化妆。若无爱，情感和肉身停滞困顿，这是令人害怕的事情。害怕变老，代谢机能退化，或者压抑让身体陷入一种沉睡。化妆品柜台里的胭脂，是为身体陷入沉睡的女子所准备。那原本是自身能产生的颜色，如果要借用外物，只能说是确实的内部的匮乏。与不同的人做爱之后，她发现自己变得特别美。眼睛闪闪发亮，整个人脱胎换骨，仿佛被唤醒。

每次与他或她分开，她都觉得身体极为疲倦，只想找到一个地方获得休憩。回到家一旦躺下就是极为困长的睡眠。这能量交换如此激越，耗尽力气，被联结过的身体极为空洞，如同走入深邃幽暗的森林，告别人世，同时也无比纯净。经过与他人强烈的做爱，仿佛是一种深入内部的更新和净化，倾倒出所有黑暗淤积，包括创痛、匮乏和历史。它带来生命本源的证明和存在感，让她知道自己活着并且存在。

在约会之外的时间，她从不与他们联系。没有短信、电话，只是约定俗成的见面，秘密沉默地推进。这重新回复的渴求，使她明白内心有一处陷落并未被填补。有时她觉得走在哪里都是一样。在这个地球上，走东走西，生活在哪一个角落，耳边响起的是哪一种语言，身边走过的是哪一种肤色的人群。贞谅从小给予她四海为家的生活，使她突破对空间概念性的界限。唯一相续的，只是孤独。

因为孤独，她需要这些骨子里早已习以为常的食物存在：优美惆怅的表达所代表的情感，失去语言的性爱，虐与被虐的肉体关系，被不断开发的想象力和意识，疼痛，出血，交谈，秘密，罪恶感。

6

她问琴药，相爱的人为什么不能在一起生活。男子说，这是两回事情。那时她无法理解，现在她以实践获知。她自问，这是她所要的生活的真相吗。将近5年，以极为沉静和忍耐的意志，实践生儿育女与世隔绝的生活。她成为一个有丈夫有孩子有家庭的女人。她这样急促、饱满、激盛地推进自己的人生，不觉得这样的消耗过度是一种伤害。抑或说，她无法成形，早已在虚空中破碎。

她说，我觉得不需要任何人，而在不断反复循环一种感情模式：沉溺，抽离。抽离，沉溺。我一直想知道，情感与性，背叛与归属，放纵与安全，禁锢和逃离，这种种共存之中哪些更趋近爱的本质。反复做出试探，执拗需索论证。我想知道为什么我们无法独自存在于世，却又无法与别人真正的相爱。爱是什么，我不知道。我希望自己找到证实，证明，我希望能够得到更为强悍和明确的结论。

7

29岁，Ian有了婚外恋情。他由万象俊美开朗的年轻男子，变成肩负责任的丈夫和父亲，此间即使有着种种不甘愿，依旧单纯地恋慕她，照顾她，跟随她，陪伴她。结婚5年，尽最大努力做到他能够提供的最终。但男人终究会有疲惫时候，对她反复怀孕分娩的身体感觉疲惫，对她深邃幽暗不动声色的心境感觉疲惫。始终无力控制他们之间的局面，从未在她这里得到呼应。

有时他坐在电视机前看体育比赛，吃薯条，喝啤酒，独自大呼小叫自娱自乐，最终在沙发上沉沉睡去。电视屏幕余留着亮光和噪音。他的年轻面容健壮身体日益荒废。强烈粘实的肉身联结，在时日延续中以重力般惯性下坠，渐渐沦落冷淡，而彼此内心起初就从未搭建过桥梁，始终疏离隔膜难以靠近。她从孩子睡房里出来，给他盖上一条毛毯，顺手抚摸他汗湿头发，心里想，他们给予对方的渐渐只是怜悯。即便如此，却无力互助。

恋情对方是他的公司同事。30岁本地女子，还未结婚。从他开始穿上风格迥异的新衬衣，标牌未拆，独自在卫生间一边刮须一边轻声哼唱歌曲，她即洞晓他变化。旁观他开始频繁出差加班，其实是与女子一起去度假，在酒店留宿。她佯装不知，放任他陷入沉迷在刺激、活跃、新奇、同质的情感之中。他有时愧疚，有时消沉，有时暴躁，有时讨好。如此一直反复无常。

她试图判断他是否因此会想离开家庭。如果他想要离开，她和两个孩子该作如何安排。但即使如此，她保持镇定，在他面前从不表露。持续半年之后，她确认要拿出行动证实直觉。在一次他例行提出两天公差之后，她跟踪了他。

她把孩子们托给上门的代看人员，跟踪他们一天的安排。在海边沙滩日光浴，裸身嬉戏，晚上烛光晚餐，去酒吧喝酒，又换了一个酒吧喝酒。直到回到酒店。等他们关上房门，她轻声走过走廊，站在房门边上等待。激情勃发的声响传送出来，隐约的笑声和尖叫。她屏息站在那里，心想，如果他能够得到喜悦满足，她可以放手。她并不认为在这段关系里，她的立场处于他的对立面。他们的婚姻渐渐走回到陌生人的原点，各自都有无能为力的缺陷所在。致命的是，这缺陷他们无法依靠对方互补，而只是逐渐认清并使它凸现。最终它成为一个分界线，让他们意识和理解彼此完全陌生的本质。

她把他变成一个在电视机前喝着啤酒入睡的男子。她成为养育两个孩子的母亲。在琐碎劳顿的主妇生涯中，每日辛劳操持家务朴素忍耐，每周一次独自出门，焕然变化成另一个女子衣锦夜行，如同少女时百无禁忌。否则她就会觉得被庸俗现实彻底湮没，身心无法勃发出生机。这分裂的生活又如何自治。当下只觉无限疲倦，再无力气踏出前行或后退的一步。坐下来，靠着门闭上眼睛，试图获得安睡。

睡了多久，几个小时，几十分钟，不知道。醒过来浑身冰冷发硬，封闭的环形走廊，照明灯光星星点点洒落。没有窗口可以看见天色变化，但她感觉已是凌晨。内心有无限寥落洞明，如同少年时独自在空旷房间里醒来，猜测失踪的贞谅是否回返。如同手里捧着一面镜子，小心翼翼，背负难以置放的重量和易碎的前景。安静下来，反省和回望一路选择，原来是一次机会。给心摁上最为切实笃定的一个长铁钉，这样能够在现实中彻底沉默。才能让自己平静。

仿佛是多年生活带来的灵敏感应，突然房门打开，他穿着酒店浴袍出来探望。见到坐在门外地毯上的她，极为惊惧，两个人顿时僵持无法动弹。她支撑身体从地毯上站起来，眼神安宁地看着他。无话可对，心如止水。对他轻轻摆了一下手转身离开，当晚直接开车3个小时回到家里。

次日黄昏，男子回来，神情憔悴。她什么也没说，在厨房里给孩子们做饭。吃完饭收拾餐桌和厨房。让他们洗澡。讲故事唱歌哄他们入睡。忙完一切。他没有像往常那样在客厅沙发上打开电视体育频道。她走进卧室，看见他躺在床上，空气中都是酒精的气味。他喝了烈酒，但还没有喝醉，也许只是想感觉舒服一些。

她走过去，抚摸他的额头，手指轻轻拂过他额际头发，如同安抚顽劣迟归的孩子。他把脑袋埋在她腿上，愧疚无措，泪如雨下开始抽泣。他说，Fiona，你可爱我，你有无真正爱过我。她停顿在那里，不知道如何应答他。一直迟疑，最终依然只有沉默。他的微笑仿佛是嘲笑自己却有一种悲戚，轻声说，其实我在万象遇见你就已知道，我是你操纵在手里的工具。家，孩子，我的爱。这一切有无让你觉得安全。有无让你感觉到最终的满足。有无让你得到归宿。我知道你没有。我曾深深爱过你，你可知道。

但是。他知道什么是爱。她想，连她自己都未曾知道，什么是爱，什么是真正的爱，什么是可以长久和坚定的爱，什么是充满温柔和忍耐的爱，什么是不会变化不会消减不会失去的爱。呵。她从来没有见到过。她只见到过人为爱所迷惘，所翻腾，所覆盖，所毁灭，所撕裂，所粉碎。世间所谓的爱，最终都不过是人们各自的失望。所有人，一定还未曾得到爱的真谛。

她说，如今你想怎样。她在此刻心里已完全清朗。

他说，我不知道该怎么办。我不知道。她想跟我结婚，但我要你和孩子。

她用双手捧住他的脸，清晰地问他，Ian，告诉我，你出去是否觉得快乐，你快乐吗。

他说，是。我快乐。我很久没有得到过这样的快乐。

她说，那么，我们离婚吧。生命中任何稳固和安全的存在，都比不上我们内心的快乐重要，哪怕是暂时的存在都是值得。相信我。它值得你去追寻。

她又说，不要觉得这是你的过错。我不觉得我们需要别人或爱上别人，是一种过错。唯一的过错，只是我们不够强大。

8

婚姻，如同湍急水流冲刷身心，她最终知道，它要奔向它自身组成所形成的秩序和方向，而不是用以满足个体内心的意愿和妄想。

每个人都希望它带来愉悦、饱足、和谐、舒适、温暖、安全。这是一厢情愿的念头。这条河流的方向，最终远方是获得释然和自由。真正的自由，则是放弃我们对他人的要求和期望，放弃对外在形式的依赖和需索。最终，是对自己所坚持的意愿和妄想的放弃。这种放弃，并不令她觉得婚姻使人头破血流或者一蹶不振。这是命运赐予给人的一次机会。给予休憩、完成以及思省。

跳进一条危险的河流，去了解自由的真相，并让自己得到洁净。

她在幼儿园的窗外，默默观察孩子在教室里面的活动。两个孩子都给了他，他以及他的家人极为喜爱两个混血孩子。她打算离开南半球，什么都没有要，只想离开5年僵滞停顿的生活环境。无法跟孩子在一起。也许也可以像贞谅，带着孩子在世间东奔西颠，但她不觉得这是好的方式。这个家庭式幼儿园提倡美德、素食、劳动、安静，把孩子托付给一个小范围的有规范的社会是必要的。他们在那里受到理念的约束和指导，周围都是同类，不会觉得隔离和边缘。

孩子们在活动室里严肃地模仿大人的举动，给别人倒茶递送点心，彼此礼貌问候，各自专注地做手工活动。他们的世界简单明了充满能量，尚与幼兽同类，一旦成长就会身心混沌分裂。成年人的世界如同黑洞。即使如此，她并不因为把他们带到世界上来而感觉负疚。她遇见一个善良及时的男子，与他一起孕育生命。生养，哺育，直到他们将最终离开，开始独立崭新的生活。

生育孩子，是她所需要的一种处理生命的方式。他们的存在，则最终会成为他们的生命方式。这是两清的。

但是此刻，让我们来玩耍吧。她用力抱起孩子，感觉到手臂的强壮心脏的跃动，正面对视，微笑，深深而长久凝望彼此眼睛。这样的时刻，她都会一再被他们的美丽感动。幼小孩童散发出光芒一般的芬芳和活力，这种澄澈，明亮，天真，力量。女人生下一个孩子，就有机会一再体会和回味这种对美丽的感动和折服。观察孩子的眉眼，嘴唇，脸颊，小手，小脚，逐一亲吻。她这样单纯地恋慕和崇敬幼小的孩子。全身心的热情，真心实意，超过她对这个世界的期望。这是一个母亲能够得到的最为宽厚充沛的回报。

她与孩子外出，并不指导方向，总是默默跟随其后，观察，聆听，不受注意地保护他们，由他们活泼奔跑，做一切感兴趣的事情。他指责她对孩子的态度太过纵容和自由散漫，认为应该讲求规则。她说，真正的规则是人内心的信念。他们只能在实践中具备信念，而不是所谓的该往东还是该往西，该洗手还是该睡觉的规则。人要先把自己弄脏，弄痛，知道失望和伤害是什么，才会知道什么是真实。也许。说这样的话，也显示出一种理所当然的轻率。过程的复杂性总是会超过人的经验，但她依旧具备一种信心。

总有一天，幼小的孩子都会明白，明白母亲去过的地方留下的记忆做过的决定经历过的颠沛流离。明白父母之间的关系。明白人性的无奈，无解，所有细微褶皱层面里的内容，以及生活形式的多样性和其本质上的残酷直接。是的。终究都会明白。

她要再次远行。

9

她梦见和这个男子做爱。

在清远山古老荒废寺院旁边的小旅馆。榻榻米房间，窗口处可见茫茫大雪，弥漫灰白空远的山岭，雪粒子敲打玻璃发出叮叮咚咚脆响。他在背后进入她的体内，尽量克制举动试图不惊动无形，但仍无法控制某种致命的激情。剧烈的肉身热量，拍打在她的背上，渗透到骨血里。声息在寂静中被放大振动，一面起伏着的辽阔的爱欲的海洋。

在现实中，他们从未互相占有和归属。此刻却有一个仪式需要完成。相会、出发、泅渡、回归。这是在梦中完成的期待于虚无的旅程，务必跃身而入，以真实赤裸相呈。使之终结。

只是，这灼热与愉悦因何而生。如果说它们不是凭空而起，那么一定有其确凿来处。追逐一束光源一条追溯而上的道路。皮肤渗出细密汗水。他的身体如同遵循一种指令，在她体内生长、延伸、饱满。这活跃的传递，静默的渴求。耳边发出的低沉呼吸，律动的潮水起伏。她期待被这个男子的生命交换、充盈、清空、净化。

某种回声从胸腔里面逼出，在喉咙中窜动，在空气里发出嘶嘶碰撞。哭泣，也是同样的发声方式，只是两者表达截然不同。这叫声，干脆，洁净，单纯，如同密林深处在花丛中迷失了道路的幼兽，带着隐约无助和期待，知道归途所在。此刻，他们是安全的，拥有时间和信任。等待最终火焰般亮光在腹腔凝聚成形，无声迸发，贯穿身体，从头部中心喷涌而出。融入空无。

也许她从未轻易信任过人的本身，却信任肉体。它是不附带形式理论的光明的存在。没有权力，没有谎言，没有怀疑，没有惶惑，没有贫乏，没有对抗。只有交付，融合，芳香，天真。情欲被提炼至幽蓝明亮的生命火苗。在一切被冲破的瞬间，肉体在虚空里碎裂。人也许应该在这样的时候，以这样的方式死去。这深刻喜悦逼近死亡边缘。而死亡，也许是人最为终极的渴望。

她爱慕他的美和脆弱。这爱慕将会如骨骼般脆弱和坚硬，直到死亡把它摧毁成灰，并再次进入轮回的漫长轨道。

10

很久之后，她在梦中又见到这个男子。他们之间有一场对话没有结束。她终于可以说出心里的话。只在这个男子身边，她才觉得是自由的。

她说，我梦见依旧睡在她卧房旁边。凌晨时分，工作间里响起织布的声音，间歇持续，是从小熟悉的声音。醒不过来，心里想着她已回来，不禁内心释然。我期待她带我上路。期待她从背后拿出一束石竹花。她离去后，我便不知道可以跟随谁。我爱她。在爱她的同时，又轻视她。我站在岸边旁观她如何堕落于海水之中，我看到她死去。

他目光澄澈地看着她，没有愧疚，也没有伤感。

她说，这么多年，她有无来到你的梦里。

有。很多次，她从屋外进来，站在我的身后，双手蒙住我的眼睛。我转过脸去，拉下她的手，看见她脸上有顽皮笑容。她问我，琴药，你害怕吗。我回答她，是，我很害怕。直到我变老，死去，都将如此。

她说，没有你们，我多么孤单。但我依然在活下去。

再一次，她试图靠近他。伸出手掌贴在玻璃上，穿越一层冰冷坚硬的隔膜，抚摸他的脸，他的嘴唇。他的眼睛亮光闪闪。呵，那是味空亭雨后的月光之下的男子面容。她跪在他身下，抬头看见他。他的脸上有温柔的怅惘，淡淡的感伤，容忍担当她对他的探索和幻觉。即使秉烛夜游，也无法延续欢愉的幻觉，消灭虚空的破碎。他们在那一刻已彼此告别。

她在玻璃后面无声地说，我爱着你，琴药。你要记得。
他用眼神回答她，我知道。

她在玻璃上轻轻留下自己的一个吻。

此后她游荡人世，情路坎坷，只想寻找回来心里对美和真实曾持有的信仰，却再未得到机会爱上任何一个世间的男女。

就在他们于法庭见面的1年后，这个男子死于肝癌不治。

11

最后一面，告别时，他说，在你彻底离开临远之前，去寻找一下春梅。看看你不存在的故乡，也当替我完成答应过你的诺言。

她查到路线。先坐飞机，再坐火车，换客车，换当地小巴。一路辗转。形迹越来越荒凉，渐渐失去生机。路上看到因为地震而被劈成两半的山峦，裸露出来的白色伤口触目惊心。地动山摇，地球重新排列秩序。这种力量，人岂能抵挡。她已无法找到一个地方叫春梅。当地人的小巴，载着她穿越过迂回曲折的高山和田野上的窄小路径，始终在兜转。周围是望不到边际的冬季田野。黑灰色一片。草木萧瑟。

最终，车子停在一个一望无际的旷野里，远处是断裂和创痛的山峦。当地人说，这是地震之后改变的地形，如果想看到村庄的痕迹已绝无可能。哪怕是最微小的一块砖，都被覆没于地面之下。她在旷野呼啸风声中试图往前行走，越走越远。然后在旷野中心，看到一面异常静谧而碧蓝的湖水。

大湖呈现完美的卵形。孕育过人烟和俗世的气味和痕迹被扫荡一空。湖面上栖息过路灰雁，发出断续苍凉叫声。因为有人迹靠近，这群大鸟在突然之间振翅拍打，如同一股悸动的风暴，飞往空中远去。

在那一刻，她感受到内心一块沉静的凹陷。她从未见过故乡春梅。此刻她知道，它从未远离。它是她身体内部的骨骼和血肉。它不会消失，她的存在就是它在世间存活的凭据并且将继续延续。

她脱下一直戴在手上的属于贞谅的钻石戒指，把它丢进湖水之中。站在旁边，为这面与世隔绝因为地震而形成的湖，拍下一幅照片。转身离开。

她的余生再未回到那里。

12

她给远方的作者，写出最后一封电邮：

有些地方，不想再去，如同有些人，无法再见。不是对方消失或者无法抵达，而是在记忆里，它已成为终结的标记。它打包过往和历史。如果试图掀开微小一角，撕裂之后，倾泻出来的内容使人恐惧。这是一种禁忌，宁愿把它抛弃。如同一种封存，在死去的同时获得永久的生机。

因此，春梅已死，在我内心却复生寻找根源的意愿，茁壮有活力。我离开澳洲，依然从事义务工作，跟随一个人类学研究小组，来到尼泊尔与西藏南部边缘交界的高山深处。在海拔高达上万英尺的山谷之中，有一群波提亚人。我查阅资料，在地震中失踪的春梅，血缘上与他们有遥远而神秘的牵连。

跟随小组沿着开满杜鹃花的河流前行，穿越过喜马拉雅山白雪皑皑的山丘，攀过山脉顶峰，来到也许是世界上最高的与世隔绝的村庄。

在村庄里度过一个月。山谷中气候变幻莫测，阳光灼伤皮肤，疾风和冰雹突然而至，塌方和雪崩随时都会发生。这种生活方式、地理、气候并不使我觉得生疏。融入他们的生活，与他们一起烘烤碾磨大麦，酿啤酒，在田里除草，编织衣物，挤奶，制作干酪，参加驱邪、庆祝和祭祀的仪式。在屋顶平台上唱歌，在月光下盖着牦牛毛毯子睡觉。

在他们的脸上，我看到自己脸部的轮廓和眼睛的形状。感觉到世间万事万物浑然一体，没有分别。每一个微小个体都是宇宙神秘而不可观测的系统的一份子。在哪里都是归宿。与任何人都有血缘。我已适应在时间缓慢无所事事的地区停留，他们更注重生命的当下感。

离开村庄之后，我停留在加德满都，在那里加入国际性慈善组织，从事调研和教育。

时间给人的感受，有时是软的，粘稠的，潮湿的，像湿泥一样包裹，甩脱不掉，纠缠打搅。有时是硬的，是一面可用肉体贴近但无法打碎内核的墙。命运颠簸自有秩序。转折之处总有接应，做出安排。读《圣经》，读到摩西带领以色列人出埃及，在旷野中去往已定的地域，耶和华一路引领，白天以云柱，夜晚以火柱。渺小微薄如人，在命运的旷野里，能否看清在前方移动着的云柱或者火柱。我相信我看到过。即使没有看到，也不代表它不存在。

生活如同巨大的幻术。明知如此，步步还需艰难持重，全神贯注。我们渴望做一场离经叛道的嬉戏，如履薄冰，如蹈高空，并且最终不知所踪。爱是和真相共存的幻术。随时老去，随时死去。即便如此，为探寻和得到爱，为获得生命的真实性所付出的代价，依旧是这个幻术中最令人迷醉和感动的核心。

即便，在爱呈现出真相的同时，它们注定在这此刻融为一体共同消失。

迄今，我所经历的都已说尽。即便你从不回信，但我知道你在阅读。我所需要的，也不是回复，而是让你知道我的存在。我在这里，我以这样的形态存在。如此，我们之间便有了关联，这对我很重要。

我将停止写信给你，但不觉得需要跟你道别，因为我们还未曾以生命真实质地相逢交会。我不说再见。我期待你。

第十一章　　庆长。这里如此之美

1

他们认识已5年。她32岁，他45岁。她从未注意过他的年龄。他跟她在一起，身心如同热烈少年，为她竭尽所能提供能量，如同即刻被逼到角落消耗殆尽。他是带来火焰的人，不会熄灭，只会把她炙烧成灰烬。

庆长知道必须再次做出选择。她遵循内心指引行动，其实一早知道选择何在。如果一条道没有走到黑，走到死，她会执拗前往。或许，她的人生模式就是如此，上天已给过明确暗示。如同飞蛾扑火，冲向火焰的盲目和不惜是必经道路。灵魂以创痛为食并因此强韧，反复碾转碎裂，直到获得重生。

她对定山提出离婚，坦承一切。定山却为她顾虑，说，庆长，我与你结婚，唯一意愿不过是想保护你让你愉快。我能力有限制，但愿意给予你自由。只是想问你，你是否真的认为一段相爱的关系，需要为它做出俗世安排。也许它更适合作为一种理想一种仪式存在，你可明白我意思。生活伴侣需要的是理解和容忍，而非热爱。你看，我们相识近7年，从未有过争吵或怄气，我尽全力照顾你。而你和他，互相逼迫至死的个性，是否适合朝夕相处。你可想过。

她当然想过。

她和清池，性格里隐藏的强大自我一旦交战就难以和解。但如同缺陷的致命无可回避，他们对彼此的需索渴望也无法被搁置。她的理性告诉她，许清池这样的男人，只能和于姜这般温柔浅薄处处以他为重的年轻女孩共存，他并不允许女人时常以智性和个性来挑战他。她的理性也告诉她，像她这样的女子，定山是合适伴侣。他冷淡，缓慢，却怜悯和容忍她，以善良宽厚与她共存，而不以占有性质的情爱征服她。

如果涉及情爱，务必会衍生出痛苦、怨怼、失落、不足种种人性之负面。但若没有热爱和占有，没有纠缠和交战，情感也不过是形同虚设，无法抵达边界。这是矛盾的互相依存的关系。没有黑暗就没有光。

理性即使清醒自知，抵不过内心对这段关系进行实践的意志。或者说，这是她始终持有的叛逆之心。

事实上她并不认为与清池的关系，能在世俗中得着安稳。离开上海，离开历史，离开种种过往拖累和包袱，离开污泥沼泽般四处打转而无法超越的生活。这些事情，她年轻时要求自己做到，但现在知道人的卑微渺小及在某种秩序面前必败的境地。无可置疑，与清池的关系，是她挑战现实存在又一个出发点。

如同一同对她求婚的应允，见面5天的男子给了她一条可以实行叛逆的道路。虽然她最终是独行。她生命中的巨大改变都由男人带来。与其在一段安全僵滞的关系里衰老并失去力气，宁可在一段危险全新的关系里获得对自我能量的检验。最差的结果是什么。她心里想，不过是死。那又如何。

她说，定山，即便如此我也要离婚。我反复两次，如果当初你不坚持结婚，也许我们可以一直平和相处和依存。我知道这是你对我的帮助。只是我不能说服自己放弃重新选择生活的机会。这是我的决定。是我要做到的事。

他说，或者我们可以先尝试分居。

她说，我要跟他去香港。这歧恋会使你我内心难以安宁，旁人也不会理解。我无法以拖拉的方式过渡，只能截然一刀处理。

他说，为什么需要旁人理解。旁人不知内情，又持有什么立场来评断或干涉。庆长，一个人忠于自我就是诚实。你选择忠实于自己。我做过的选择也是忠实于自己。我们并非演戏给外界评价。

她说，我是个随波逐流的人，走到哪里算哪里，因为我知道前方其实无路可走。你的处境与我不同，请让你的家庭宽慰。20万的钱由我负责，你不必操心。谢谢你陪我走过这段路。事实上，我不可能再获得如你这般善待于我的朋友。

他说，钱我以后有了能力会还给你。你对我没有亏欠。只有一个理由能让我接受你决定，那就是，你与他还没有真正走到终结了断的时刻。如果抵达那一步，你自然能解脱。此刻路未完，你必须继续向前。这些挫折创痛你只能独力承担，旁人无法帮你分担。庆长，你要坚强。祝你好运。

2

庆长离婚。32岁生日在香港度过。

香港，又一个中转站。清池送给她大束白色绣球铃兰和玉簪，一枚用丝绒盒子装起来的白金戒指，式样简洁，镶嵌一颗浑圆海水珍珠，背后刻着他的英文名字和购买日期。庆长戴了几日，不适应手指上有东西，想收起来，但清池不允许。于是她继续戴着它，洗澡睡觉都不摘下。这一年，她是许清池的伴侣。他们开始共同生活。

住宅位于上环临近山腰的公寓。房子属于他以前在香港的朋友，长期工作在美国，把房子以便宜价格租给他。在寸土寸金的香港，在上环能有一套150多平米公寓居住，已算是安稳。但这无法跟清池在北京的别墅相比。他毕竟为她付出代价。无法改动房间布置，满屋子都是别人的家具、用品、装饰。对庆长来说，这个房子，不过如同一个长期租住的酒店房间，不能算是自己的家。清池没有从北京别墅搬出任何东西，除了一部分衣服和书籍。于姜留守的别墅被当作仓库，保留他以前既有生活的所有内容。

他只是的确不再回去那里，不再见于姜。把除工作之外的时间都给了庆长。

他的状态有许多变化。初初上任，工作需要付出大量时间精力做调整，日日早出晚归。45岁男人转换职业，在一个新的行业重新开始，是艰难行进。他不再是外企派到中国的高级雇员，失去住房补贴差旅报销等大块其他收入。新工作的年薪比以前高，但补贴失去很多，收入其实并没有增加。对于他一贯维持的家庭负荷和生活开支来说，依旧满打满算。

有时他会节俭。他们偶尔去高级餐厅，平时多去平民性的茶楼。吃完食物他要打包回去。庆长从来不是注重物质的人，以前跟清池在一起，因为他工作的性质被他带到各类奢侈场合，附带生活在这样的场景里，从不觉得是享受或虚荣，只是接受这些内容是这个男子生活组成的一部分。现在他失去。她发现失去的不是生活内容，而是他的个性失去余裕、慷慨和洒脱。形式上的特权被剥落之后，他的内心呈现出相应的软弱和变动。

他负担共同生活所有费用，也给庆长支出。庆长做翻译工作，杂志的活继续接，同时处理春梅一年积累的图文内容。如同在上海一起度过的两周，她照顾他生活，做家务，清理，烹饪，熨洗。之前他们从未有过这样长的时间在一起。一般三五天，最多也就两周。清池的生活总是在流动，她只出现在他的旅途中。现在才知道，即使是两个相爱的人，在同一个屋檐下生活也是巨大考验。尤其彼此关系亲密粘连，个性又同等犀利而鲜明。

他喜欢房间里空气凉爽，极为怕热。每次回家，把空调打到18度以下，房间里冰冷彻骨。她不爱开空调，即使夏天，也只喜欢风扇，打开对流窗口，享受自然风。

他果然习惯佣人打扫，在家里袜子衣服随手搁置，从不注意分类和分地方放置。不收拾，不打扫。这都是女人和佣人做的事情。现在只有庆长做。庆长有洁癖，对他的漫不经心感觉不适应，这跟他的外表给人的感觉截然相反。

大部分精力都在工作之中，对生活并无热趣。不爱种植花草，不喜欢修修补补，不注重日常生活细节乐趣。除了工作，最享受的事情是看体育频道，睡觉，如同所有世俗男子的常规模式没有区别。渐渐他觉得去看电影、去美术馆、听音乐会之类的消遣使人劳顿。以工作辛劳为借口，时有拖延，不像以前那般积极热衷。

很多细节上恪守主观的习惯和理论，固执己见，听不进去别人想法。总觉得自己正确。时常有争论。

对待女人是自私的。也许是受西方教育的影响，注重公平和独立，觉得一些事情需要女人自己处理，他也并不愿意费心承担。不以女人为重，又需要对方处处适应他的节奏和心绪。以前经常为她开车门，拉椅子之类的事情，也并非真正与自身融为一体的服务意识，只是有意识的技巧。换言之，他有心情有必要的时候会做，没有心情没有必要的时候就会不做。

有时他希望得到孩童式的纵容，有时则希望她对他低眉顺服。自我中心的人，并不习惯体知和关心别人，却要求对方符合自己期望。他对她的需索和要求，始终自相矛盾。

如果他们要为这些细节争执辩论，生活将永无安宁。

如此种种，在三天或两个星期之内可以忽略和体谅的细节，在持续的日复一日中，确凿凸出，令人如骨鲠在喉。庆长均默默忍耐。他们之间的感情，再经受不起暴烈挫折。清池处于人生变动的转折期，人在中年末端，内心比之前更为起伏敏感。他已为她付出代价。她理应顺受。

3

即使生活变动对彼此个性习惯提出挑战，他们仍是相爱的伴侣。

深夜，这个男子侧身而眠，紧紧挨着她身体，额头贴着她脸颊，发出酣沉睡眠的呼吸。脖子皮肤散发出独有气味，洁净身体和香水混合而成的气味。她即使与他日日相处，还是能用心感受这有鲜明存在感的气息。百转千折，渗人心脾。他们的情感和欲望，始终保持着一种日日常新的少年风格。她看到他鬓角额头底处的白发，发丝上面是黑的，底部是白的，这白色会逐步蔓延，直到他慢慢成为一个50岁的男子。

他在老去。共同生活使他再无顾忌，充分暴露出脆弱、迟疑、退缩、畏惧。他不再是那个比她大13岁强势有力的男子，可以被期待掌控方向给予保护。相反，他渐渐成为她的男童，需求她的陪伴照顾容忍庇护。

她会在黑暗中会感伤良久。她问自己，她爱他吗。她看着他的脸，用手抚摸他的鬓角和额头，自答，当然。她爱他，就必须爱上他生命结构的所有组成部分，而不可能是择需而取。爱他的强壮，要同时爱他的懦弱。爱他的热量，也要爱着他的匮乏。接受他的本来面目，而不是用幻象去塑造这个男子。

她深爱他，一如往昔。

只是没有想过，会跟随他来到这样狭小隔绝的一个岛屿生活。

以前她跟随他多次短途来到此地。那时他们住在海边酒店。清池忙于工作，她自己搭地铁，在上环旧城区走遍所有大街小巷。坐渡轮过海，在油麻地一带老区行走游逛。这个富有活力的混乱而清洁的城市适合走路，坡道起伏曲折，山上的道路也迷人。当她确实在这里生活，她觉得轻省。脱离掉在熟悉区域的所有历史，云和，上海，一同，定山，Fiona，同事，熟人……种种负担。她本就是独来独往的人，对世俗一切没有牵挂。当然，同时她也承担寂寞。

在这个岛屿城市，没有人可以交谈，除了清池。失去工作的可能性，因为不知道会在这里停留多久。

清池也不要求她出去工作。他了解和见识过她的工作，理解她的内心世界，尊重她的价值观。这是他们之间除身体之外，精神联结重要的部分。32岁的周庆长，走遍天涯海角，在现实社会里不合时宜，如同一个遁世者，无所作为。对于一个在世间无法脱离只能投身其中，又对其持有厌倦之心的个性复杂的男子来说，这样单纯而坚定的存在，等同他的精神支撑。

她没有人际交往，在繁闹城市中心，以在高山村庄中的寂静之心沉没于当下工作。整理出在春梅拍了一年的黑白照片。用原始的胶卷方式拍摄，拍下高山之上的田地，山岭，孩子，女人，男子，老人，他们的日常生活和节日，以及一所小学和它的持续10年的义务工作者的一年四季。配上简短文字。照片发到北京，在一家摄影人文杂志上刊登出部分之后，引起反响。包括她以前采访专栏的老读者们，重新关注到她归来。一时影响热烈，是非争议也再重起。

庆长照旧不参与，不解释，不说明，不争辩。做完一件事情，她就把它放在身后。自动与它脱离关系。

台北一家出版社编辑来信，想出版这些照片做成一本摄影册。与她的想法不谋而合。

信得与她告别时，说过如果庆长的摄影册出版，无需寄到春梅，她不想看到。她与庆长的一年是待客的一年。信得带给她的影响，使她成为一个更为专注而单纯的人。专心于当下所做任一事情，只取根本不要藤葛。

清扫，烹饪，熨烫，清理家务。空闲时，阅读，看碟，独自出门，即使是每天坐渡轮的事情也从不厌倦。有时清晨，有时黄昏，用定焦相机拍下天空、云朵与建筑的照片。她不看电视，不读报纸杂志，不谈论时事政治，不知晓热点新闻。一概不知，不闻不问。同时，阅读古代历史、古代艺术史、古代笔记以及地理生物天文人类学等各种专业领域的书籍。读大量宗教和哲学的书，也读中医和中药的书籍。生活在自己的世界里，如同依旧住在高山之巅。

她渐渐明白和接受自我的处境。不合时宜是一种选择。她选择倒退性的隐遁的生活，以此对抗心存失望的时代。也许随时会被吞噬。她信任和执着过的事物，最终都与无常相关。包括与清池之间的情感。

4

她察觉到在香港生活大半年，他在现实生活中对她逐渐积累起来的不适和退缩。

在生活形式中，他们不是归类于共同目标和属性的人。他需要一个漂亮的衣着时髦能帮他策划家庭聚会的太太，可以对他的老板和同事以熟练英语谈笑风生，联络感情建立交际。他需要一个活泼的生机勃勃的伴侣，畅谈各种话题，进行娱乐，放松工作之外疲惫不堪的身心。他需要一个有健康身体和良好生活习惯的女人，不抽烟，不喝烈性酒，不热衷刺青，没有抑郁倾向，不吃药物，顺应和投入社会，不是对抗和脱离。他需要一个对他持有崇拜尊重的爱人，温柔，天真，娇柔，仰慕，依赖他的智力和经济能力，对他付出信任和顺服，而不是挑出对抗和辩论。

她的直觉告诉她，他在现实和期望之间，物质和精神之间，最终偏向都是实际的有形的层面。他需要的只能是于姜这样的女人。她和冯恩健都不是。冯恩健令他厌倦。而她使他认清自我，认清自身的无力和无法超越。这最终会成为一种心灰意冷。

于姜的电话，也从未停止。

在深夜或任何一个随心所欲时段，直接打进来，恍若依旧是正牌女友。他一如以往在她面前选择接听。冯恩健也有电话，冷静简洁，从不拖泥带水，他们的确在协议离婚，只是过程复杂需要确定琐碎细节。电话里传出的，有时是于姜活泼娇柔令人心神愉悦的声音，发出清脆笑声。他的对应简洁，很快结束，态度温和，无意间流露出习惯的熟络感觉，应对之间自有一种节奏。有时，是她的哭叫和发作，在电话那端大声指责怒骂，他沉默忍受然后挂掉。

她从未打算退出他的世界。他也从未对她做到斩钉截铁。事实上，他需要这种被依赖和倚重的感觉。这是周庆长不能带来的。庆长甚至从不撒娇。

他依然给于姜资助，不隐瞒庆长。理由是，他离开对于姜造成精神创伤，在物质上他需要给予补偿。他说，她还年轻，跟了我那么长时间，我对她有责任。他如此暧昧不清，半推半就。也许出自本性的多情软弱，不愿意决绝舍弃一段持续过的感情，以此满足男性自尊和情感需求。从某种理论上推断，他以后对待冯恩健或者周庆长，也会如此。这或许是一种善良，或许不过一个男子的虚荣心。这种边界不清注定带来损伤。

庆长没有与他强硬对抗这种态度。她内心早已分晓，于她，许清池是唯一的男人。于他，周庆长从来都是生活的一部分内容而不是全部。不管她置于何种位置，这就是许清池的结构。定山从没有因为女人的问题让她生气，并坚决与她对峙，绝不改变自己。他安宁平静陪伴她，为她默默做出一桌饭菜，不与人纠缠不清。清池吸引女人注意并且对她们具备持久魅力。他内心缺失之处需要来自对女性情感的征服和操纵。他从不愿意失去这种支配权力。

清池一直希望她戒烟，但她没有戒。他希望她能够怀孕，她也一直没有怀孕。她知道也许怀孕能使清池促进解决问题的速度。连她自己也确信，如果和清池有孩子，孩子会好看，聪明，敏感，独特。但不知道为什么一直没有。也许因为生活不安定，看不到明确稳固的未来，她内心缺少真正的迎接和准备。

不会带来苦痛的感情，同样也无法带来激情和生长。而对未知的探索和冒险，务必要付出代价。

庆长早就明白这一点。带着某种不再言说的失望和平静，她观望许清池的情感世界如何维持平衡。他说去北京出差一周，顺道去于姜那里取他的衣物。他的东西还在北京别墅。香港的租住公寓里，全是房东留下的物品。他们都清楚，这里不是稳定居所，但他也从未有意专门建设这件事情。一周后他回来，脸色疲倦极为颓唐。她询问，他意兴阑珊，只说旅途劳顿身体不适。

深夜她醒来，看见身边的男子无眠，坐在床上用双手捧头，长久不动。她躺在枕头上看他。一室微光之中，彼此相隔如有千万重山，遥不可及。她一声不吭等他开口。

他说，庆长，你有想过跟我结婚吗。
我如何和你结婚，我离了婚，你又没有离婚。

我知道你从来都是对我不满意的。你从不愿意主动对我说我爱你。你从来不说。

说有何用。千言万语，抵不上一步行动。

他悻然动怒，说，你又在指责我吗。你觉得我没有为你做出任何努力吗。你觉得我没有付出任何代价吗。

庆长看着男子激怒而扭曲的面容，心里明白他不过是内心压抑，无事生非。他对自身现状不满意，影响到他对这段情感关系的心理反应。失去的往日特权和骄傲，不过是身外之物。是外界给予的形相和遭遇。人若无法自控，只能由它们拨弄。内心的价值观是不能变动的。她心里想，他毕竟还是一个商业社会中的人。他被这些身外的评价，资源，身份，限制，紧紧捆绑控制，失去自我认定。

他对她的向往不无道理。庆长是截然不同的人。庆长是他内心渴望拥有但早已失去能力的某种象征。他们不是彼此的对手。他对她的瞻仰，超过她对他的期待。

他也许从来都觉得无法抵达她，内里隐藏深不可测的自卑，也从不觉得可以得到她，承担她。她是4500米高山之上难得一见的野生鸢尾，清冷高远，诡异难辨，不属于他的世界。他知道自己行至3000米，已再无呼吸余力。她本应是一种更为高远的存在，如同他放在行李箱里那一本只在睡前拿出来阅读的诗集。但是他们没有把握好此间距离，最终堕落为情爱中受束缚捆绑的男女。最终不过都是凡人。

这种种日渐认清的现实，能够以单纯的充沛的剧烈的爱来做出弥补和替代的吗。他们都已知晓，爱不具备这种功能。爱也许是祈祷和幻象。爱不起实际作用，也没有生活中妥协和维护的功效。爱最终成为一面镜子，只用来辨析真实自我。爱让现实无处可避，凸现出任何幻象和借口都无法覆蔽的真相。

他们在这段关系里，找到的只是真相。

5

圣诞节前夕，他对她说出一个消息。于姜怀孕了。

与他在一起的5年，冬天总有特殊记忆。第一年冬天，她去瞻里，遭遇雪灾，他不顾危险来接她回去。他们重逢于冰天雪地的异乡，在寒冷简陋的房间相拥而眠，做出今生识别的确认。有一年冬天，她在高山之上的村庄，在凌晨冻雨连绵的木楼里醒来，梦中他的面容逼近丝丝分明。有一年冬天，他们在临远餐厅里吃晚饭，他敞开心扉说出承诺决定带她离开。这一年冬天，他告诉她，他让于姜怀孕。

于姜在北京并不缺乏异性伴侣，作风大胆，圈子混杂，但他对这件事情迟疑不决，是在确切日期里，他的确做了与此相关的事情。他去北京的一星期，一直住在她的别墅里。他没有抵挡她的哭泣和缠绵，他也不觉得这是一件违背内心原则的事情。对性爱他持有开放态度。以前于姜吃避孕药避孕，他从不操心。他们久别重逢。所有机缘时间应对无误。她年轻身体活力充沛，他令她再次怀孕。这是第3次。

他当然知道这是一步即错的事。这个17岁跟随于他的少女，现在25岁。她第三次怀孕，不会再轻易去流产。于姜把青春美好的8年光阴搁置在这个男子身上，希望跟他有婚姻有孩子，期待时久日长，从未放弃。她的身体也不能再受伤害。所以他的第一个反应是要失去庆长。他非常害怕。他说，不要离开我，庆长。我会说服她去流产。

庆长说，你爱她吗。你诚实回答我。请你说实话。

他说，不。我不爱她。我只有你一个。庆长。这就是我的实话。

那你为何这样对待我，又这样对待她。

一切都是她的要求。我没有拒绝。我不愿意伤害她。你知道，在当时的情形下……

她截然打断他，你如何再为你自己自圆其说。你为何总是把责任推卸到你的女人身上。为什么你始终都觉得自己没有任何过错。

他说，不要离开我，庆长。我什么都可以为你做。

深夜，他再次被来自北京的电话催醒。对方哭泣不止。他走进卫生间里，关上门，说话良久。有激烈的怒吼，也有低哀的请求。一直持续，纠葛不清。约打了一两个小时，终于出来。她坐在床边，没有开灯，忘记穿上一件衣服，只觉得浑身冰凉。他走过来，跪在她的腿边，把脸埋在她的膝盖上，身体无法控制地颤抖。她伸出手，抚摸到他头顶的头发，这厚实的圆乎乎的脑袋。虎头虎脑的脑袋。她抚摸着他，沉默不语，对他与女人之间的戏剧场景已麻木无情。连失望也不再存在。

他说，庆长，她说要自杀。请你给我时间。请求你。给我时间，我来解决这个问题。我明天一早要去机场，必须再去一次北京。

他抱住她，他要做爱，试图用肉身来作出抚慰。她拒绝，她的身体僵直冰冷，他无法进入，无法使她柔软暖和起来。她说，我已失去对你的性欲。无法再与你做爱。我的心和身体，现在就跟岩石一样硬。天快亮的时候，她惊醒过来，对着沉寂的房间轻声叫唤，清池，清池。他在她身边，醒过来，说，我在这里，我还没有走。她侧身看着他，说，你抱住我。清池。他伸出手臂，像往昔一样把她拥抱进他的怀里，脸颊紧紧贴着她的额头。她在这怀抱里再次闭上眼睛。

她轻声说，我还想再睡。我没有睡够。此刻我非常希望能够入睡。哪怕当我醒来的时候，发现你已离开我的身边。

她为信仰和追随这个拥抱，付出全部力气。不过想得到一个伴侣。一个茫茫世界中能够与她相守，坚定亲密的伴侣，一份可信任的真切的情感，一个内心可归属和栖息的家。如此而已。她在情感的陷落中自欺，只为满足缺损的自我。她让自己相信可以在他身上托付所有。她对这种虚空和无常抵押下赌注。

而他不过是一个俗世的男子。

6

在清池去了机场之后，她起身，做了力所能及的事情。

在这个临时搭建的租住地里，收拾出物品，不过是一些衣物和书籍。她与他之间从来没有过共同的建设和积累，无法获得时间能够从容携手直到白头老去。他没有给过她任何未来，只有无尽的理由、借口、推卸、暧昧。而同时，他们又为彼此付出了那么多。

她把手指上的戒指取下，放在餐桌上。没有话想说，于是也就没有一个字的留言。拖上行李，关上门。买机票。回到上海。再次换掉手机号码。删掉许清池手机号码。租下一个旅馆房间隐匿起来，独自一人，跟谁都不联系。所有的期许破灭，接受现实，担当这结局。

除此之外，还能如何。为了得到他的肉身，继续苟且地存在下去，与他一起面对越走越迷茫的前途。仇恨他对她的伤害，让他苦痛和损失。还是自毁。不。不。这都不是她要的方式。除了忘记和平静。她不要其他。

她试图尽可能沉没在昏睡之中。在梦中，看见一条河岸，岸上苍绿树林挂满灯笼。一盏一盏，明亮喜悦。她独自站在对岸观望，看着闪烁璀璨的灯的丛林，与他说话。

她说，清池，我们的感情，来得这样迅急，这样完满，这样美，一开始就点亮了所有的灯。这灯，多得数不完，看不尽。但如果可以重新来过，时间倒流，还能再有一次开始，让我们持有耐心和希望，一盏一盏慢慢地点。点一盏，亮一盏。点一盏，再亮一盏。这样，就可以长相厮守，慢慢携手走到老，走到死。而不是在活着的时候，看着这亮满的灯火逐渐稀落下去，一盏一盏地冷却，熄灭，黑暗，摧毁。

这样的过程，让人的心何其伤痛和失望。不是对感情，而是对人生。或者说，我并不觉得我们的感情是一种失败。失败的是我自己的人生。因为我最终知道，这些无常的熄灭的黑暗下去的东西，是我的人生必须去面对和承担的终局。

我不知道爱应该以怎样的方式存在。为何，我们相爱，最终却只能互相伤害，并且分裂隔离。

我已无法再面对你，因为无法面对和你在一起的这个失败的自己。我要重新来过。

她在梦中醒来。吃不下食物，只能喝水。在清晨天光中，走进卫生间，看着镜子里的女子消瘦憔悴，默默煎熬的面容。她感受过的痛苦，那像火焰一般透明而炙热的痛苦，一旦点燃，整个人就被充盈膨胀成一个火炉，日夜燃烧。即使咬紧牙关，也是粉身碎骨的事。但此刻，她感觉到更多的，是一种随波逐流的顺受。没有哭泣。没有酗酒。没有沉沦。以前做过的事情，不会再重复。

不知晓睡了多久。睡了多少天。不知晓。只是在某一天清晨醒来，天色初亮，房间里洒满灰蓝色光线，清凉幽静。她在床铺上睁开眼睛，是的，床单上没有鲜血，手臂上也没有刀痕。只有她的心，结了一层薄而干燥的伤疤。她想起他的名字和面容如此清晰，心里却没有多余的反应或声响，如同经历一次彻底的清空和终结。如同一个站在对岸的人，远远伫立，想不起前尘往事，早已道别，不可能再会。断绝时间。没有过去，没有未来，只有现在。她感受到新生。

她一直在坚定而执着地往前走。往前走。终于把彼此的路走尽。他完成在她生命中注定的任务。她可以选择记得或者遗忘他，但这种选择已经不重要。他务必会被时间的河流隔远，推开。她要继续前行。

这也许是每一个被爱碾压过的人，在余生都在做的一件事情。她没有幸免。她也没有免俗。

这场爱恋，使她被打落原形。使她碎裂。使她再次成形。

7

人的一生，要去的地方，是有限制的。即使你有充裕时间，丰足金钱，也不能漫无目的四处行走。去一个地方，必须持有目标。没有目的的路途，使人迷惘。因为失去目标意味对行动失去控制和约束。她记得有一次，坐客机去香港，在抵达前半小时收到通知，香港天气有暴雨雷电，无法在机场着陆。临时改道，决定停留在桂林机场。满满一班飞机的乘客在机舱里滞留。排队上洗手间，站立，聊天，打电话给朋友同事老板家人恋人。乘务员拿着矿泉水瓶子和纸杯提供饮用水。只有她不知道可以跟谁联络，除了给清池发出一条短信。他在开会，不能跟她聊天。她再找不到其他可以联络的号码。打开手里的书，是关于古代帛画的一本专业论著，已看完一遍，打算再读一遍，是手上唯一一本读物。即使已在桂林，整个机舱里的人依旧觉得和桂林没有关系。他们被搁置在一个金属容器里，与时间和空间断绝关系，暂时隐没在真空里。目标如此清晰而唯一，没有犹疑不决。也就是说，此刻，桂林的存在，与他们没有意义。

一个小时后，飞机重新起飞，去往香港。她在呼啸而起的机舱里，想到自己和他的关系，就是两个坐在一起的乘客和桂林之间的关系。如果今生是一架有方向所在的客机，他们不过是被随机编排同坐的乘客，但这种随机里面一定隐含着某种与宇宙力量呼应的指令，体现一种和前世今生来生互相贯穿浑然一体的秩序。他们无法明白和了解这种寓意，只是短暂共度，注定各奔东西。

她问他，这里如此之美，可否停留。他说，不。这不是我们的终点。

然后，飞机起飞。

8

清池。如果我们相爱过。

他是比她大13岁的男子。他13岁或许已经遗精，心目中有用以意淫的女子对象。他的情爱世界早已是独立存在，与她毫无关系。在她出生之前，他已获得行走语言的能力，已拥有她无从跟随和探测的历史。他走在时间的前端。她追赶不上这13年的历史。

他5岁，跟随知识分子家庭移居香港。她还没有出生。

他16岁，去加拿大读书。她3岁，在棠溪乡下度过父母离异之前尚算安稳的童年。

他20岁，在大学校园里开始正式的恋爱，开一辆二手车，经常和女友一起旅行。她7岁，母亲离开，跟随祖母在封闭小城生活，准备入学地区小学。

他26岁，名校电子工程硕士毕业后，读商业管理硕士，并且已决定毕业后与同班同学，来自台北移民家庭的冯恩健结婚。她来自有军人的家族，可算是名门之后。她13岁，祖母去世寄居在叔叔家，与婶婶争吵，第一次离家出走，在火车站候车厅的椅子上度过一夜。

他31岁，进入跨国公司工作，携带全家，在纽约5年。她18岁，辗转于不同的恋爱和男子之间，极力想离开云和这个令她感觉窒息的二线小城。

他36岁，公司开发亚太区业务，他受到重任，携带妻子孩子回到北京建立机构，业务范围主要在香港、韩国、北京、上海、台北、新加坡等地。她23岁，通过婚姻抵达上海，找到第一份工作，每日5点半起床，坐公车一个多小时，去商业中心区上班。有时通宵加班，艰苦谋生。

他40岁，遇见她。她27岁。

如果没有一种命定的秩序做出安排，有可能一生都不会相遇。

在地球上，在人群中，遇见一个人，与之相爱的可能性能有多少。这概率极低。

各自背景，经历，身份，阶层，截然不同，地理环境孤立没有交错。即使是生活在同一个城市中的人，也有可能终其一生不会在大街上擦肩而过。他所在的地方，她不在。她所在的地方，他不在。像平行轨道上的星球，默默转动，自成圆满，了无声息。直到她因为与一同结婚来到上海，认识Fiona，被指派去一个咖啡店采访一个人。直到他在门口出现，坐在她的对面。这所有的因素环环相扣，缺一不可。

事后看来，所有进程如同一个编织极为细密精巧的网囊，慢慢收紧，直到在某一瞬间把他们笼络其中。若其中出现任何一个微小缺口，他或她都有可能半途泄逃而出。如果这样精确的时空与因缘的交会，是一种被编排好进程的秩序，那么，一切势必会有条不紊循序渐进地发生，直到最终成形。

如同他对一个陌生女子的寻找，跟随内心声音，走进一间偏僻客房，拉开窗帘，看见她在隐匿中睡眠。他于夜色里坐在椅子上，默默看着她的那些时间里，想了些什么。她无从得知。也许他什么都没有想，只是接受她在他身边出现的现实。他们体察到的属于自身的质素在一一自动对应，归属，确认。这就是一种秩序。或者说，原本就是等待着时与地的意愿和宿命。

他们在人群里撞了个正着。挟带起初无法辨明的特定意义，被各自背后的手推动，来到一个貌似偶然却实质规定极其严格甚至苛刻的时空交叉点上。他看到她，对她说，你好，我是许清池。他走向她，为了让她辨认出他。他在这个约定的时刻出现，身上携带前世早已排列成形的种种暗号和印记。如果她是那个被选择的人，她就会在重重包裹和形成之下，找到一路暗藏的隐秘线索。并悉数将它们牵扯而出，捆绑，整理，打包，投入下一世浩渺无际的时空。

这是她为他而等待在此的原因。

她也想过，如果没有他的出现，她的生活会有什么不同。

她会被迫前行，不管快乐还是不快乐。命定的秩序，从不给予怜悯、顾惜、宽恕。它只给予命令、指示、结果。但因为他出现，她的生活注定将会不同。他打开的天地，不仅仅是她对这个世间的体会和认知，对情感与欲望的深入和探索，对人性的质疑和清洁，更重要的是，她经由他，再次面临一条通往内心的孤长隧道。她需要鼓起勇气进入、行进、抵达、超越。

如果她注定要在这段关系里经历苦痛沉沦，那么，它是她的任务，用以自我探索和成长的道路。

无可置疑。相爱，是命运给予的使命。

9

庆长在上海重新开始生活。

这座城市照旧给她归宿。一个城市是一座封闭而隔阂的岛屿。人的生命也是一座一座各自的孤岛。生活以有序的方式，陈列于貌似开放实则束缚重重的时空之中。33岁的庆长，再次终结和清洗自己。

帮Fiona做一本新创刊的摄影杂志。她让Fiona保全她的行踪，没有说明原因。Fiona对她失踪一段时间，什么都没有问。朋友做到这个境界，自然有她的容量。这一次合作，Fiona给予了她最大限度的自由。她说，庆长，人都知道高雅的东西是什么，但高雅却要建立在笃定稳当的物质基本之上。如果没有我们这些为低俗努力并用低俗赚够钱的人，怎么可能给你一个空间去做这些高雅内容。大雅大俗其实没有分别，但你有洁癖。上天给了你一些没有分给其他人的东西，所以其他人给予你足够多的宽容。我们其实一直在忍让和包容着你，你可知道。

也许。从一同开始，Fiona，定山，清池，她以前杂志社的同仁，或者所有一起工作过的伙伴，都曾拿出宽容来承担她对这个世界的态度和观点。

将近6年过完，Fiona没有把自己嫁出去。她已35岁。她的目标是成功外籍男人，一如既往。找不到可托付终生的男人，并不让她觉得生命有缺陷。每天打扮得花枝招展，到处参加派对社交，享受奢侈品牌，不亦乐乎。生活足够拥挤精彩，也就没有空档来思考人生缺陷。因为始终和老外混，Fiona把自己彻底改造成一个半中半西的上海女人，一句话起码搭上3个英文单词。手势，神情，腔调，都很西式。虽然她的身份证始终没有变化。

庆长一边工作，一边开始尝试结交朋友。心理医生宋有仁由Fiona介绍，德国出生长大的华裔，48岁，在上海开私人诊所。但并不是所有人都能去他那里接受治疗。他的诊所有严格的会员制度，需要介绍人推荐才可以通过。费用当然也相当昂贵。庆长一直与社会疏离，Fiona大概对他详细介绍过周庆长的情况，他对她十分感兴趣。

每周有两个小时的时间，他希望与她相处，无需费用。时间是周六下午。对他来说，这种不赢利的付出，更像一个约会。一次朋友之间的相见。

第一次见面，他就问她，瞻里的观音阁桥是否已经消失。

这一定是Fiona对他提起的。庆长想，她其实并不想让别人知道她做过一些什么事。但她依然坦率，说，是。它在5年前就已被摧毁。当然我也没有回去证实。只是打了电话询问当地人。

你为何不尝试为它的保留做出努力，做了这样详实的采访记录，可以跟上级部分沟通，让他们重视。

在采访时就一直被当地某些部门阻碍和驱赶，他们试图阻止。谁都知道这个庞然大物是个很老很美的东西。他们害怕。但即便如此，它依旧不适应这个时代，它总归要被清除。她看着他的眼睛，说，你可知道在可见或不可见的区域，有很多这样的建筑在被消灭。我们能够见到的美的事物是无法穷尽的，也无法想象。这种轮回是它们的命运所在。没有人断论美的东西应该永恒。一个拥有沉重历史和无数美好事物的国度，总有些许悲哀。它的痛苦之身是它自身的负担。美，是痛苦的血肉。痛苦，是美的骨骼。

她对他说起亲眼所见祖母村庄的败落。年轻人去往外面打工，村子里剩下孩子和老人。田地冷清无人耕种，土地庙遭弃绝。溪水干涸污脏，岸边漂满死鱼尸体。破损古老祠堂，徒留一座废弃戏台，精美木雕日益腐朽。往昔的聚会盛况全村人围聚看戏锣鼓铿锵，声影全息，只留下日光斜照里的尘影飞舞。一个村庄旺盛完整的生命，被抽离干净。

她说，都只留下一具残骸。所有被推翻陷落和抛弃的东西，都不能够再来。也许，人们也不再期待它们能够回来。不管是信念、传统、人与土地的关系，还是一座持有尊严却无力自保的古老的桥。

精湛壮美的观音阁桥到了被摧毁的时间，就只能在机器作用下断裂瓦解。木雕被运走卖钱或被烧毁。它注定要迎接属于它的时代的劫难。它会被毁灭，不会被损伤。它会消失，不会被改变。它的美与情怀，会在时间的海洋中轮回，不会沉没。即使没有人纪念它曾经的存在，它依旧存在。

你去采访，只为了记录下这种演变，以此作为纪念吗。

不。只为了与它相认。

10

他身材不高，中等个子。清洁，健壮，适度的理性和感性，温和稳重。平素喜欢穿中式布鞋，尤其是鞋底用针脚密密缝出来的传统式样。虽然一直生活在欧洲，骨子里却有很传统很东方式的内蕴。个性显得颇为奇妙，有一种可费猜解的深度。与之相处，不会觉得乏味。如同暗藏无数储存充实的抽屉，随便打开一个都分量十足，琢磨观赏半日，共度时间绝无乏味。

3年前他来到上海，租下衡山路一幢历史悠久的老别墅。一楼是诊所，二楼三楼自己住。这个老房子是新乔治时期风格，在维持原有结构上做了装饰整修，得以修缮维持存活呼吸。他倾向瑞典古斯塔夫风格，硬木家具，手工壁纸，素木地板，用深钴蓝色和冷灰白色的搭配。空敞的房间显得更为冷寂。

小花园里有露台、藤架、凉亭、草地和各种植物，存留古老的栗子树和橡树。他又种了紫藤、绣球、铃兰，还有一些不同种类的爬行玫瑰。种了葡萄、南瓜、丝瓜。小花园在春夏时葱郁青翠，枝叶繁茂，花朵绵密攀援。午后和黄昏时，因为日光变化，光线与色彩亦变幻不定。

庆长第一次来，等在门口，站在棚架下，抬头看悬吊下来的南瓜，长久默默凝望。他说，你喜欢南瓜吗。她说，我为这果实此刻的形态和质地打动。饱满，硕大，安静，平衡，沉浸于浑然的成熟之中。它们这样美。

她是一个衣着随意略显邋遢的女子，丝毫不讲究，不施脂粉。头发在背上编成一根粗粗的印度发辫，发丝中缠绕深蓝和暗红的细细棉线，装束气质都与别人不同。眼神清澈，沉默寡言，显得落落寡欢。她的安宁和敏感，即刻让他愉悦。

他们经常坐在回廊里。两个小时，与其说相谈，不如说只是一起并肩面对这个绿树荫荫的花园。她抽一根烟，有时长久不说什么话。脱掉鞋子，赤足盘腿，蜷坐在椅子上，把下巴支在膝盖上，神情如同略带自闭的孩童。听微风、喷泉和昆虫声音。听着寂静。

有时她会去草地上荡秋千，荡得很高，裙子在风中发出凛冽颤动。自由自在，完全不顾忌一个比她大15岁的陌生男子，在身边观察凝望。

11

有一些时候，她会在他的引导之下，尝试说出自己，也谈到清池，想起一些非常细微的往事。比如桂林的飞机，一边说，一边把往事清空出内心。她说，我们无法触及天上的信仰。我们只是凡人，有卑微的肉身、欲望、情绪、感情和局限性。我们悲伤，同时也纯洁。盲目，同时也勇敢。失败，并且注定失望。

她对他说起一些从未可能对他人启齿的事情。

性的部分，在她与清池的关系里，其实极为重要。清池对她说，我从未在与别人做爱的过程中得到过这样的感受。庆长，你可知道，与你做爱，是我现在生活中唯一的也是极限的乐趣所在。它是一种抚慰。

性是亲密、喜悦、联结、沟通，是与对方以本真面目共存和融合的方式。他对她的欲望，几近时时刻刻都会被激发。不管他们走在街道上，坐在餐厅里吃饭，在电影院里看电影，还是在超市买东西。他牵住她的手，抚摸她的头发，碰触到她的脖子，都会无端感觉欲望蓬勃而起，身体热而坚硬。仿佛彼此躯体发出源源不断的声响，总在互相呼唤应对。

有时，性是孤立、诉求、期望、对峙。他会试图把她控制在他的力量之下。这洁净强壮的肉体，倾诉它的欲求，希望被容纳，接受，保护和感动。在争执或冷战时，他们无法再用语言沟通，隔膜和误解，争辩和批判，阻止所有诉求。感情被孤绝，彼此一言不发，无法和解，而无辜的肉体还在寻求联结和通畅。这是怪异的感受。她有时会觉得屈辱，难以理解，倔强对抗。即使在难以负担的敌意和悲伤之中，他的身体，依旧在对她作出执拗而热烈的表达。

有时，性是损伤、暴力、绝望、怜悯。

有时，性是唯一单纯、脆弱、天真而真诚的告白。他说，我这样狂热地爱着你，庆长。对男人来说，做爱是他唯一能够做到的表达。也是他唯一信任的表达。其他的都不是。

他对庆长描述和其他女子做爱的经历。他对性爱一直持有坦率清洁的热爱，从不避讳和庆长谈论种种体会和记忆，以此作为分享彼此生命的隐秘而直接的通道，用这种方式，紧密联结，感同身受。不能拿以示人的黑暗，转换一侧来看，却是一种纯洁明亮。在纽约深爱过一个女子，对方的肌肤有一种膨胀的张力，充盈向外弹破的力量。对他紧追不放，两个人无法在一起，情绪不可自控，雪天持刀在他身后追赶。他衣服都没有穿够，仓皇奔跑在雪地中。

所有的脆弱、羞耻、隐私、难堪、创痛，他拿出来给她。她听着来自一个男子生命中真实的细节，内心没有嫉妒或不悦，只有一种隐隐伤感。仿佛他不是一个在与她相爱的男子，而是世间中与任何一个女子相爱着的男子。他是公众的，不是私有的。他属于他自己，他不是她的。她对他的感情是这样一种理解，如同对人性所持有的一种理解。具备一种开放性，而绝非狭隘的占有之心。

她依赖和需索他的激情，哪怕是暴力。如同沉默而无形迹的黑洞，吸收一切。越暴烈有力越感觉到对他的赶尽杀绝，找不到退路，如同执拗的困兽。这强大的存在感是她所需要。只有这样的灌注才能让她平静。除此之外，无他。她内心深渊般肃杀而无底的能量，超出彼此预料。

她陷入在一种对自我情感匮乏的恐惧和防御之中。同时又是一种误入歧途般的迷恋和渴切。在他们争执冲突最严重时，她喝醉，半夜哭泣，逼问他是否可以给他们彼此未来。他一早要开会，困极无法入睡，生气而用力掌掴她，把她的手捆绑起来强迫她停止。清晨她醒来，发现他亲吻她肿胀的脸颊，愧疚无助。性，打斗，伤害，创痛，纠缠，柔情，无解，如此种种，绞组成一股强大的绳束缚这关系，越来越紧，几近无法呼吸。

这一次次重复的轮回。因为他们不过是其中被摆布的棋子，肉身和情感从来都无法随心所欲，只能被等待做出安排。这种痴迷和需索，一条现世因缘的绳索。都想挣脱，逃离，却无计可施。不知道离开对方可以去往哪里。

她曾经期望他的情爱与欲望的力量，能够引领她，把她带出夜色中的沼泽森林，奔赴一处开阔无边际的平原，看到云层皎洁，万籁俱寂，明月光亮升起。把她带到情感持有超越和升盈的另一个层面。但实际上没有一个男子可以具备这样的力量。

她的道路只能自己摸索。她的困境只能自己解脱。她的方向只能自己引领。

12

她对宋说起对清池都没有提到过的往事。从未对任何人说起。历史对她来说，不仅是时间之中的记忆，也是消化在她体内的粮食。她的组织，是由这些哀痛、陷落、离别和死亡消化分解之后的黑色团块拼接而成。她整个人的存在，是这些往事存在完整的证据。

她说，祖母在她12岁的时候，心脏病突发在睡梦中去世。

祖母抚养她很久。在祖母身上，她习得人性温厚质朴的一面。小时祖母疼爱她，偶尔吃一只松花蛋，让庆长吃完，自己用剩余下来的酱油拌饭。那酱油里有松花蛋的碎渣，她不想浪费。这细节，庆长一直没有忘记。她因此学会对人的温暖心意，为对方考虑，让出利益，尽量不增添他人的麻烦，替人着想。祖母脾气刚硬，但从不抱怨，也不退缩。扛起责任和担当，尽出最大努力。相反，庆长觉得自己的父亲和母亲，在感情和情绪上，却都是任性和放肆的孩童。

他们的世界里只有自己。即使践踏着他人的伤痛前行，也要得到和实现目标。这种桀骜不驯的个性，庆长也有继承。不羁自私的人最终要付出代价，他们伤人伤己。

祖母是虔诚的基督徒，抽烟，清瘦。穿盘扣斜襟大衫，衣衫上有一股淡淡烟草味道。她经常要求庆长与她一起做祷告。很久之后，庆长才得知，父亲也许是服药自杀。父亲深深依赖母亲，无法接受她的断然离去，也无法承担她对他的放弃。成人也许认为自杀是一种羞耻，所以都一直隐瞒真相。这秘密的压力，使年老的祖母从未停止在黑暗中祈祷，并且总是祈祷时泪流不止，发出哽咽抽泣。人的伤痛，都只能隐藏在表象之下，埋没在隐秘之中吗。而对生活持有平静，是深刻的压抑，也是一种苦痛的力量。

那一年冬天，南方阴寒，天气持续低温。祖母看病吃药已数年，经常咳嗽，心血管也有问题。庆长放学回家，祖母为她做好晚饭，用烧水壶接了一壶水，放在煤气灶上烧开水。她说觉得疲倦，要在床上躺一下，于是脱掉棉衣、外裤、鞋子，躺在床上盖上被子。庆长做完作业，外面天色漆黑，想叫醒祖母和自己一起吃晚饭，连叫几声，祖母都不应答。她摸了一下祖母，皮肤虽然还是软的，但已没有温度。祖母死了。她没有觉得害怕。打开灯，一个人在空气凝滞的房间里吃完晚饭，洗干净碗，一只一只倒扣放置。然后脱掉衣服，上床，依旧和以前一样钻进祖母的大棉被里面。睡在她身边，紧紧挨着这具苍老冰冷的身躯。

她没有做梦。在凌晨5点多醒过来，天还没有亮，只有隐隐微光。她又轻声叫唤祖母，房间里没有丝毫声息。以前，哪怕庆长轻轻翻一个身，祖母都会警觉，给她盖被。她再次试图分辨真相，祖母死了吗，但她不愿意接受这个现实，只是觉得巨大的恐惧和孤独。这个世界上只剩下她一个人，再没有人会应答她，疼爱她，真正发自内心喜欢她，接纳她的停留。她泪流满面，这样哀恸，只能强迫自己再次闭上眼睛，企图入眠。

只有睡着，才能停止，才能忘记，才能回避被独自抛弃的事实。她祈祷能够入睡。再次入睡，在死去的祖母身边，一直睡到中午。睡到隔壁邻居来敲门查电表。

他们进来，发现了祖母的尸体。

13

记忆由一些分裂而持续的碎片互相粘连而成。又分明是一条沉默而汹涌的河流，从没有留下余地，可以让她勉强抓住一块岩石停靠。河水冲击、席卷、包裹着她顺流而下，无力分辨和改变方向。清池与她在彼此揪斗最激烈的时候，会大声怒吼，说，庆长，你的暴戾激烈是因为童年时没有家教，没有人管你，你身边所有的人都没有安全感。你因此丝毫不顾惜撕剥人脸皮，肆无忌惮，残忍至极。你可以豁出去伤害你身边的人，也伤你自己。

清池是截然不同的个性，他来自有身份的知识分子家庭，父母对他管束严格。他对人没有如此复杂难测的疏离、冷漠、猜疑和不信。他无法领会什么是生命底处的缺陷和不安全感。他也不知道人的恨意和需索可以是这样隐秘而强烈的存在。以真实情感逼近他的庆长，已不仅是那个在瞻里孤军奋战坚强独特的女子，这只是她的一部分。

他看到了她隐藏在河流之下的另一部分。

她说，我小心翼翼保护自己，在陌生人面前从不泄露心绪。他们视我为理性和冷静的人，却不知道我心里藏匿着一个幼童。清池打开我的心扉，令我躲无可躲，只能走出来与他交会。他伸手可以令我致死，也可以拥抱我给我抚慰，让我平静信任。他无力做到。到最后，他所做的种种逃避拖拉，一次次伸手过来击打我。我已为他敞开，再无屏障，无处可躲。他的伤害可以轻易击中我，激发我强烈的恐惧、戒备、失望和争斗。是一种无路可退。

他被她的反应惊吓，更为退缩，只想与她保持距离。说，庆长，我如此爱你，但你让我痛苦。得到愉快，避免痛苦，当然是俗世中人的本性。他其实对她从无怜悯，也无尝试理解她的心灵，包容她的匮乏，即使他如此钟情于她。或许，男女之间占据比重的，是征服，占有，控制，支配，贪恋，欲望。它们顶着爱的形式和名义行事，唯独缺少牺牲。

他只看到这个成年女子犀利，暴戾，反复无常，像出鞘的匕首，咄咄逼人不惜彼此刺伤。不知道她只不过是一个孩子，在黑暗中隐蔽蜷缩只是想保护自己。她需索爱时日久长。她对他的依赖和信任如同血肉深沉。她被迫剥离这一切的时候痛不可忍。

真正的爱，一定存在怜悯与理解。但他对她没有。

起初，她为那些负性而纠葛的重量，感觉无助、困惑、愤怒。

长久的时间洗刷之后，她明白过来，如果没有面对过汹涌的冲突和伤痛，与自我与外界的战争，罪恶和压抑，无从获得最终的理解。它们并非隔绝而单独存在，而是相互依存，提供养分、呼吸、血液，喂养补给。所有的对比都拥有这样的结构，没有高下对错之分，没有你是我非的论断评判。只有正反两面融为一体。

一段男女情爱的关系，是自己与他人和世界之间的关系的倒影。是自我的投射面。这段关系像一面镜子，清清楚楚照亮她自己。如果不是一段强烈的开启封闭心扉的关系，她没有机会相遇到隐匿在内心深处中的自我。看到这个孩童的脆弱、需索、哭泣、甜美。看到她的历史、记忆、创伤和情结。看到褶皱的幽微和向往的光明。

这个男子带来一个机会，让她面对生命中最本质的自我。如此赤裸真实。

而对于他，也许无法承认，他对她的爱最隐秘而晦涩的部分，其实是渴望成为像她这样的人。敢于直面甚至撕剥自己的生命，让它破碎，露出真相。敢于倾尽自己的感情，哪怕被它践踏。这是他内心需求的一部分。但是被滚动不止的安全和急躁的生活陷落。做不到，其他部分也不过是背道而驰。无法给予世界以意志，因为在接受这世界所有规则。没有信仰，不管是对爱，还是对真实。试图抓住一切愉悦，却拒绝负荷创痛。不相信感情所代表的光，始终警惕和躲避黑暗。

所以他只能理性而坚定地生活在这个俗世之上。他的工作，美丽柔顺的女人，富足生活，前途。

只能以此终老。

但他的确以他的方式爱过她，以他所称谓的爱。只是这注定是不坚定的东西，是被拨弄和操纵的东西，它无法与时间抗衡，也无法给予现世的生命以未来意义的影响。它与她所追索的情感，是两回事情。即便如此，她依然承认，他爱过她，以他的方式。只是她一直站在幻象之中，以为它与俗世的目标不同。但其实它没有什么不同。它依然只是一段俗世男女的欢爱纠葛，看来也就是如此。

她说，当我对他持有怜悯和理解，其实是对自己持有怜悯和理解，如同一种真相浮出。当我看清楚这一切，执着的偏见，评断，妄想或幻觉，便如一面镜子的碎片，坠落地面，无法成形。

她看见他与她，一对世间平凡男女，为前世的因缘牵扯，在今世痴缠伤害。那不过是遵循做出偿还或继续亏欠的秩序。她看见他们之间的放弃和离别，情感的内核在时间中日益清湛。即使伤害折磨，离弃失散，相爱，是对彼此履行的使命。

因此，在他们认为彼此相爱的时候，其实早已经在相互准备离去。

14

宋有仁对她说，庆长。当你学会爱自己，相信自己，你就能够知道如何去爱别人，相信别人。而不管这个人在你身边，还是离开你。

这段关系是已经结束，还是依旧延续。外界事物处于无常的变动、更换、破坏、损毁之中。爱人有血肉，更易腐朽。只有你的相信，来自你内心的爱，是完整而稳定的存在。不管何时何地，与什么样的人在一起。持有它们，就持有长久。

他又说，你这样丰富敏锐的女子，感情强烈赤诚，原该是一个男人的宝藏。如果他具备耐心和理解，可以和你即使在一个狭小房间里共处，也如同行走在通向整个世界的旅途之中。可惜，许清池不是能够享受这段路程的人。他跟不上你的脚步，无法抵达你内心深处。这只是我作为一个男人的个人观点，并非专业意见。这只能说明，你的情爱道路注定崎岖，不如其他女子顺畅平坦。这是一种注定。中国人的宿命论自然有其道理。

如此这般，她对他说，他对她说，直到后来她觉得所有的细节和感受清空，再讲不出任何关于和清池的内容。

最后，她再无故事可讲。只是经常带去中国茶，与他一起沏茶喝茶。又和他一起学书法，两个人在回廊下写毛笔字，临摹典雅清远的碑帖。在花园里种香料，薰衣草、薄荷、迷迭香、百里香、月桂，也种西红柿、豌豆、玉米、萝卜。一年四季，按照轮转的时节种植和收获。他喜欢厨房，热衷做西式的食物，有一个宽敞漂亮的大厨房，各式精良设备一应俱全。一起烹饪。一起吃晚餐。他们的两个小时，渐渐成为整个午后在花园里的劳作、休憩、互相陪伴。

直到庆长确认他已经不把她当作他的病人。

15

有时她会有心理退回的倾向。在一些无法预料的时刻产生剧烈情绪起伏，突然觉得深深恐惧。如果他一定要来寻找她，绝对可以把她找到。她不过依旧在上海，在这个封闭的城市里。哪怕走在大街上或者出现在酒店里，他们都有可能不期而遇。他说过，庆长，如果我持有要再遇见你的信念，我知道我一定会实现。她有一种直觉，他已失去这信念。他们已彼此放弃。

她宁愿他失去这个信念。如果再次邂逅，她自问是不是还会选择放下一切，继续跟他走。她想，即便她看透他所有骨骼和组成，看到她与他之间绝无可能存在安稳和妥当的未来，但她或许依旧会前往。所有的痛苦折磨，将重新轮回一遍，再次碾压和碎裂她。然后，再次重组，完整。这就是宿命。没有止尽的沉沦和反复。这孽缘一定带有前世的因果。他追随而来，他找到她，要她偿还出一切。但这一世应该已经偿还了吧。她的整个生命，为这样一场爱恋，排山倒海般折腾，消耗，损伤，毁灭，重生。

她付出了代价。他应该可以放过她。

庆长。我爱你。我会爱你至死。她对他说过的这句话早已确信无疑，并在确认的瞬间把它付诸时间的洪流之中。不过是捕风捉影，梦中逐花。在现实的生活中，她只与自己同行。他们对彼此已失去任何意义。

她对自己说，庆长，你可相信。她自答，是，我相信。

相信爱，一如相信真相。相信他，一如相信她自己。

直到他们余生都成陌路。直到这样各自老死。

16

6个月后，宋有仁向她求婚。他说，庆长，我很久之前在瑞士一个小镇买过一栋房子。我想得到伴侣，等待很久。他从未结过婚。庆长认定他是个双性恋。为何48岁的时候，想跟女人结婚，他并不隐瞒，说，希望有个孩子。因为他母亲90岁高龄，居住在德国，观念传统，希望见到他娶一个中国女人，生下孩子。庆长说，我无法确定我一定会怀孕。他认真地看着她，说，我确认你会有。

她说，但是我们不相爱，宋。

不。我们相爱。只是并非你定义中的男女之爱。情爱，亲情，友情，都是爱。有谁说一对伴侣的组成必须要由情爱组成。跟我结婚，你会得到自由、照顾以及新的生命阅历，而我愿与你作伴，彼此享受余生的安稳。只是你在回复我之前，要认真考虑，你是否能够接受婚姻之中各自的独立性，也许你会将之判断成是一种疏离和冷淡，因我深深了解你一直渴求彼此融合占有的亲密关系。但这种关系会带来创伤和执念。对爱的完美标准和执着追求，最终一定会令我们受损。真正亲密的关系，建立在孤独、自由和持有尊严的前提之上。我希望你理解这一点。

我从未出过国。

你清冷自足的性格，会很快适应。像Fiona反而不行，她有很多野心欲望，需求名利热闹。你也许有时不知道自己要的是什么，但从来都知道你不要的是什么。你很独立，对外界没有依赖。你长年来疏离隐匿的处境，跟在异国他乡也没有区别。

我没有语言能力，以中文为生。中文是我的职业。

没有关系。你可以跟我说中文，你还可以学习语言。只要落脚于一个地方，就会熟悉那个地方的语言。

那我将放弃现在的工作。

是的。但这不过是俗世事务放弃也无妨。你可以写作。若你有了充足时间，可以尝试表达自己。这是人在微小和有限中可以争取的机会，直面以及抒写心灵。它不是孤立的任务。它会与不曾谋面的陌生人相逢。

我来路波折，又为何选择我。

你是一座被相认过的观音阁桥，庆长。我从未告诉过你，我也喜欢中国古老的一切。喜欢所有美的消失中的事物。包括人。

宋有仁来上海开心理诊所，其目的无非一边以工作打发时间一边寻找余生伴侣。在上海3年，他见过很多女子，年轻漂亮，聪颖能干，风情万种，形形色色。只有在见到庆长时，才果断出击。也许因为庆长从无机心也无设想，不存欲望，没有期待。她看起来朴素而低敛，却负担着黑暗而颠覆的内心里程和情感历史。如同在深沉夜色来临时才能映衬出熠熠清辉的孤轮。他认定这是一次殊遇。

她本该居住在高山之巅，贸然来到茫茫人海。她整个人的存在是这样的形态。他需要这种存在。并自认可以保护她。

17

庆长在33岁的秋天再次注册结婚。

不知为何，她生命中的婚姻都来得直接从不浪费时间。那些选择她的男人，在一起初就做出认定。也许他们是宽容她的那些人的组成部分。如同Fiona所说的，庆长，你身边的人都在为你付出代价。

庆长之前从不设想要交往的男子类型。她的眼目单纯，需索同样单纯的存在。接近一同，因为他怜悯她给予她全新道路。接受定山，因为他是善良可靠的男子。接受清池，因为他们彼此钟情，付出身心。接受宋，则因为他是命运为她准备的再一次的出发。这准备也许早就被筹划完全，只等待正确的时机来临。

她只以本真自身，直接有效与另一个人发生关联。信得曾对她说过，所谓国籍，教育，社会背景，风俗习惯，气候，地理环境，政治，经济，都不过是生命形式的标签，和生命质地没有关系。她在内心认同自己是一个没有身份的人。是一个按照生命真实质地存在的人，是不受形式概念限定制约的人，是可以随时出发随时终结的人。这样的人也许会成为浪子，死在没有标界的土地上。她对未来给予了全部开放性，其实根本无所谓会在哪里。哪怕在一个语言不通无人相识完全把历史清零的异国他乡。

也许这种结果对她来说，不是一种放逐，却更接近是一种回归。

婚礼简朴，在别墅花园举行一个小型聚会，请朋友们来喝香槟，听现场乐队演奏，有人唱歌，三三两两结队跳舞。然后切开一只婚礼蛋糕，分享愉悦。

他与她，把当季采摘下来的香料、花朵以及蔬果，包扎起来当作礼物分送前来祝贺的客人。来客大部分是宋有仁的朋友。庆长这边，只有Fiona。庆长是寂寞的人，没有多余相识。Fiona是她的朋友吗，她不知道，她的内心从来都无人分享。但Fiona陪伴她时日久长，并且的确是一个热诚积极的熟人。庆长没有穿婚纱，穿一条简朴的长度及膝的白色棉绸连身裙，早已过时的保守式样，小圆翻领，布扣，打褶裙摆，搭配绣花鞋子。长发编印度式大粗辫子，盘起来，插着数朵花园小径边种植的粉色石竹花。

Fiona百感交集，说，庆长，我梦寐以求的事情，你总是能够轻轻松松得到，为什么。我真是想不通。你孤僻，过时，落伍，性格倔强不宜人，你哪里比我好。男人却喜欢与你为伴。

但她仍真心为庆长觉得高兴。她还带来一个希望与庆长分享的消息，说，你可知道，许清池最终离了婚，娶了于姜。这是北京那边给我的告知，不是传闻，而是事实。这小姑娘为他生下一对双胞胎。冯恩健带走3个孩子，长住纽约。许清池则带于姜和孩子回去温哥华定居。你说，世事难料，早知他会做出这样大的变化，真的会做到离婚，我就应该坚守阵地，死守他不放，好歹一开始跟他也有机会。男人心完全无可捉摸，不知道他们要的到底是什么。那时昏头，知难而退，现在这个后悔……

原来他的确已放手离开。

孩子。她对清池说过，如果他们有孩子，她想要女孩。女孩一般像父亲，清池长得好看，孩子像他，她会喜欢。清池说，不，我要长得像你的孩子。他说，在你怀孕的时候我都会想要和你做爱。哪怕你生了孩子在给他喂奶，我睡在你身边，都要和你做爱。他们这样痴迷对方，像少年一般渴慕对方的肉体和情感。简直不可思议。最终他有了5个孩子，都是跟其他女人所有。

她想起他对她说，庆长，与大部分的女人，我只是在游戏，与一两个女人，我是在生活。最终生活无所谓好，无所谓坏。生活就是这样度日下去，维持秩序，不做伤害。但我与你，是在相爱。呵，他最终还是破坏秩序，做出伤害，但并不是为了他所爱的女人。而是被迫走到那一步。那个为他怀孕为他守候的年轻女孩一直没有离开，于是他们最终有了结果。

生活，貌似这样随机，变动，混乱无序，但其背后，却是有着怎样严酷而沉重的力量在运作和控制。她和清池，付出这样巨大代价，耗费这样顽强力气，也无法做到推翻它。可见，他们无法一起共同生活，无法得到结果，是一种命定。但是至少她做到了释放过去，活在当下，并对未来保持顺其自然。Fiona不知道她和清池的故事。或者应该说，除了宋，没有人知道她心中的秘密，那些深不可测波澜起伏如同海洋般空旷寂静却波涛汹涌的秘密。这是周庆长的生命。

宋有仁知道，但他成为了她的丈夫。所以，一切依旧很安全。清池。她心里想，她和清池的爱恋，最终属性，不过是他们生命中一个黑暗的秘密。他们是被对方砍过一刀的人，余生要小心翼翼怀揣伤疤走在日光之下，不会走不动，但也走不快。如此而已。

18

飞往德国柏林的国际航班，满满一架大飞机。12个小时的航行。非常疲倦。

庆长跟随宋，先去看望宋的家人，在柏林居住一个月，然后去往瑞士。

在飞机上，他照顾她，在她熟睡时给她盖上毯子，帮她要食物和咖啡，为她阅读小说和诗歌，态度自然亲切无微不至。他也喜欢牵庆长的手，睡眠时一起拉着手。他们之间那些劳作、倾谈和烹饪的过程，以及一起沉默凝望花园相对饮茶的时间，为彼此建立起来的默契以及安宁，是为余生漫漫长路而准备的。庆长有一种预感，这一次，她会有孩子，而且不止两个。

为了避免她旅途寂寞，宋对她讲起他们要定居的瑞士小镇，说，那里有雪山，湖泊，绿色山峦，碧蓝天空，大片山林和草地，他早已买下的房子，打开窗能看到山峦和空阔草坡，步行数十分钟，就能进入森林……山坡上有苹果树，野地里的苹果无人采摘，他们种了这些树，让鸟来吃，熟透后坠落树边泥地里，缓慢腐烂……茂密古老的森林，参天大树，满地落叶踩上去簌簌作响，清泉汩汩从草径间流过，如果下过一场雨，掀开草叶，可以看见底下泥地刚绽出的白色蘑菇……清晨去山里徒步行走，如果下雨空气会更清新。经常突然下起细雨，雨后出现淡淡阳光……可以一起去图书馆听讲座，阅读，看电影，骑自行车去集市买菜，整理花园……每年去旅行……做共同喜欢的事情，有很多时间，很多很多时间……

在轻而柔和的絮语中，她被温暖的毯子包裹，渐渐困意再次来袭，堕入睡眠洞穴。

不知为何，脑子里出现的画面，却是一栋带花园的白色房子。也许可以存在于地球任何一个角落，不管那里是什么语言什么肤色的人种，只是风景如画，恬适静谧。是夏日临近黄昏的午后，天边薄薄云彩，微风吹拂花丛和树林，月亮影子也已隐约可见。她看到自己戴着草编太阳帽，穿白色连身裙，赤脚在草地劳作。绿草上水珠和草尖的硬度，在脚底皮肤上的触觉，都是那么真实。她站在田畦中，采摘薄荷和迷迭香，准备晚饭材料。风中有清冽浓烈的植物芳香，一阵一阵渗人心脾。身后传来幼小孩子的叫声，还有一个男人的声音，庆长，庆长。也许是最小的幼儿睡醒，要找妈妈，他们一起来寻找她。她欢快应答，说，我在这里，转过脸去，看到抱着孩子的男子走下楼梯，向她靠近。

他的五官依旧清晰可见，历历在目，离她这样亲切贴近。她对他露出微笑。呵，庆长，你的笑容这样美，像黑色燕子穿行过天空。你的笑容让我生命真实。庆长。我们终于生活在一起，日夜相守，有所有的内容。

而此刻，她轻声问他，这里如此之美，可否停留。他说，不。这不是我们的终点。

第十二章　歧照。孤岛

1

有时晚上我出去散步。歧照夜市远近闻名。

如同一场人间世俗烟火的筵席，在狭窄街巷中，一条流传经年的民间集市从深夜延续至凌晨。油烟翻腾，人声和汽车喇叭此起彼伏，摊贩在摊位上陈列出各式食物，从山上到海里，无所不有，形形色色。油炸或热炒的制作方式绝对不会清洁和健康。饕餮客们漫无目的，熙熙攘攘。不知为此停留是满足口腹之欲，还是被世间某刻貌似繁华充足的幻象麻醉。

歧照，往昔古都已如巨船在海洋中沉落。现世是一排排赤裸灯泡照射下的木桌，铺置塑料布，散乱杂陈泡沫塑胶盒子和方便筷。喝酒聊天大块朵颐的食客并不以简陋肮脏餐具为意，大声咋呼，吵吵嚷嚷。地面上堆满食物残骸和湿漉漉残余。我在人群中穿行，与他们碰撞或同行，如同行走在一条沸腾河流中。迷失于一场浮世残梦。

我听到一颗古老心脏发出声响，喧杂，沸腾，细微，轻盈。仿佛这座城，有一场战败之后飘落的绵长细雨，下了一千年没有休止。雨水之下的人，渐渐习惯面对变迁镇定自若。对一座常年被泛滥洪水侵袭和淹没的城市来说，人们失去目标是正常的态度。只能关注当下的眼前的事，而对未来放弃展望。

如同一个平衡式的悖论，一面，是破罐破摔式的得过且过，放纵拖沓。另一面，是只争朝夕的知足顽强。形成一种理所应当的冷静节奏，在没有经营和计划的生活之中，领受事物无常的本质。

穿过夜市，走回它破败而迷人的旧城区街道。夜色街头，路边摆出吃夜饭简易圆桌，螺蛳，焖鱼，烩面，大盘油腻而鲜艳的菜肴，人们在行人和尘土中进食。临街铺子密密麻麻，人行道边充溢垃圾，污水及雨水之后未清除的淤泥。小服装店灯火通明，传出早年港台流行音乐。干货店摆出竹箩，堆满炒制的干果，葵花子，南瓜子，花生，核桃。肉店砧板上放置未售卖完尽的香肠，样子极为结实，散出硬质光泽，如同静物绘画。我又走到湖边，湖水上闪烁零星寥落灯火。对岸唯一一座耸起的高楼，像一道突兀伤疤，粘贴于漆黑夜空。

抽完一根烟，起身，再走到城墙下面。当地人在广场上打羽毛球，跳健身操，孩子游戏，老人扎堆。楼墙上有数盏刺眼灯光照射人群，白晃晃一片。牌楼上有遒劲清雅的书法写着古文。

我长时间站在阴影中观察他们。拍下几张照片，然后转身离开。

2

在失眠的凌晨，打开关于歧照的文字记录。

往昔荣光被扫荡一空之后，古都已无法触及、复原和想象。当时的文人，留恋不舍它的美，试图用文字留住一座城市的魂魄，把它风干、凝固、成形。试图为一个时代留下记录。纺织，农田，瓷器，宗教，婚姻，习俗，社会，文化，园艺，建筑，服饰，菜谱……无所不包。文字本身是流动的载体，是水和种子一样的属性。被文字复制出来的歧照，如同一种无边无际无形迹的光线，扑朔迷离，无可捉摸。如同反复阅读的关于上元节的文字。关于发生在这座城市里的，一个早已被消亡的传统节日。它几近成为我的一场幻梦。

为记忆和幻象所奴役的文字，重新带来一个光彩四溢的节日。上元节，它是这座大都会最隆重光华的节日，一次全民性激情而奢华的巨大盛会。权力与民间同乐，所有人在此刻平等。节日的生命力，启发出人的快乐、尊严、情感、愿望，跨越一切界限。一个节日持续三夜，延续至五夜，直至十夜。所有人扎灯，观灯，游灯，绞尽脑汁做出最美丽的灯。围绕于此的庆祝则充满延展性的欢愉，歌舞和玩耍通宵达旦，欢宴和游乐竭尽全力。红烛，焰火，锣鼓，灯山灯海，猜谜，舞狮，杂耍，游戏，熙攘人群汇入流光溢彩的队伍，欢笑，幽会，钟情，相娱相乐，绵延不绝。此刻，手里持有的，眼里盛容的，心里记忆的，不是一盏盏精雕细琢的华灯，而是微小个体在快速飞驰和变幻的时空里所能把握的，只属于当下的如游丝一抹笃定而确实的存在感。为欢乐而存在。为丰足而存在。为平等而存在。

我对上元节的兴趣，是因为故乡，一个二线小城市，某段时期保持一种拖沓缓慢的发展进度。我的童年记忆，因此还能得以保留正月十五的灯笼微光。那个晚上，纸糊灯笼是一个仪式的重要道具。灯会游行经过家门口的街道，人声喧哗，灯火游离。幼小儿童从父母手里接过小纸灯笼，蜡烛已被点燃，烛火带来与日常生活不同的美感和气氛，大家雀跃欢呼混入夜行的队伍。这河水般的队伍去向哪里，烛火烧到何时是尽头，谁能知道。一排排灯笼，容易破损，摇晃不定，隐约黯淡，但它代表着一个超现实的存在。如同祝愿和祈福的本身。我们面对的和希望的，总是不同的现实。

中山公园里，有人扎起大型纸灯，看灯会，猜谜语。即使形式日益偷工减料，廉价粗糙，但仍是一个存在的节日内容。数十年后，正月十五，街上不再出现游灯队伍，也不再有手工制作材质原始工艺拙朴的灯笼。塑料和电池组成的假灯笼，代表了这个节日残存的最后一丝痕迹。电视里也许会播放一台歌颂赞美的晚会，专业娱乐人士载歌载舞，上演与此无关的虚假繁荣。它与人群最终脱离一切身体和情感的关系。

一个人们不再为此付出行动、热情和愿望的节日，还是节日吗。当然不是，它只是空余的称谓。如同一个被啃蚀掉血肉空空荡荡的巨大骨架，里面不再有热情和生命力。如果没有个体的参与和存在感，任何仪式都将沦落为空虚和不真。

3

彼时歧照，一年四季有诸多仪式和节日。元宵是隆重的全民性大狂欢，鼓乐杂耍，通宵歌舞，烛火通明，自不必说。清明，端午，重阳，中秋，七夕，花朝……这些传统节庆，都还在人的生活里起着重要的作用。

这座城市的细节，文字记载的还有许多：

凡是出售饮食的人，盘合器皿皆鲜净。车、担上的器具奇巧可爱。对食物滋味羹汤调制更不会草率忽略。即使是卖药卖卦之人也戴帽束带。沿街的乞丐也有规矩，过分懈怠的地方是众人不能允许的。士农工商，诸行百户，衣装有各自的讲究和本分。

如果有外地新来邻居，会借给他们日用器具，送去汤茶，指点买卖。专门有一种角色担当的人，每日要在邻里间走动，为人送茶，询问相互情况。所以遇到凶、吉之事的人家，都来客盈门。

那些大酒店，卖零酒的小酒店有三两次来过，就敢借给他们价值三五百两的银器。甚至贫困人家，若来店里传唤送酒，也用银器供送。通宵饮酒的，第二天才去把银器取回。酒店出借银器时的阔略大量，是天下未曾有过的。

在酒馆里，哪怕只是一个人独自饮酒，所用的碗具也是银器。果子菜蔬，没有一样不精致清洁。

凡是买东西不足一定的钱数，得到的也是这个钱数的东西。

人们在日常生活的装饰里，讲究插花，焚香，点茶，挂画。

……

这样的节物风流，人情和美，现在很难体会。银器的使用方式，可称之为真正的奢侈大方。这些仪式感对一个社会的作用影响深远，人们在日常生活得以获得各种来源的精神支持。独立，丰富，不孤立，个体与外界紧密相连，人尊重自然和天地，心有敬畏。有了敬畏，就有恭顺、谦逊、温柔和克制。也许物质不算发达，但人所能得到的情感和愉悦的源头，像一条浩荡大河，源源不断，稳定端庄。

我因此经常想起一个问题，一个人与所置身的时代，可保持一种怎样的关系。

如果他执意与世间保持距离，远离资讯，潮流，观点，不看报纸不看电视不听电台不与团体接触不参加公众活动，他是否能够与身处的时代脱离关系。答案，当然是否定。因为，他所住的房子美观便利与否，他吃到的食物干净健康与否，他的家庭关系和睦丰富与否，他的交际关系和谐或紧张，他的婚姻，工作，他的价值观念，他所受的教育，他的礼仪，琐碎到他所使用的器具用品，他所喝的水的品质，他对外表衣饰的审美……无不被时代所左右。

微小个体对时代无足轻重，时代对个体来说，却具备摧毁、影响、重建的力量，这是时代的强势所在。它代表的是方向，影响个体生命具体的取向、观念、质量和模式。密不可分。

平凡琐碎的形而下场景，通常能够反映形而上意识的状态：地铁里以电子游戏、武侠盗版书、手机新闻打发时间的人。设计丑陋材质廉价的普遍性日常用品。传播品里暴力、色情、金钱至上的价值倾向。建筑物虚张声势，华而不实。公众设施对细节和便利的忽略。日常生活对传统文化和习俗的疏远和放弃。西方奢侈品带来膨胀空洞的虚荣心，在潮流中的自我失落感。热衷娱乐，审美低劣，跟风盲从，以恶和荒诞引起瞩目。人际疏离，冷漠，自私，不信任。食物对数量化的追求而产生品质忧患，失去自然的滋味和芳香。城市热岛效应，季节缺乏细腻和清明的层次感……

我们失去的，如何数算。

新时代不是无所事事，不知置身何处。也不是闲息，空白，落寞，停顿。它的属性其实是剧盛，势利，冲动，炙热。快马加鞭，横冲直撞。它不是无聊。它是贫乏。这种贫乏，不是缺失物质和科技种种，而是与富足和强势的对照关系相联映衬。贫乏，是一种信仰缺失，在内心缺少公正有力的支撑，得以支撑人公正有力地生活，而不是麻木强韧地生存。政治，宗教，文化，理想，原本可以提供不同形式的信仰给人们，但它们在拆解过程中，被操纵形式解构本义，真正的力量因此被低估、质疑、扭曲和忽略。

人的精神原本需要单纯而专注地维护和发展，绝非在诱惑和虚弱之中被瓦解和摇摆。

所以，贫乏时代已来临。

如同现世的歧照，一座在变迁中一蹶不振的停滞的城。

如同此刻的我，一个同样困守而流落荒凉之地的写作者。

4

次年冬季来临。写完小说，用去1年多时间。离开歧照，我的生活如何延续，我不知晓。手机里没有可以倾诉衷情的电话号码，城市里没有可以登门拜访的门牌号。我失败的人生是一座孤岛。除了电脑新开的文件夹里，来自她的电子邮件日益增多并趋近尾声。在我为周庆长的故事打出最后一个句号之后，我给这个未曾谋面的读者写了一封回信。

我在一个你没有去过的城市里写作，它叫歧照。在中国北方，一座死亡的古都。我想你不会来到这里。就如同你再不会去探望春梅。我们的生命里已没有任何故乡，只有通往遥远和陌生之地的道路前途渺茫。

你的故事我已阅读。我不能保证自己是持有这秘密的唯一。你写信给我，本身就是一种冒险。写作者的任务之一，是把人心的区域里所有属于黑暗的深沉的秘密进行流动。如此这个紧缩中的世界才会平衡。

明天我将离开歧照，这次工作已完成。也许会去印度旅行，一直想抵达那里，应该付诸行动。写作经常使我觉得生命的速度放慢，有拥有无限的错觉，所以有时会拖沓、懒惰、冷淡。一旦结束写作，无法在世间找到自己的位置，这是我的难题。

满目虚假繁荣，到处欢歌急锣。我只能保持自己隐藏而后退，无法成为一个志得意满的人。我想，它不是我的时代，它也不是你和你的故事、我和我的故事里的所有人的时代。我们如何自处。也许唯有爱和真实，值得追寻。

我的小说里也有一座味空亭。我想它其实在哪里都有。中国有无数重复的地名、人名、物名，因此它是一个有想象力的神秘而奇妙的国度，我比以往任何一个时候都热爱这一个区域。在你逐渐了解它，了解一块土地的属性，而不被局限的边界和人为的因素限制，这块土地的文明更让人动容贴近。这样说，是因为我知道你不会回来。

我也引用了你的地名和人名。我想人的命运有一种普遍规律，不管在天涯海角，在地球的哪一端，我们都会遇见另一个自己的存在。

谢谢你带给我那些记忆。分享使我们的生命增加重量。再会。

5

《清明上河图》的发黄脆薄绢布上，积木般脆弱繁琐的建筑，一座座彩虹状拱起的半圆形桥梁，完美的线条和平衡感。河道中穿梭的木船，堆载从长江中下游平原运送过来的优质稻米。临河酒楼茶肆，充斥享乐悠然的人群。店铺里有人辛勤劳作，街道上有人赶着骡马奔波生计，杂耍艺人竭尽全力，博取围观和喝彩。男女老幼，骑马坐轿，摩肩接踵，熙熙攘攘。微小繁盛的世间。这本是充满浮生若梦的消极气氛的一张记录，暗示人为的一切最终都将被扫荡一空。

只是那些人，他们的平静面容，眼角眉梢的沉默委婉，沉浸在劳作消遣中的浑然不觉，怡然自得，举止中谦卑和积极的姿势，带来力量的模式。一种汪洋大海中滴水般的存在感，一种对立的脆弱和永恒。一种默默消灭的以泪带笑所能领会的美。

情感与个体存在的历史就是这样的模式。我写完周庆长的故事，穿越她的生命，穿越一场辗转反侧只用来论证虚空破碎的情爱幻梦。这是一个快速而空洞的时代里，一个渺小个体的存在和见证。

写完这本书，我确认自己写过的所有小说，其实都只是一个人的故事。所谓的边缘人，在所置身的时代里不合时宜又一意孤行的人，他们是时代的局外人。唯独不做逃脱的，是与自身生命观照的刀刃相见。人若不选择在集体中花好月圆，便显得行迹可疑。我看着他们在文字中逐个消失于暗夜之中，心想结局必然。

某天上午10点45分，我在歧照火车站坐上发往上海的火车。天色阴沉，空气凛冽，歧照在这个冬季的第一场大雪即将降临。空荡荡的列车依旧没有满座。

我在行囊里塞入厚厚一叠打印稿件。但我对周庆长的结局仍旧略觉怅惘，她应该怎样生活下去，没有人知道。我也不知道我的。以脆弱肉身对峙时间的铜墙铁壁，心中能够有多少把握。有人说，人有疾病，心能忍耐；心灵忧伤，谁能承当。在火车上，我意识到自己的生活失去目标，自相矛盾，有一种无地自容的惊惶。我要去哪里，我能够见到谁，我将如何生活下去。质疑和消沉一如往常凶猛而至。

在洗手间里，我推开玻璃窗，直接迎向猛烈冷风中吹拂很久。只觉得胸口翻腾，心中一头黑暗野兽开始起身觅食。我急需与人发生一些联系，有人说话，有人拥抱，或者进入和被进入彼此的身体和内心，都可以让我好过。打开手机，用发颤的手指，翻动通讯录一行一行仔细寻找，寻找一个可以在此刻对话的人。大部分号码是编辑，记者，出版商，快件公司，房产代理公司，叫餐的餐厅，剧场的电话……包括依云矿泉水订购及安利产品上门服务的电话。唯独没有一个号码可以用来问候。

脑子混乱、焦虑、烦躁、无法安宁，如同塞满金属、木头、荆棘、煤炭和岩石。有某个瞬间的理性失常。我把手机抽出芯片冲入马桶，把外壳直接扔出窗外。在火车晃荡中跌跌撞撞走回座位，在邻座乘客的昏睡之中，无法自控，满眼泪水躺倒在座位上，从行囊里翻出一只白色塑料小瓶。医生配给的安眠药，一种催眠镇静药和抗焦虑药，可引起中枢神经系统不同部位的抑制。医生一共给了8片。小小的圆形白色药片，我全部放进嘴巴里，用瓶装水吞服而下。

昏睡多久，无法确定。也许陷入一种昏迷。在梦中我见到小说里的人物，周庆长。14岁穿白衣蓝裙中学校服的少女，独自穿越无人隧道。深长幽暗的隧道延伸远处，尽头光亮灼亮强烈，粉白芳香的夹竹桃花枝在阳光中轻轻晃动。那种色彩，亮度，气息，连同她发出呼吸的声音，和在寂静中振动的足音，都显得格外强烈，仿佛被扩大无数倍。甚至可以看到她脖子动脉中涌动的血液，她心脏的搏动，她身体里充盈的带着恐惧和意志的激情。

她的生命此刻对我来说是一览无余。她对我说，我相信。相信爱，一如相信真相。相信他，一如相信我自己。我在梦中对自己说，一定要在稿子中写下这句话，不能忘记。我又说，那么我的相信，我又该去往哪里把它找到。没有相信，我如何存活。

然后我醒来，头痛欲裂，眼目恍惚，发现自己躺在车厢座位上。火车已停顿，周围空无一人。不远处一个中年女列车员在清扫地面垃圾，她走过来发现了我，神情由惊奇转为一种状态不明的凶悍。她大声叫嚷起来，你为什么不下车！你还在车厢里做什么！火车都到站一个多小时了！我想，如果我死在火车上，大概也不会有人发现。不知道她会不会对着一具陈卧在座位上的入睡状的尸体发脾气，说，你为什么不下车！你还在车厢里做什么！火车都到站一个多小时了！但在乏力昏沉之中，我无法对她做出反应，只是扛起背囊，脚步漂浮地下车。

走上空寂的月台，如幕布覆盖的夜色里城市如此陌生。层层叠叠高楼大厦，浮现在夜雾和湿润的南方空气之中，如同一个无法令人信服的虚拟而易碎的积木世界。我没有死，依旧存在。人虽然随时会死，但却很难轻易死去。如果我们动一下手指，就能够离开这个世界，这个世界上的人是否会立刻消失一半。我离开歧照，却没有找到归途。

6

冬季我出发前往印度，只为看到洁白的泰姬陵。颇为天真的是，对泰姬陵的情结来自一部电影。一个男记者接近一个被判死刑的女囚，他也许费了很大劲想拯救一个人的肉体和精神，但女囚犯最终被注射毒液而死去。电影结尾，那个男人背着一个行囊独自去观看了泰姬陵，这个建筑一定和他们有过的约定或倾诉有关。但我完全不记得电影的内容，只记得一场电影里，一个男人为了一个死去的犯罪的女人去泰姬陵旅行的结尾。

潜意识中，我希望自己成为这样一个男人或者这样一个女人。我们希望世界上有另一人跟自己有亲密的生命联结，有精神和情感的渗透影响，有过某段时刻的灵魂认知及追随，或者可以拥有最终被实践和兑现的诺言。是。我们岂能对茫茫人海中孤独和隔离的处境无所畏惧和伤痛。即使我们保持镇定自若，冷淡自处，但在内心无可否认，每一个人都持有救赎或被救赎的期待。

求你将我放在心上如印记，带在你臂上如戳记，因为爱情如死之坚强。爱情，几乎无可能会成为我们的信念。人类实用而贪婪，无情而善变，它最终将沦落为一场幻觉或者一个故事。谁都可以在内心成为一个编造故事的说故事的人。包括我。没有故事，人生多么寂寥。

我再未收到过来自于她的电子邮件。

7

新书在春天出版，我没有去书店看望。我从不去书店看望自己的书。据说有些作者会经常去书店巡查，看看自己的书是不是还在卖，摆在什么位置，我从不做这样的事情。我也很少送书给别人，不喜欢在书上签名，不喜欢见到读者，不喜欢与别人谈论我的书。也不关心别人如何谈论我的书。

我拥有它们的时间只在于书写它的时段，一旦它进入流通区域，就彼此自动脱离关系。它单独形成一个喧嚣复杂的局面，属于世间的游戏法则，我自此再不愿意为它枉费心思。也无所谓它的是非功过。我只知道，书出版之后，我又只剩下一人，干干净净，清空一切。如同一段旅途的意义，最终都并不在于外部的目的，而在于内部的过程。在写作中曾经踏出的专注、警惕、感情强烈的每一步，原本是一个人探索内心边界的路途。

我自知一段路程终结，需要再找出路。

为了打发时间，也因为机缘巧合，接受一次活动。一个日本文化交流机构邀请去做讲演。

在国内没有做过这样的活动，按照作品一贯被争议的处境，与外界隔绝至少能保持轻省自在。一些创作者能亢奋而顽强地与外界揪斗，与一切见解观点反驳辩论进行旷日持久的对抗，我做不到。没有力气，也不想鼓劲，最根本是觉得毫无意义。时间，一定会让所有的立场、观念、辩论、评断在各自的命运中分崩离析，烟消云散。那么，最终这些发生的精疲力竭，也就只是一场表演而已。

在一个没什么人相识的国度，这样的活动可以只当作一次旅行，来听讲座的会是些热爱文学和阅读的家庭主妇以及老人之类，在国外的图书馆活动中，这类人是常客。他们中也许没有一个人知道我写过些什么，这样很好。他们起码对一个写作者本身产生兴趣，而不是对这个写作者身上被强行贴上的各种标签感兴趣。

我对外界始终持有一种抗拒，是觉得很多人不说实话。他们说假话、空话、大话，复制跟风流行语，以讥讽戏谑掩盖内心虚弱，或者言不由衷，或者肆意说出粗鲁侮辱的话，以为这是强有力。他们唯独说不出真实诚实持有自我反省和警醒的话。在荒谬时代，我们被话语游戏、捉弄、摆布、欺哄，人渐渐失去自主行动的意志和自由。总而言之，这是一个热衷贴标签和搞斗争的时代。它不是一个适合安静而理性地写和读的时代。也不是一个适合以自我个性独立存在的时代。

8

10月，去日本。不是樱花的季节，红叶也没有开始红，但这不是重点。我对风景没有任何着意的热衷，兴趣和关注不在这个上面。进入一个陌生的国度，进入陌生国界的生活，如同盲目地跃入一个冰冷清澈的湖泊，存在感如此强烈。

行程5天。活动有两个地点，东京，京都。东京与想象中出入很大。出租车带我去歌舞伎院座，经过银座四丁目，行驶在晴海街上。车窗外人潮汹涌，灯火闪耀的摩天大楼层层叠叠，如同一个敞开的万花筒，但那不是封闭纸筒里碎片和光线折射的幻觉，而是人世脆弱而硬朗的繁荣表壳。这个城市。此时在夜色中敞开的血肉鲜活的躯体，琳琅满目，光怪陆离。一只在进行呼吸充满魔力的怪兽。我的手指抚摸过它银光熠熠的皮毛，感受到这黑暗中闪耀出来的冷光，但暂时与它的心脏、骨骼、神经、血液没有任何联结。穿行过它的中心区域，如同用手抚摩过皮毛的顶端。

赶上夜部三折戏的最后两出，雪暮夜入谷畦道，英执着狮子。舞台一边分行列跪坐江户时代装束的男子们演奏古老乐器，用高亢沧桑的嗓音进行吟诵和歌唱，笛子的声音无比清幽。这音乐，华服，布景，舞蹈，都很有独特的民族性。最后一出压轴戏是福助演出。舞台上流光溢彩，狮子，牡丹，蝴蝶，扇子，一层层变幻褪去的华丽和服。男旦雍容舒展的身段和手势，古老乐器的轮番展示表演，唱腔的梦幻感……在这样的视觉声的感官宴席中，观众带着被洗涤般的丰足感，长久鼓掌。古代的日本，传统的日本，一切都还在延续。

因为场内不允许拍照，旁边的服务厅里有专门洗出来剧照可供购买。一面墙上大概有上百张剧照，观众记下号码便可索购。买照片的人相当多，我也买下四张。严谨刻苦的训练，传统古典的技艺，被大众所寄托的审美和精神的象征，与人世有所距离地存在着，这样的人才可算作真正的偶像。而在现代娱乐行业的廉价流水线里，被包装得奇形怪状的速成明星和无法经久流传昙花一现的表演，只能说是污染和浪费。

座位满席，妇人特意穿了和服挽上发髻化妆后过来看演出。看表演时很安静，但空气中弥漫不动声色的沉醉之意。为了抓紧时间，他们携带便当，在中场休息的时候进食。在中国，昆曲如此之优雅华丽，使人痴迷难禁，但能够看到表演的机会并不多。几个经典曲目轮换来演，票价昂贵，且缺乏创新的能力。几个古老的本子，一代传一代，就这样寂寥地与岁月对峙，也许并没有创新的必要，也早已失去创新的能力。在歌舞伎座里，同样是古老的表演，但它是人民生活里紧密相联的一部分，是他们的日常生活，是他们的享受和乐趣。歌舞伎座这一季的演出，将会一直持续到月底。每天，各种不同的曲段轮番滚动演出。

之后抵达京都。京都的静谧气氛令人放松。在一座以庭院微观之美取胜的古老寺院里，我见到有人用清端楷书，抄了一首晋人的诗。

山气日夕佳，飞鸟相与还。
此中有真意，欲辨已忘言。

诗句竖行排列，写于册子上。我想，清远山上的清远寺，是否更加破落以至要被拆除了。她曾对我说，那寺庙墙壁上书写有这首诗。墙根下蟹爪菊茁壮开放，庭院中轻轻呼吸的苔藓和松柏。大叶冬青的暗绿色叶子闪烁出光泽，结出一颗一颗浑圆红色果实，这是童年时在故乡经常看到的植物。

夜色寂静的巷子空无一人，空气中的清冷和湿润，电线杆上布线错综裸露。午夜时分，与一个盛装的艺伎擦肩而过。年轻女子大概表演完毕，手里拿着包袱，脚步匆促，神情淡漠，带着一丝丝闲散下来颓唐之意，或许还有微醺醉意，木屐踢踢踏踏走过石板路。这一切不禁使人想起一个男子的言论，他说：我们在日本的感觉，一半是异域，一半却是古昔，而这古昔乃是健全地活在异域的，所以不是梦幻似的空假……无可置疑，这是我要的某种流连、变异、淡薄而依稀的古昔的气氛。即使它在异域。但它毕竟存在。

9

做完周日晚上的京都演讲后，我要离开。

那一天下雨。提前到。在图书馆的咖啡厅里喝咖啡，顺便看了一下举行活动的小厅。大概能容纳300人的空间，在开始之前的10分钟，只来了五六个人。第一排最靠左边的位置，坐着一个长发的耶稣头女子，穿着简单白衬衣，烟灰色灯芯绒裤子，球鞋，椅背上搭着黑色棉质外套。她一动不动腰背挺直坐在那里，目视前方，没有消遣用以打发时间，只是保持静止等待。她的背影使我情不自禁想象她的容貌，但不过是几秒钟的杂念。

等我从洗手间用冷水洗脸，梳理头发出来，7点半时间刚到。走进会场，发现突然之前空间里已坐满了人。满满一屋子的人，不知道他们如何做到如此准确而迅速地出现。走到前面演讲台，看了一下台下这些异国的陌生人。无论如何，会场此刻安静而专注的气氛，使我感觉安全和放松。那一双双集中注视着我的眼睛，有淡淡的微笑或凝肃的表情，表达出一种善意的礼貌。我扶正麦克风，开始演讲。

演讲的内容其实很简单。主要是关于写作与人的真实性的关系。

按照中国主流文学的价值观，写作题材最好倾向乡村、变革、时代、战争诸如此类大题材。宏伟壮观，理直气壮，一种隆重而安全的形式感。如果有人倾向写出个体与他自身以及所置身的世界之间发生的关系，就务必涉及城市、情爱、性、内心阴暗面、人性秘密和困惑，以及死亡。呈现自我存在，呈现出美、真实、脆弱、尊严，同时呈现出缺陷、卑微、破损、不完满。

只要有人愿意写出态度，说出实话，他就对外界暴露出自我。写作本身不存在被理解的前提，但如果它具备个体存在感，就务必与越过大众价值观、是非观、道德伦理、常规秩序的尖锐边缘共存。同时，快速行进的时代，挟带亢奋和焦躁，如同浪潮席卷一切。个体置身其中，无可回避，不进则退。如果你拒绝跟随集体意志和意愿，会被看成是一个落伍的失败的失去价值的人。你会被孤立。

一个试图与时代和人群背道而行的人，迟早要付出代价。

商业化图书出版市场，总是需要作者被贴上标签。如果被强迫贴上标签，也只有两种选择：一，任由他人越贴越多，隐藏其后，或者自己也乐此不疲参与制造。二，逆道而行，把这些标签一张一张撕揭下来，最终呈现自我立场。任何被热衷的归类、概念、标签与写作没有关系。写作，其本质是个体生命的清理和重新组织的过程。

书写，最初的功能只对写作者自身发生作用。只有他自己知道，那些写过的书都曾是黑夜中的一个祷告，并且充满真诚和静默的力量，无法让人得知。书写，是一种职业，更是一种本能。这种本能，跟清晨起床，穿上球鞋去花园跑步，看见露水中盛开着的紫色牵牛花，以及一夜雨水之后从泥土爬到地面密密麻麻的蚯蚓，是一样的属性。花朵盛开，昆虫呼吸，人对内心的表达，同属一体。

写出文字，构造一个世界。是人在内心获得新生的一个机会，也是用以度过时间的方式。写作，把记忆内容物重新观察沉淀，以此获得再一次铺展流动的过程。思省让人获得双倍的时间。人将以创造性的方式，再次装置生活。把它里里外外观察清楚：得到过的，损失过的，感受过的，看到过的，思考过的。把这一切掘出随波逐流快速奔腾的河面，使它们成为超越其上的天清地远。

它针对个人出发，却真实自然，具备一种于万事万物同属秩序的合理。如同呼吸，与我们的身体息息相关，但从不故意发出声响，除非我们愿意去关注它的存在。

如果忽视每一刻当下，缺乏幽微和丰富的如同源泉的表达，缺乏直接有力的担当，其他无谓的针对过去和未来的愤怒和焦躁，也都不过是虚弱无力。只有土地之中规则的作品，不能产生力量，无法让人信服。现实即使是一个巨大烂泥塘，写作，应该始终超越其上。否则它无法具备美和方向。

我心目中的写作，发出声音，显示出危险性，承担对峙、孤立、贬抑、损伤，同时也承担影响、渗透、情感、联结。它不可能是为了表演、歌颂、辩论、标榜、虚饰、攻击。它容忍和覆盖幽暗和光亮的各个层面。它没有评判和断论。没有限制。

我心目中的写作，最终会成为一个巨大、孤独、华丽、专注的心灵杂耍。如同古代以一根绳子爬上云端的江湖艺人，进入天空，直到人无踪迹，留下一根独绳留给抬头仰望的看热闹的人群。这是他一个人的嬉戏和玩耍。他的心不在人世。他的心，真正让人看见，应该也只能是在它消失于世界的时候。

大意如此。40分钟演讲之后是自由问答时间。我以为他们并未阅读过我任何一本成熟期的作品，应该没有什么人知道如何提问。但事实却不如预测。他们很感兴趣，问了很多简单而实际的问题，气氛甚至一度陷入一种略带轻快流动的推进中。有人直接用中文提问，原来是在当地读书的中国留学生，也有学生自大阪等其他城市特意赶来，听这次演讲。见到跟随多年的读者，这种感觉也不赖。但我知道这只是很稀少的偶然。

预计一个半小时结束的活动，拖延至两个小时。终于在一种完整状态中结束。我在活动过程中多次注意到那个第一个排最左边的女子。她没有任何提问，目不转睛盯着我，神情严肃和专注。她的面容特别，细长凤眼，额头高而开阔，眉毛粗直。狭长的脸形线条浑然，脸上散落黑色小痣，有数颗极为明显。会场人群逐渐退去之后，她站起来，靠在墙角默默等候，没有离开。工作人员上前询问她，是否在等待签名，她此时才走近我，说，我在等你。

我看到她的脖子上挂着红绳，系有一块白玉一枚洁白狗牙。嗓音略有沙哑，音色沉郁，令人印象深刻。我的心里已有感应。我说，信得。

10

深夜10点多，走在冰冷细雨的街道上，商业区霓虹闪烁人群涌动。东京是个不夜城，京都略微空茫寂寥一些。它是个故意不再前进被受到保护的古都。巷子中的灯笼，伞，石板道，广告牌，殷勤告别声，使人一时不知身在何处。我在雨中看到被信得领入的那条巷子，门牌匾上写着先斗町。

抵达一家提供当地风味家常菜的小餐厅，隐藏在深长曲折巷道尽头。入口处悬挂一条硕大美丽的海鱼，不知道它的类别，扑鼻一股鱼腥味。掀开蓝色布帘，里面是一个狭小洁净的空间，坐满当地人。日本酒大酒瓶搁置在餐台上，柜台围起来的中间空地是厨房。年轻厨子在客人面前炸天妇罗，用矿泉水和白米在瓦罐里做米饭，烧烤鱼和牛肉。没有炒菜烟熏火燎的气息，却有一种沉浸和融入在食物制作和享用过程之中的细致感受。酒吧式餐台上一列大盘子，放着煮好的冷菜。都是家常菜，如萝卜，茄子，小鱼，土豆之类，选好其中几样，店员用小碟小盘盛起送到面前。

她提前有预订，我们得到吧台边两个位置。风格优雅的小碟小盘铺陈开来，分量显少，但也恰如其分。一边喝酒一边吃冷盘，厨子就准确有序地把烤鱼，汤豆腐，蔬菜，生鱼片等陆续送过来。店员随意与客人聊天。中心人物是穿和服梳发髻有一定岁数的老妇，笑容言谈利落自然，仿佛置身自家客厅又极有分寸。我在这环境和氛围中，获得一种身心充沛的放松，觉得舒服适宜。信得在旁边打点，她会说简单日语。

我说，你怎么会在京都。

听说你来演讲，飞过来等你。我知道你不会经常出来。这跟好奇心无关。只是想与你相会……有时听到别人说你的作品毒害麻醉读者，销售数量高所以绝非严肃的作家……我不关心这些是非。在我内心，也许偏爱让人群觉得不适和遭受质疑的作家。因为他们激起爱恨。她露出微笑。

……

这么喧杂，会某天停止写作吗。

不会。表达是我的任务。

会离开所在的地方吗。

我不觉得自己立足于有界限或者有区别的地方。可以去任何地方。也可以不去。

我以再次沉默结束这个话题，因为并不喜欢与人讨论我的处境，即便对方出于善意。一段微妙停顿。我素来有交际障碍，不懂得与人快速撤销距离把酒言欢，但我与她的沉默里却有余裕。我们是两个遥无边际的陌生人，即便内心在某段特定时间里曾纠葛交会。我从未设想过与她见面。一来，她漂泊游移没有定处，唯独不会回来中国。二来，她的故事浓墨重彩，美的部分如同与世隔绝，让人觉得只能是杜撰。这个女子，在现实中出现，不美貌，个性不鲜明，性格也并不活泼。看起来，只是一个走过很多路途处惊不变的人，眼神有机警和敏锐。但她自然是一个有故事的女子。若只是随意与她擦肩而过，不会有机会得知。

没有倾诉，没有倾听，就无法交会。付出情感和历史，对我们来说，需要得到强大的勇气和契机。她是31岁女子。在我见过的照片里，她还是一个5岁女童，在老挝的琅勃拉邦与养母一起。难以想象，电子邮件之中的故事发生在眼前出现的女子身上。直到现在我仍认为，想象成为现实是至为无趣的事情。但它至少让现实产生新的可能性。

比如此刻，我们得以在异乡小酒馆里给彼此倒酒，喝尽杯中酒。酒精带来松弛和舒适，并使人产生说话的欲望。我对她说，其实现在我关心的问题只有一个，就是最后人该如何面对自身的死亡。所以，我基本上已不再关心任何幻化出来的，生的各种形式和妄想。我有时阅读一些宗教经文、古籍或哲学论述，至少希望能够寻找到些许答案的蛛丝马迹，以解除心中疑惑。

那你现在是怎么想的。

应该在限定中尽量增加生命密度。创造，劳作，完善，求知，与人相爱，走向远处。要有一份遗嘱。骨灰不要洒入大海，因为我不喜欢单一的汪洋大海，宁可抛洒在空空山谷，与野生根须融合在一起。不要任何虚假的备注。音讯全无最好。

这恐怕未必做到。你留下书作，如果有人保存着它们，它们还会招致评价。

世间所有具体性质，最终都会像灰尘一样被吹散。人的言论更是卑微不实。我们来到世间，以肉身为载体来完成某种使命，完成生命的任务。这一切最终要由超越的力量过滤和决定。这是归属。

你大概觉得离这个世界遥远。

不。我接受和爱慕每一刻当下。包括现在。

清酒力道一贯来得缓慢，但素来浑厚强韧。很快我感觉浑身暖烫脸上发烧。信得不动声色，她酒量好。我们尝试了四五种日本酒。酒的名字特别，菊姬，濑祭，鹭娘，一刻者，凛美，晴耕雨读……美丽的汉字，可以从中凭喜好挑选。每一种食物需要知道它们的产地和季节，这是当地人的习惯。跟一个对酒有喜悦之心的人在一起，酒也愈显醇厚品味。有的喝一杯感觉就十分强烈，有的喝了三四杯也只是微醺。

不知为何，话题稀少，却敞开心扉。说了很多，也有多时沉默不语。一边慢慢喝酒一边并肩坐在一起，气氛如同山谷里携带着月光流淌的溪水，静谧而自由自在。这样说话，喝酒，直到凌晨两点多。外面雨已停，人声稀少，空气湿润清新。

我问她有什么打算，她说跟我走路回去旅馆。

11

我的酒店在火车站附近。这一趟路程其实很远，但我们都穿了球鞋，走路很快。酒精使身体舒展暖和，两个人在雨后空气清冷的大街上渐渐走出一种速度和节奏，不感觉疲惫。走过昏暗寥落的十字路口，走过灯笼幽微的寺院，路过一家24小时营业的小超市，我建议略微小息。进去买一包香烟，两杯抹茶热饮料。

她站在店铺里打量。墙上贴有一张剧院海报，国宝级艺人的古典曲目演出，尺八一项写有月山梅枝。她说，这是琴药在15年前为我吹奏过的曲目，原来日本还有曲谱。我说，你还记得曲调吗。她说，后来再没有听过，也已忘记。这跟我生命的模式是一致的，年少华丽幽僻，成人之后即平凡堕落。她说，但我知道它将存在于世。不在此地，就在彼岸。

在路边喝完茶，抽烟。再继续。一个半小时之后，穿越过数条漫长大街，抵达旅馆。

在门口，我再次看她的脸。她用眼神示意我，她要留下来。

上电梯，走过走廊。我的日文翻译睡在隔壁房间。打开房间的门。日本的旅馆房间都狭小，但此刻，我已适应她在我身边存在。她从小跟随非血缘的养母东奔西走，身上有一种收敛而流动的属性，让共处的人不会觉得不适，仿佛只是静静待在应该待着的位置。而对这个位置的范畴，她有天生灵敏自控的直觉。她脱掉大衣，稍稍走动一下。非常直接，又脱掉身上白衬衣和灯芯绒长裤，露出黑色蕾丝内衣。她的身体骨骼健壮，也许是长期保持旅行和劳作习惯，身形纤细秀丽，肤色微黑，有饱满的胸部和肌肉结实的小腿。她说，我先去洗澡。

卫生间里传出来淋浴喷头的水声。我心里略有迟疑，走到窗边，打开封闭玻璃窗，眺望天色灰蓝街道空旷的异国城市。一切在逐渐陷入沉睡、隐匿和秘密之中。我拿出香烟和打火机，又点燃一根烟。

在熄灭灯光之后微明的房间，我洗完澡，摸索到床边，躺在床单上。女子从背后靠近我，伸出手抚摸我的颈、脸部、头发，几次反复，如同一种小心翼翼的试探，手势极为温存婉转。是清晨在月季花心吸吮露水的蝴蝶容不下逼近惊动。脖子上红绳系挂的白玉和狗牙发出轻微叮叮声音，碰撞我的肩头。我默默感受她的行进，感受生涩肌肤接触相融，一个一个小小的瞬间。是互相靠近和熟悉的过程。

她感觉到我有些拘泥和僵硬，显然有足够经验处理过渡。说，我想让你听一首曲子。于是我们在黑暗中并肩仰躺，她拿出手机，分给我一只耳机。房间里被手机幽蓝的屏幕光芒微微照亮。耳朵里响起富山清琴的三味线弹唱。她在旁边轻声帮我翻译句子。

掸去花瓣，拂去雪粉，长袖一身轻。已是陈年往事，我等的人是否仍在久久守候。雄鸳鸯振起羽翼，令人忧思涟涟，寒衾中鸣叫安在。命运本该如斯。夜半心远钟疏，闻者孤身独寝。哀鸣寒彻枕畔，愈发令人气绝。泪涟涟，意潸潸。无常生命足可堪，相恋之人罪业深。且将无度悲哀，一腔忧焚齐抛光。舍去浮世，明月清风，山桂作伴。

古老的异国音乐。凄清有力的三弦，沧桑哀切的唱腔，老年男子粗砺婉转的嗓音，一切组合优美至极。空气被乐器的声响轻轻振动，心里有一根丝线也在振颤不已。这是我熟悉的听过无数遍的句子。或者说，在这个世间，没有任何事物是不能相通的。总是能够找到相同的人和物。

她说，这是母亲以前很喜欢的一段曲子。她常在清理工作间的时候，重复放着这音乐。我都听熟了。后来我想，追索和信仰感情的人，付出的代价都太大了。这一定不是可皈依的道路。

那你为何后来热衷肉身之爱，喜欢跟陌生人做爱。

她说，我只是觉得情欲和肉身是健康、清洁、亲密的。它的本质是一种施予和接受。有时感情和幻觉才成为人内心设限的障碍。事实上，这是很大的障碍，唯一的困境。肉身真实而意图单纯，美丽也丑陋，容易腐朽。感情，有可能拯救我们，也可能把我们致死。而且，这里面还有一个问题。她抱住我的肩头，把脸贴在我的耳边，轻声说，在这个世界上，你知道什么是爱。如果你不知道，你如何去寻找。这个世间，所有的一切都在幻化，破碎。当下此刻，你能拿到的屏障和依据，又会是什么。

我说，我只知道，我长久没有伴侣，没有做爱，但一样存活。无爱或者无性，并不能够使我们死去。只有无常和无望，才会让我们死。

她说，庆长最后到底能够得到怎样的一种结局呢。她的终点将在何处。你书里所有观点都很模糊，有时自相矛盾，不了了之。但我却接受。因我已知，人的生命若无超越的机会，最终就是一种无解。因此到最后，我们会渐渐什么都说不出来。不想说。说不明白。说不究竟。没有结果。没有审定。什么都不用说。我们只能朝向自己的终点，趋近它。或者说，即使是死亡，也无法停止我们寻找最终超越的机会。这才是抵达。

她说，但在此刻，我其实对你无话可讲。我只想碰你，触摸到你，拥抱你，感应到你。与你相爱，一起拿出身体里面隐藏的死亡的种子。我等待这样的时刻。不仅仅是与你，也许是与任何人。在不相爱的白日天光之下，我们都只能隐藏自己的悲伤。而在短暂的生命过程中，这样的时日实在太过长久。

12

她是一个对我讲故事的人。而我是一个对别人写故事的人。我心里自问，为何让她这样对我。她如何得到了我的允诺和应答。还是说，这原本是我和她共同的期求。在一个陌生的异国城市里。在一列疾驰的火车之中。我想起自己用发颤的手指翻动手机通讯录的时刻，想起把药瓶中的药片悉数倒入手心中的时刻。那一刻，我希望爱，或者被爱的人，他或者她，在哪里。

赤裸的陌生女子，再次用手臂环绕着我，把脸贴在我的背上，亲吻脊椎骨，一寸一寸往下移动，嘴唇清凉柔软。动作如此熟练明确，使我相信，这是她早已确认的事情。她流泻的满头浓密发丝散发出玉兰气味，没有清洗，混杂淡淡汗液的荷尔蒙气息。她说过，这是她和贞谅喜欢的植物，在花园里种很多。花香本身带有一种清凉冷淡之意，时间弥久愈加淡薄。我转过身去，没有去寻找她的眼睛。她覆盖住我，反复执拗地贴近、爱抚、亲吻、粘缠。头逐渐下移，试图把新生的火种植入我的身体。一种漫无目的的悲哀，像水流一样，慢慢灌注到体内，逐渐升高水平面，在胸腔之中晃动。强烈的孤独感，降临于我与她肉身之间的空隙。

肉身，这目前仅存的解救。如果不以卑微的肉身相爱，不以真实的孤独交融，不以脆弱和天真彼此袒露，不以生命中深刻的喜悦和悲伤交付，我们又将如何相爱。

我决定接受这个事实自然前行。翻转身体，俯身靠近她脖子侧边，用力吸吮那一处皮肤，感受一根强壮而活跃的动脉发出的振动和血液流动的轻响。着力使她微微颤栗，从喉咙底处迸发出一声低沉回应。摸索起伏的轮廓，柔软的凹陷，幽微的通道。摸索肉体所蕴藏的深不可测的悲哀的底限。试图探询它，与它沟通，与它在时间的某个顶端并存。让敞开的肉身共通、汇合，最终消失一切边界和隔膜。

没有片言只语。房间里只有如潮水般起伏的呼吸。为疼痛或愉悦轻轻迸裂出来的声息，像秋天干燥果实中趋向泥土和生长的种子，纷纷坠落于肉体融解扩展的沉默。这沉默，如同深夜的月光，远方的大海，失去音讯的山谷，覆没世间但已失散的爱人的怀抱。膨胀，绽放，沉醉，破碎。唇舌之间品尝到略带腥味的酸涩之意，背脊上吸吮到的咸味汗水，皮肤在夜色中闪烁出微弱光芒，空气中被热量和水气蒸腾淡而又淡的玉兰香气。

她的长发湿漉漉粘缠在一起。在她出现细微可辨的振动之际，我抓住这把浓密强韧的长发拧成一团，堵住她的嘴，使她在窒息和高潮中，双手紧紧掐住我的肩背，发出丝帛撕扯般的呼喊。

13

她要去往哪里。而我又将去往哪里。我们将与谁相爱并且做伴。还是会始终孤身一人在世间游荡直至死去。这些无解的问题，只能以躯体最终抵达的平静和遗忘覆盖。

此刻当下，我们成为这些世间疑问的对证者。

14

我不知道她何时离开酒店房间。当我醒来，她已不见。

我拧开台灯。凌晨5点。她在空出的枕头上，放置一张看起来保存良久的被折叠过的纸，是一张素描。与世隔绝的高山村庄，秀丽静谧的地形陷落于幽深连绵高山。一条拐弯的奔腾河流把村落包裹起来。依照山势而建造的木结构房屋，层层叠叠。起伏梯田，空旷田野。星星点点池塘，大片荷花盛开，映衬无边天际连绵谷峦。一个已消失于地球表面的故乡。

也许她以这样的方式，告诉我她的不告而别。如同失踪的故乡再无回首的道路，也不需要回返，丢掷戒指在一面旷无人迹的湖泊之中，离别骨肉在南半球小镇的角落，寻找深谷高地之中的血缘，遗留贞谅的素描给素昧平生的陌生人。通过各种实践和追索寻求论证，解缚脱尽身心全部负担、疑问和追溯。在人世留下微小线索，只为证明自己存在。

素描背面有一行字迹，应是她少女时代在伦敦念书时摘抄的诗歌。

你是城堡，我要把它称为荒漠，
夜里只有这声音，看不见你的面目，
当你倒在贫瘠的大地，
我要把承受过你的闪光叫做虚无。

一种强烈的情感。真诚，纯洁，热望，坚韧。情感即便失去踪迹，信仰依然可被追索，因为疑问和实践从未被放弃。它们生发，燃烧，跳动，簇簇燃烧而炙热的火焰，只有死亡才能够负载余烬渡船过岸。如同我与她， 即使不再相见，也将因这永生的困惑而得以在广袤世界不为人知的角落继续默默存活。寻找，探索，并永无止境。

我把纸张重新叠起，塞入枕头底下，重新关掉台灯。不知为何，觉得身体寂灭，内心虚空，记忆清除，整个人浑然完整并且内心洞明。却又完全不想醒来尝试思考或有所行动。所有语言和思虑都是多余。此刻，当下，我只想在这异国他乡的陌生旅馆心无旁骛地睡去。哪怕明天世界就要毁于旦夕，哪怕在世界毁灭的一刻人们依旧心怀破碎，哪怕明天也许不会来临。而当新的一天来临，我希望能够尽量按照自己的意愿生活。

于是，在陌生国度的古都，在只留下我独自一人的房间，在晨雾微微发亮的天色里，在永久的孤独中。我再度睡去。

「终」

安妮宝贝

作家

曾任职银行、广告公司、网站、杂志社

1998年起发表小说

题材多围绕城市中游离者的边缘生活

探索人之内心与自身及外界的关系

拥有大量读者

现居北京

出版作品

2000年 1月　短篇小说集　《告别薇安》

2001年 1月　散文及短篇小说集《八月未央》

2001年 9月　长篇小说　《彼岸花》

2002年 9月　摄影散文集　《蔷薇岛屿》

2004年 1月　长篇小说　《二三事》

2004年10月　摄影图文集　《清醒纪》

2006年 3月　长篇小说　《莲花》

2007年 9月　散文及短篇小说集《素年锦时》

2009年 5月　音乐合作小说　《月》

2011年 3月　主编文学读物　《大方》

博客：http://blog.sina.com.cn/babe

微博：http://weibo.com/1162178432

邮箱：orchid711@163.com

春　宴

特约编辑 | 吴畏　　责任编辑 | 朱莹　　封面摄影\封面设计 | hansey
营销策划 | 金锐 何旋　　版式设计 | 张琳 顾利军　　责任印制 | 匡涛
出品 | 万榕书业　　出品人 | 路金波

官方网站 | http://www.wanrongbook.com
官方微博 | http://weibo.com/wanrongbook
WanRong 万榕书业

图书在版编目（CIP）数据

春宴 / 安妮宝贝著. — 长沙：湖南文艺出版社，
2011.8
ISBN 978-7-5404-5027-4

Ⅰ. ①春… Ⅱ. ①安… Ⅲ. ①长篇小说 - 中国 - 当代
Ⅳ. ①I247.5

中国版本图书馆CIP数据核字（2011）第119230号

春　宴

作　　者：安妮宝贝
出 版 人：刘清华
责任编辑：朱　莹
策划编辑：吴　畏
版式设计：张　琳　顾利军
封面设计：hansey
出版发行：湖南文艺出版社
（长沙市雨花区东二环一段508号　邮编：410014）
网　　址：www.hnwy.net
印　　刷：北京朝阳新艺印刷有限公司
经　　销：新华书店
开　　本：880×1230　1/32
字　　数：290千字
印　　张：11.625
版　　次：2011年8月第1版
印　　次：2011年8月第1次印刷
书　　号：ISBN 978-7-5404-5027-4
定　　价：39.00元